Essential Echocardiography

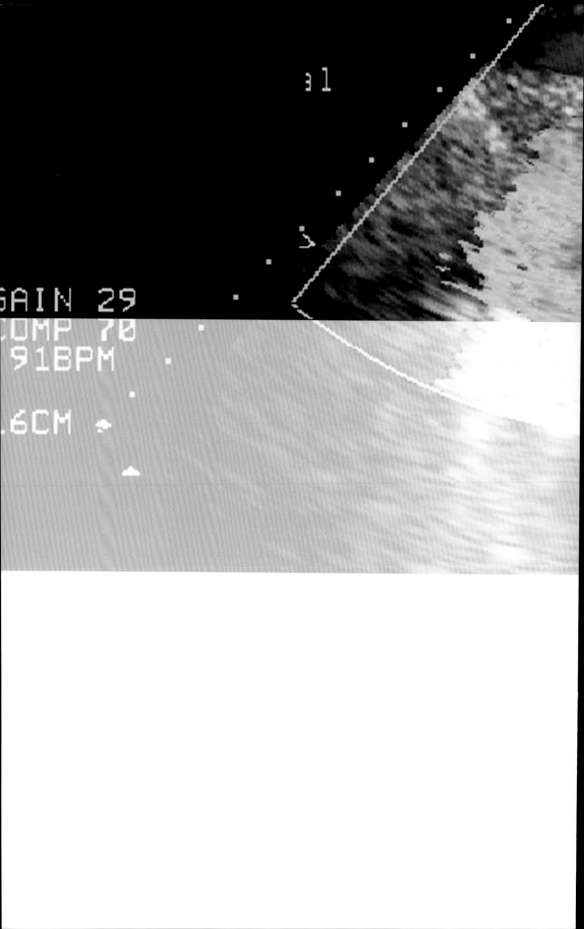

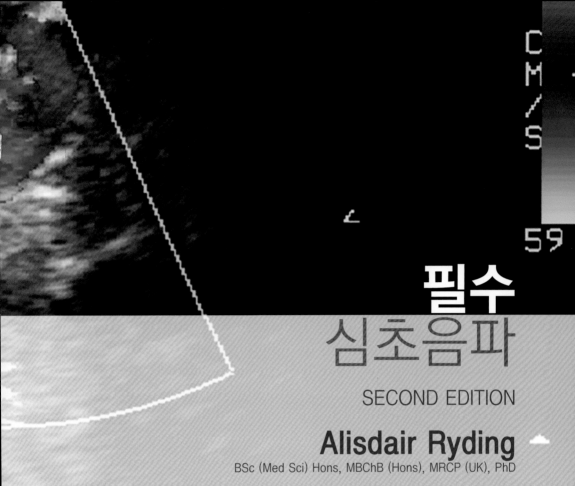

필수
심초음파

SECOND EDITION

Alisdair Ryding

BSc (Med Sci) Hons, MBChB (Hons), MRCP (UK), PhD

Consultant Cardiologist, Norfolk and
Norwich University Hospital; Honorary Consultant
Cardiologist, James Paget University Hospital, Norwich, UK

With a contribution by

James Newton MRCP, MD

Consultant Cardiologist and Clinical Lead for Echocardiography,
Oxford University Hospitals NHS Trust, Oxford, UK

Sayeh Zielke MD, MBA, FRCPC

Cardiac Imaging Fellow, John Radcliffe Hospital, Oxford, UK

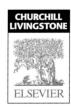

CHURCHILL
LIVINGSTONE

ELSEVIER

필수 심초음파 (2판)
Essential Echocardiography

둘째판 1쇄 인쇄 | 2022년 1월 17일
둘째판 1쇄 발행 | 2022년 1월 27일

지 은 이 Alisdair Ryding
역   자 오민석, 현철원, 안지현
발 행 인 장주연
출 판 기 획 김도성
책 임 편 집 신석주
편집디자인 조원배
표지디자인 김재욱
발 행 처 군자출판사(주)
　　　　 등록 제4-139호(1991. 6. 24)
　　　　 본사 (10881) **파주출판단지** 경기도 파주시 회동길 338(서패동 474-1)
　　　　 전화 (031) 943-1888　　　팩스 (031) 955-9545
　　　　 홈페이지 | www.koonja.co.kr

ISBN 979-11-5955-702-6

정가 55,000원

Elsevier

Essential Echocardiography, 2nd Edition
Copyright ⓒ 2013, Elsevier Inc. All rights reserved.
ISBN: 978-0-7020-4552-3

Essential Echocardiography, 2nd Edition
Copyright ⓒ 2013, Elsevier Inc. All rights reserved.
ISBN: 978-0-7020-4552-3

This edition of Essential Echocardiography, second edition by Alisdair Ryding is published by Koonja Publishing Inc. by arrangement with Elsevier Inc.

Korea Translation Copyright ⓒ 2021 Koonja publishing Inc.

필수심초음파, 오민석, 현철원, 안지현

Korean ISBN 979-11-5955-702-6
정가 55,000원

Printed in Korea

목차

역자 소개

오민석

분당제생병원 심장혈관내과 전문의
대한임상순환기학회 정보통신이사

현철원

평택성모병원 심장내과 전문의
대한임상순환기학회 정보통신이사

안지현

한국의학연구소 내과 전문의
대한임상순환기학회 총무이사

역자 서문

2021년 9월부터 우리나라에서 심초음파 검사의 건강보험 급여가 전면 확대되었습니다. 코로나19 팬데믹 내내 번역에 매달린 세계적 베스트셀러 'Essential Echocardiography'의 한국어판을 선보일 수 있게 되어 기쁩니다. 이 책은 심초음파 검사에 처음 입문하는 검사자는 물론이고 이미 심초음파 검사를 진행하고 있는 검사자에게도 큰 도움이 될 것입니다.

심초음파 검사법은 꾸준히 발전해 오고 있습니다. 앞으로 군자출판사 홈페이지(koonja.co.kr) 게시판에 'Essential Echocardiography' 출간 이후 미국심초음파학회(American Society of Echocardiography) 등에서 개정 발표한 가이드라인 등 관련 정보를 꾸준히 업데이트하도록 노력하겠습니다. 감사합니다.

2022년 1월
역자 오민석, 현철원, 안지현 드림

서문

심초음파 검사는 심장의 구조와 기능에 대한 풍부한 정보를 제공하는 매우 강력한 도구입니다. 심초음파 검사는 다른 영상검사와 달리 통증 없이 빠르고 안전하게 저렴한 비용으로 시행할 수 있습니다. 점점 더 휴대 가능한 심초음파 기기가 개발되고 있으며, 응급실이나 지역사회 등에서 쉽게 널리 활용되고 있습니다. 심초음파 교육수련에 관한 의료인의 관심과 수요가 큰 것은 당연한 일입니다.

심초음파 검사는 배우기 어려운 기술이며, 의심하지 않으면 함정이 될만한 것들이 많습니다. 어떻게 하면 좋은 영상을 얻을 수 있을까요? 정상과 이상 소견을 어떻게 구별할까요? 제대로 측정하고 정확하게 진단했습니까? 이러한 질문에 대한 답을 주기 위해 '필수 심초음파'를 집필했습니다. 이 책은 초보자도 자신감을 갖고 독자적인 실무자가 될 수 있도록 하는 실용적인 가이드입니다. 첫 파트에서는 초음파의 원리를 다루었으며, 심초음파 검사를 시행하고 최적화하는 것에 대한 실제적인 측면에 초점을 맞추었습니다. 이후 파트에서는 건강 상태와 질병 상태에서 다양한 심장의 방, 판막, 심장 외 구조물에 대해 체계적으로 다루었습니다. 새로운 단원으로 삼차원 심초음파와 우심실 병리를 추가하였고, 최신의 심초음파를 설명하기 위해 200개 이상의 새로운 영상을 담았습니다.

특히 영상 판독, 결과 보고, 진단에 필요한 지식과 기술을 강조했습니다. 전문지식을 습득하는 데 도움이 되는 300개 이상의 온라인 비디오를 담았습니다.

Alisdair Ryding Norwich,
UK

2D	two-dimensional
3D	three-dimensional
A	transmitral Doppler atrial diastolic wave
a'	annular late diastolic myocardial velocity
A2C	apical two-chamber
A3C	apical three-chamber
A4C	apical four-chamber
A5C	apical five-chamber
AR	atrial regurgitation
ARVD	arrhythmogenic right ventricular dysplasia
ASA	atrial septal aneurysm
ASD	atrial septal defect
ASH	asymmetric septal hypertrophy
AV	atrioventricular/aortic valve
BART	blue away, red towards
bpm	beats per minute
BSA	body surface area
CFM	colour flow mapping
COPD	chronic obstructive pulmonary disease
CRT	cardiac resynchronisation therapy
CT	computed tomography
CW	continuous wave (Doppler)
DSE	dobutamine stress echo
DT	deceleration time
DTI	Doppler tissue imaging
E	transmitral Doppler early diastolic wave
E:A	ratio of E and A wave peak velocities
e'	annular early diastolic myocardial velocity
ECG	electrocardiograph
EF	ejection fraction
EROA	effective regurgitant orifice area
FS	fractional shortening
HCM	hypertrophic cardiomyopathy
HIV	human immunodeficiency virus
HOCM	hypertrophic obstructive cardiomyopathy
IAS	interatrial septum
IE	infective endocarditis
IVC	inferior vena cava
IVS	interventricular septum
IVSd	diastolic interventricular septal thickness
LA	left atrium
LBBB	left bundle branch block
LGC	lateral gain compensation
LV	left ventricle
LVH	left ventricular hypertrophy
LVID	left ventricular internal diameter
LVIDd	end diastolic left ventricular internal diameter
LVIDs	systolic left ventricular internal diameter

LVNC	left ventricular non-compaction
LVOT	left ventricular outflow tract
LVOTO	left ventricular cardiomyopathy obstruction
MAPSE	mitral annular plane systolic excursion
MI	myocardial infarction
MRI	magnetic resonance imaging
MV	mitral valve
MVA	mitral valve area
MVP	mitral valve prolapse
PASP	pulmonary artery systolic pressure
PFO	patent foramen ovale
PISA	proximal isovelocity surface area
PRF	pulse repetition frequency
PSLAX	parasternal long axis
PSSAX	parasternal short axis
PV	pulmonary valve
PW	pulse wave (Doppler)
PWT	posterior wall thickness
PWTd	diastolic posterior wall thickness
RA	right atrium
RMVD	rheumatic mitral valve disease
RV	right ventricle
RVEDP	right ventricular end diastolic pressure
RVOT	right ventricular outflow tract
RVSP	right ventricular systolic pressure
RWMA	regional wall motion abnormality
SAM	systolic anterior motion of the mitral valve
SBP	systolic blood pressure
SLE	systemic lupus erythematosus
SV	stroke volume
TAPSE	tricuspid annular plane systolic excursion
TGC	time gain compensation
THI	tissue harmonic imaging
TOE	transoesophageal echocardiography
TTE	transthoracic echocardiography
VSD	ventricular septal defect
VTI	velocity time integral
WMSI	wall motion score index

감사의 글

이 책이 나올 수 있도록 해 준 환자분들께 깊은 감사를 드립니다. 특히 도움을 준 동료들에게 감사의 마음을 전합니다.

제2판

Dr Heeraj Bullock, Mrs Sarah Butcher, Mrs Karen Clifton, Mr Charles Graham, Dr Cairistine Grahame-Clarke, Dr Simon Hansom, Mr Darren Hardy-Shepherd, Miss Emma Lakey, Miss Angela Merrick, Mrs Ruth Mixer, Dr J Newton, Dr Helen Oxenham, Miss Sam Peck, Miss Hayley Reeve, Miss Natalie Sales, Mr Seamus Walker, Mrs Sheila Wood.

제1판

Dr K Asrress, Prof H Becher, Dr S Hussain, Dr P Leeson, Dr A Mitchell, Dr J Newton, Mrs M Priest, Mrs S Ramsay, Dr N Sabharwal, Mrs D Smith, Dr D Sprigings, Mr D Tetley, Dr J Timperley, Dr D Tomlinson, Prof S Westaby, Dr A Wrigley.

이 책이 나오기까지 도움을 준 엘스비어 사의 모든 관계자 여러분, 특히 Laurence Hunter와 Helen Leng에게 감사를 드립니다.

Alisdair Ryding Norwich,
UK

심초음파는 무엇인가?

심초음파는 심장의 구조와 기능을 영상화하기 위해 특화된 초음파 장비를 이용한 검사이다. 음파탐지기(sonar)가 음파의 반사 신호의 특성을 이용해 사물의 위치를 파악하는 것처럼 심초음파도 음파가 만드는 반향(echo)을 이용한다.

심초음파를 사용하기 위해 심초음파 기기의 내부 작동이나 초음파 물리학에 관한 자세한 지식이 꼭 필요한 것은 아니다. 그러나, 최상의 정보를 얻기 위해서는 기본 원리와 기술적 한계를 이해하는 것이 좋다.

기본 원리

초음파는 사람이 들을 수 있는 정상 범위(> 20 kHz)를 뛰어넘는 매우 높은 음파(> 1.5 MHz)를 사용한다. 심초음파의 탐촉자(transducer)를 구성하는 세라믹 물질인 압전 소자(piezoelectric crystal)는 내부로 전류가 흐를 때 높은 주파수에서 진동한다. 이것은 전기 에너지를 초음파의 파형으로 전환시키고, 역으로 초음파를 전기 에너지로 전환시킨다. 따라서, 초음파를 방출하고 변환하는 2가지 기능을 수행할 수 있다.

초음파 파형의 기본적인 물리적 구성요소는 초음파의 파형(λ, 인접한 주기에서 동등한 점 사이의 거리; 그림 1.1), 주파수(f, 초당 주기), 속도(v, 방향과 빠르기)이다. 이러한 요소 간의 관계는 공식으로 표현된다: $v = f \times \lambda$.

초음파의 속도는 조직의 물리적 특성(밀도)에 따라 결정된다. 심근과 같이 연한 조직에서는 1,540 m/s의 속도로 갈 수 있지만 뼈에서는 더 빨라지고 공기에서는 훨씬 느려진다. 초음파가 신체를 지나가면서 구성이 다른 조직 계면(tissue interface)을 만나면 빛이 유리를 통과할 때처럼 반사, 산란, 굴절 현상을 일으킨다(그림

그림 1.1

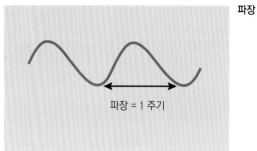

파장

파장 = 1 주기

그림 1.2

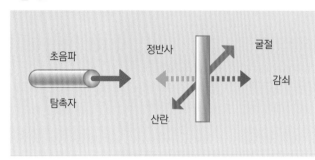

초음파/조직 상호작용. 탐촉자(적색 화살표)에서 방출된 초음파가 특정 구조물(직사각형)에 도달하면 정반사 (specular reflection, 청색 화살표) 및 산란(scatter, 녹색 화살표)하거나, 조직을 통과하여 감쇠(attenuation, 자색 화살표) 또는 굴절(refraction, 암청색 화살표)을 일으킨다.

1.2). 반사된 초음파의 파형이 탐촉자에 도달해 감지되면 심장의 영상이 그려질 수 있다. 이것은 초음파가 심장까지 갔다가 돌아오는데 얼마나 오래 걸리느냐에 따라 이루어진다: 오래 걸릴수록 구조물은 더 멀리 있는 것이다(그림 1.3). 따라서, 심초음파 기기는 심장에서 무슨 일이 일어나는지 나타내기 위해 탐촉자가 수신하는 신호들을 지속적으로 처리한다.

대개 심낭, 심내막, 심외막, 판막은 초음파의 파형을 강하게 반사(정반사, specular reflection)하는 반면에 혈액은 거의 반사가 되지 않는다. 심근은 산란을 일으키고 이러한 신호 강도의 차이로 인해 혈액과 심근이 쉽게 구별된다.

심초음파의 방식(echocardiographic modes)

이면성 영상(two-dimensional imaging)

가장 알기 쉬운 이면성 영상으로서 B-모드라고도 하며 실시간으로 움직이는 심장의 단면 영상을 볼 수 있다. 영상을 얻는 다양한 방식이 있는데 가장 현대적인 심초음파 기기는 주기적으로 활성과 비활성을 반복하는 일련의 결정체로 이용한다. 각 주기는 이면

그림 1.3

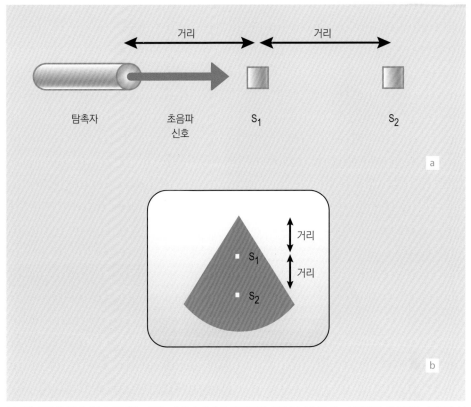

상대적 거리의 결정. (a) 조직간의 거리는 초음파 신호가 방출되어 돌아오는데 걸리는 시간으로 계산한다. 초음파 신호(적색 화살표)가 S2에서 돌아오는 시간은 S1에서 돌아오는 시간의 2배이다. **(b)** 심초음파 화면에서 나타나는 S1과 S2의 시각적 표현: 탐촉자는 부채꼴 단면의 꼭지점에 있다.

성 영상으로 조합될 수 있는 초음파의 선형태의 호(arc of ultrasound lines)가 효과적으로 생성된다(그림 1.4). 이 과정을 초당 수백 회 반복하여 심장의 움직임을 영상으로 만든다. 영상의 질은 주사선의 수(주로 섹터당 100개 이상)와 반복되는 주파수(화면율: 주로 초당 100회)에 의해 좌우된다.

삼차원 영상(three-dimensional imaging)

현재 실시간 삼차원 영상이 현재 이용 가능하며 임상 현장에서 사용이 증가하고 있다. 이에 대해 제21장에서 자세히 다루었다.

M-모드 영상(M-mode imaging)

한 때 유일하게 사용할 수 있는 심초음파 방식이었다. M-모드는 좁은 단일 초음파 빔을 생성하는 결정체를 이용하여 탐촉자로부터 구조물까지의 거리를 분석할 수 있다. M-모드는 커서(cursor)를 이면성 영상의 관심 구조물에 위치시켜 사용한다. 초음파 빔은 초

그림 1.4

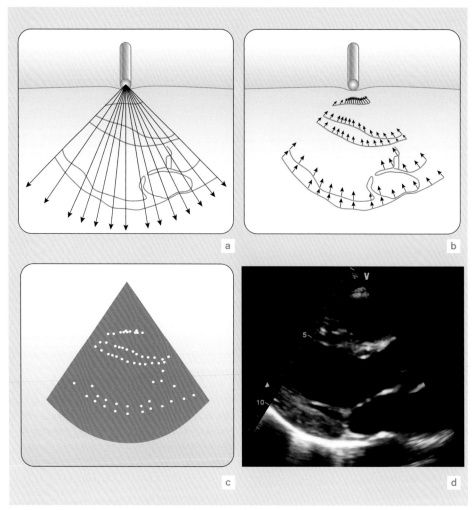

이면성 영상의 원칙. (a) 초음파 빔이 심장을 포함한 흉부 구조물을 지나면서 원호(arc)를 형성하도록 연이어 방출된다. **(b)** 초음파가 조직과 혈액의 경계면(tissue/blood interface)에서 탐촉자를 향해 산란 및 반사를 일으킨다. **(c)** 반사된 신호들이 형성한 상대적인 위치와 시간 정보로 심장을 이면성 영상으로 나타낸다. 주사선의 수가 증가되면 화질을 향상시킬 수 있다. **(d)** 실제 화면에 나타나는 영상

당 수천 회 반복되어 시간에 따른 거리를 선으로 그린다(그림 1.5). M-모드의 장점은 프레임률이 매우 높아서 움직이는 구조물의 공간 해상도가 매우 좋고 심장의 내강을 매우 정확하게 측정할 수 있다. 단점은 해석이 어렵고 신뢰할 만한 측정을 하려면 기술이 매우 좋아야 한다는 점이다.

도플러 초음파(Doppler ultrasound)

도플러 초음파는 혈류의 방향과 속도를 감지하는 방법이다. 혈액세포는 다른 조직과

그림 1.5

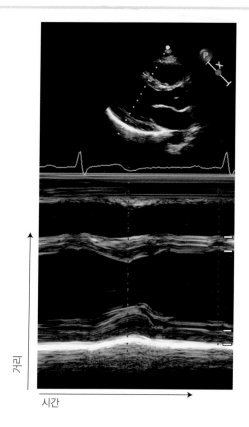

거리

시간

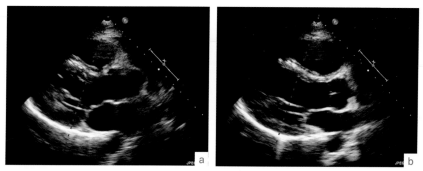

M-모드 심초음파의 기록. M-모드는 폭이 좁은 1개의 초음파 빔을 통해 탐촉자에서 구조물까지의 거리에 대한 정보를 얻는다. 초음파 빔(적색 점선)의 위치는 이면성 영상에서 지정하고, 시간에 따른 거리 정보를 연속된 그래프의 형태로 나타낸다. M-모드 영상에서 나타나는 수축기(**a**)와 이완기(**b**)에 해당하는 이면성 영상은 아래에 각각 a와 b에서 적색 점선으로 표시되어 있다.

같이 초음파를 반사하지만, 세포가 움직이기 때문에 반사된 초음파의 주파수는 변한다. 이것은 도플러 이동(Doppler shift)으로 알려져 있으며 구급차가 다가올 때와 사라질 때 사이렌 소리의 크기가 달라지는 것과 같다(그림 1.6). 방출되는 초음파의 주파수가 정해

그림 1.6

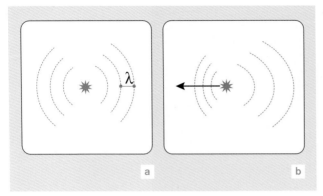

도플러 원리. (a) 정지상태의 음원(별표)이 특정 파장을 지닌 음파(점선)를 방출한다. (b) 음원이 왼쪽으로 이동하면 음파의 파장은 짧아지고 진동수는 증가한다. 역으로 반대편의 파장은 증가하고 진동수는 감소한다.

그림 1.7

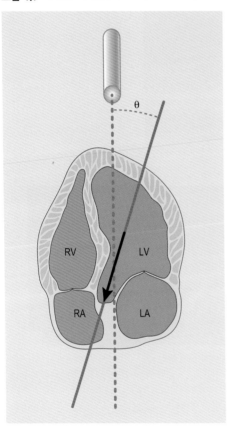

정렬(alignment)이 도플러에 미치는 영향. 심첨 5방도에서 보이는 검은 화살표는 좌심실 유출로를 지나는 혈류로서 그 실제 속도는 v이다. 녹색의 점선은 도플러 빔을 표시한 것으로 혈류 방향과 θ 만큼의 각도 차이가 발생한다. θ가 20도 미만이라면 측정된 속도와 실제 속도 사이의 오차는 무시할 수 있는 수준이다.

져 있으므로 반사파의 주파수 변화는 혈류의 방향과 속도를 알려준다. 주파수의 증가는 탐촉자를 향해 움직임을 시사한다. 이동이 클수록 움직임이 빠르다. 물론 초음파 빔과 같은 선에 방향(vector)의 혈류만 감지될 것이다(그림 1.7). 혈류가 빔에 수직으로 지나가면 감지할 수 없다. 도플러 이동과 혈액의 빠르기와 방향 간의 상관관계는 부록 2를 참고하

그림 1.8

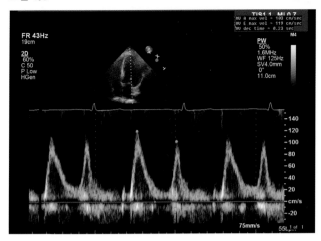

간헐파 도플러. 간헐파 도플러는 승모판을 지나는 혈류에 대한 정보를 얻는 데 사용된다. 혈류의 속도가 느리고 상대적으로 층판류(laminar flow)일 때 사용되는 것이 특징이다.

라. 혈류에 대한 심초음파로는 스펙트럴 도플러(spectral Doppler)와 색도플러(CFM)를 이용할 수 있다. 스펙트럴 도플러는 간헐파 도플러(PW)와 연속파 도플러(CW)가 있다.

간헐파 도플러(pulse wave Doppler, PW)

간헐파 도플러는 이름이 시사하는 바와 같이 일련의 초음파 송신에서 반사파를 수신할 수 있는 간격이 있는 초음파를 사용한다. 특정 위치(커서를 점 또는 박스로 샘플 용적을 나타냄)에서 혈류를 분석할 수 있도록 최적화하였다. 이 정보는 속도(y축)와 시간(x축)으로 구성된 그래프로 나타낸다. 탐촉자를 향하여 오는 방향의 혈류는 기준선의 위쪽으로 표시된다(그림 1.8).

간헐파 도플러의 세밀한 공간 해상도는 속도 해상도를 희생하여 얻는데 일반적으로 감지할 수 있는 속도의 범위는 약 1.6 m/s 이하이다. 이보다 빠르면 앨리어싱(aliasing)이라고 불리는 현상이 일어나는데 혈류의 방향이 반대인 것처럼 보이고, 스펙트럴의 신호가 반대쪽으로 나타나게 된다('wrapping around')(그림 1.9). 앨리어싱 속도는 사용되는 펄스 반복 주파수(pulse repetition frequency, PRF), 즉 초당 초음파 펄스의 개수에 좌우되는데 이는 측정 가능한 도플러 주파수 이동의 최대치인 나이퀴스트 한계(Nyquist limit)를 결정하게 된다. 이에 대한 기술적 이론은 복잡하지만 나이퀴스트 한계는 펄스 반복 주파수의 1/2과 같다. 앨리어싱은 도플러 주파수 이동이 나이퀴스트 한계를 넘을 때 나타난다. 앨리어싱 속도는 주파수의 탐촉자를 사용하거나 영상의 깊이를 섹터 크기로 줄일 때 (PRF를 증가시키기 위해) 증가할 수 있다.

간헐파 도플러는 승모판, 양심실 유출로, 폐정맥, 간정맥에서 저속의 혈류를 분석하는 데 사용된다. 또한 정량적 심초음파에서도 사용된다. 혈류가 층판류(laminar), 즉 균일한 속도라면 도플러 스펙트럼 하나의 속이 비어있는 뚜렷한 선으로 나타난다(그림 1.8). 대조적으로 와류(turbulent)인 경우에는 많은 다른 속도와 방향을 포함하므로, 뚜렷한 선이 아닌 속이 차 있는 형태로 나타난다.

그림 1.9

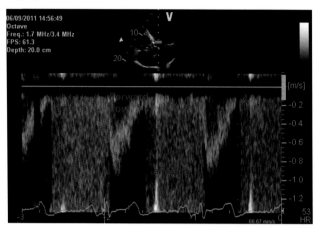

앨리어싱. 좌심실 유출로에서 시행한 간헐파 도플러는 수축기의 전향 혈류(forward flow)를 검출한다. 이완기 대동맥판 역류의 속도가 나이퀴스트 한계(1.2 m/s)를 초과하고, 이 신호는 y축을 휘감게되어(aliasing), 전향 혈류인 것처럼 잘못 나타나게 된다.

그림 1.10

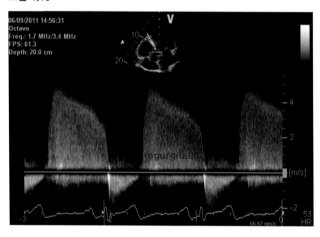

연속파 도플러. 그림 1.9와 같은 환자의 영상. 연속파 도플러는 대동맥판을 지나는 혈류의 속도를 측정하는데 사용된다. 높은 속도의 대동맥판 역류가 올바르게 나타나 있다. 혈류 속도는 약 5 m/s이다.

연속파 도플러(continuous wave Doppler, CW)

연속파 도플러는 초음파의 지속적인 방출을 통해 공간 해상도를 떨어뜨려 간헐파 도플러의 속도 한계를 해결할 수 있지만 초음파 빔을 따라 혈류가 위치하는 곳이 어디인지는 정확하게 알 수 없다. 예를 들어 연속파 도플러는 대동맥판을 지나는 압력차와 좌심실 유출로 폐쇄를 구별할 수 없다. 따라서, 이면성 영상에서 색도플러를 보면서 커서를 조심스럽게 위치시킨 뒤 연속파 도플러를 얻어야 믿을만한 데이터를 얻을 수 있다(그림 1.10). 연속파 도플러는 주로 판막협착을 지나는 혈류의 압력차를 측정하는 데 사용된다.

색도플러(color flow mapping, CFM)

색도플러는 기본적으로 넓은 영역에서 얻은 간헐파 도플러 데이터를 그림으로 나타내는 것이다. 관심영역을 포함하는 다수의 샘플 용적(sample volume)에서 동시에 간헐파 도플러 데이터를 얻어서 표현한다. 색깔은 혈류의 방향과 속도에 따라 나타나는데 탐촉자

그림 1.11

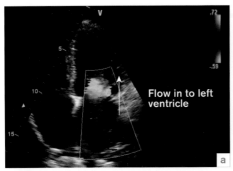 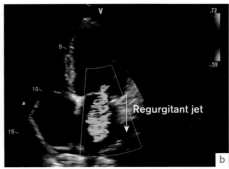

색도플러. 심첨 4방도. (a) 이완기에 대부분의 혈류가 탐촉자를 향해 좌심방에서 좌심실로 흐르며 적색/황색으로 나타난다. **(b)** 수축기에는 혈류가 탐촉자에서 멀어지고 대동맥판을 지나 좌심실에서 빠져 나간다(사진 없음). 이 예에서 빠른 속도의 와류가 일으킨 앨리어싱 현상으로 인해 적색, 청색 및 황색이 섞여있는 승모판 역류제트(mitral regurgitant jet)가 보인다.

에서 멀어지는 혈류는 청색, 탐촉자를 향해 오는 혈류는 적색으로(BART: blue away, red toward) 나타난다(그림 1.11). 혈류의 빠르기는 색의 척도(color scale) 내에서 명암에 따라 구분된다. 색지도영상은 혈류 속도를 컴퓨터로 단순하게 표현한 것으로 반드시 혈류량과 일치하지는 않는다.

색도플러는 간헐파 도플러 기법이므로 속도 한계가 있어 앨리어싱 현상이 생기면 혈류의 제트(jet)에서 부적절한 색깔이 나타난다. 와류나 속도가 빠른 판막역류에서 자주 볼 수 있다(그림 1.11b).

색도플러는 판막의 역류와 폐쇄 부위의 와류를 찾거나 션트를 찾고 혈류에 스펙트럴 도플러를 정렬시키는 데 매우 유용하다.

조직 도플러 영상(Doppler tissue imaging, DTI)

지금까지 기술한 도플러 기법은 혈류를 분석하는 것이지만, 조직 도플러를 통해 심장 조직의 움직임에 초점을 맞출 수도 있다. 혈류와 달리 심근은 속도가 낮지만 진폭(amplitude)은 높다.

색지도 조직 도플러 영상은 색도플러와 동일한 방법으로 움직임의 빠르기와 방향에 따라 심근을 색깔로 표현한다(그림 1.12a, b). 탐촉자를 향해 오는 움직임은 적색으로, 탐촉자로부터 멀어지는 움직임은 청색으로 나타나는 적청 척도(red-blue scale)를 사용한다. 이것은 심근의 공간 이동(spatial displacement)을 분석하지 않고 움직임의 방향과 빠르기를 분석한다는 것을 이해하는 것이 중요하다. 정확한 속도에 따라 적색과 청색의 다른 색조(tone)로 나타난다. 이 기법은 심장기능의 부위별 차이를 찾는데 사용된다.

스펙트럴 조직 도플러 영상(spectral DTI)은 간헐파 도플러로 특정 샘플 용적에서 혈류 속도를 검사하는 것과 같은 방법으로 이면성/색도플러 조직 영상을 이용해 샘플 용적을 위치시켜 소량의 조직의 속도를 분석한다. 데이터는 심근 속도와 시간의 그래프로 표현된다. 탐촉자를 향하는 움직임은 기준선의 위쪽으로 표시된다(그림 1.12c).

그림 1.12

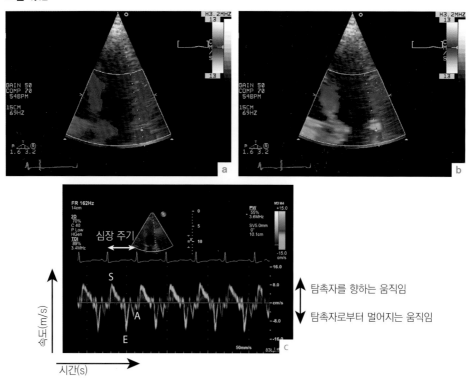

조직 도플러 영상. (a)와 **(b)** 조직 도플러 색지도화. **(c)** 간헐파 스펙트럴 조직 도플러. 색지도는 심근의 이면성 영상
위에 덮어 씌워져 있다. 적색은 수축기에 탐촉자를 향한 움직임이고 청색은 이완기의 움직임이다. 스펙트럴 조직 도
플러는 관심부위에 샘플 용적을 위치시켜 얻을 수 있다. **(c)** 측벽 승모판륜(lateral mitral annulus)에서 시행한 스펙
트럼 조직 도플러 소견으로, 시간에 따른 심근의 속도를 그래프로 표현한다. 탐촉자를 향한 움직임은 기준선의 위쪽
이다. 수축기(S파)와 이완기(E 및 A파)의 복합적인 속도 변화를 볼 수 있다.

임상현장에서 좌심실벽의 운동속도를 구할 때 특이적으로 조직 도플러 영상을 사용한
다. 수축기 동안 심근이 수축될 때 유입성 가속(inward acceleration)이 일어나고, 수축기
말까지 감속(deceleration)과 정지가 이어진다. 이완기 동안 심근이 이완되고 심실이 충만
(ventricular filling)되면서 유출성 가속(outward acceleration)이 일어나서 수축기가 다시 시
작될 때까지 감속과 정지가 이어진다. 이상의 기본적인 내용 외에 좌심실의 수축기능과
이완기능에 관한 복잡한 내용은 제5장에서 더 자세히 다루었다.

심장의 단면도

심장의 해부학

　심장 구조에 대해 이미 알고 있다고 하더라도 심초음파에서 심장이 어떻게 보이는지에 대해서는 생소할 수도 있다. 이것은 이면성 단면도로는 심장의 일부밖에 볼 수 없고, 심장의 구조와 방향이 매우 복잡하기 때문이다. 거의 항상 심초음파 화면에서 탐촉자는 화면의 위쪽에 위치하지만 때로는 위아래가 바뀌어 보일 때도 있다. 눈으로 주요 구조물과 방향을 숙지하는 연습을 한다면 쉽게 익힐 수 있을 것이다.

　심장이 흉부에서 어떻게 위치하는지 생각해보면 심초음파 화면을 더 쉽게 이해할 수 있다(그림 2.1). 대혈관(major vessel)은 종격동의 중앙에 있는 심장의 기저부(base)에서 드나들고 심첨부(apex)는 왼쪽 유두 아래에 위치한다. 따라서, 기저부는 심첨부보다 위쪽에 있다. 왼쪽 유두 근처의 가슴을 관통해 오른쪽 어깨 근처로 뚫고 나온 칼을 상상하면 대충 심장의 장축(longitudinal axis) 방향과 같다.

　우심실은 흉부의 앞쪽에 있으면서 좌심실을 바나나 모양으로 감싸고 있다. 심장의 가장 뒤쪽 구조물은 좌심방이다. 놀랍게도 대동맥판(aortic valve)과 대동맥근(aortic root)은 대부분의 심초음파 화면에서 중앙에 위치하며, 다른 판막들은 이 주위에 모여있다.

표준 심초음파창(standard echocardiographic windows)

　늑골과 공기가 차 있는 폐는 초음파의 파형을 가로막기 때문에 흉부의 특정 부위에서만 심장을 볼 수 있다. 표준 심초음파창은 다음과 같다(그림 2.2).

그림 2.1

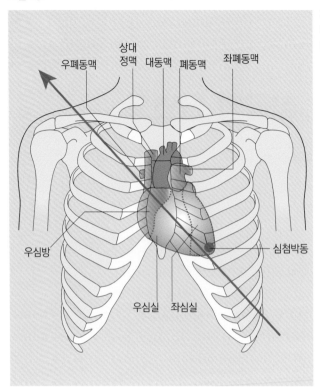

우폐동맥
상대정맥
대동맥
폐동맥
좌폐동맥
우심방
심첨박동
우심실
좌심실

가슴과 종격동내 심장의 방향, 심장의 장축은 심첨부의 박동이 느껴지는 곳에서 오른쪽 어깨를 향하는 방향이다.

그림 2.2

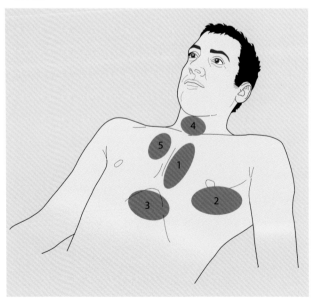

표준 심초음파창. 심초음파창의 대략적인 위치를 녹색으로 표시하였다. 늑간 사이를 바꾸면서 관찰하여 가장 좋은 영상을 얻어야 한다. (1) 좌흉골연; (2) 심첨부; (3) 늑골하부; (4) 흉골상부; (5) 우흉골연

그림 2.3

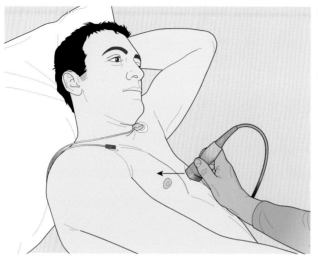

환자의 자세. 최상의 영상을 얻기 위해 환자는 왼쪽으로 누워 45° 기대게 하고 왼팔은 머리 뒤에 두게 한다. 필요하면 왼쪽으로 더 돌려 눕힌다. 탐촉자는 표지자(marker)를 환자의 오른쪽 어깨를 향하며 흉골연 장축도 촬영을 위해 위치하였다.

- 좌흉골연창(left parasternal window)
- 심첨부창(apical window)
- 늑골하부창(subcostal window)
- 흉골상부창(suprasternal window)
- 우흉골연창(right parasternal window)

대다수의 사람들에서 이러한 창들을 통해 심장을 관찰할 수 있다.

가능한 한 최상의 영상을 얻기 위해 환자를 45° 왼쪽으로 눕히고 왼팔은 머리를 뒤로 하며 오른팔은 옆에 위치시킨다(그림 2.3). 이렇게 하면 심장이 앞쪽으로 오게 되고 늑간 (intercostal space)이 열린다. 흉골연창에서 환자에게 숨을 내쉬고 참게 하면 폐용적을 줄이고 호흡운동을 없애서 화질을 향상시킬 수 있다. 심첨부창에서는 약간 숨을 들이쉬면 도움이 될 수 있다.

검사자의 위치와 탐촉자 잡는 법

검사자는 환자의 오른쪽에 편안하고 안정적인 자세로 앉는다. 오른팔을 뻗어 환자의 흉부 앞쪽에서 심초음파 창이 보이게 한다. 허리를 굽히면 매우 빨리 불편해지므로 허리를 똑바로 편다.

엄지와 검지, 중지 사이에 펜을 잡듯이 부드럽게 탐촉자를 잡는다(그림 2.4). 대부분의 탐촉자에는 방향을 가리키는 새김눈(notch)이나 표식(mark)이 있으며, 이것을 위로 향하게 하고 검사를 시작한다. 검사자가 원하는 위치에서 가슴에 탐촉자를 부드럽게 대기 전에 소량의 초음파 겔을 탐촉자의 끝에 바른다. 세게 누르면 환자와 검사자 모두에게 불편하기 때문에 세게 누를 필요는 없다. 처음부터 완벽한 영상을 얻기는 어렵지만 탐촉자

그림 2.4

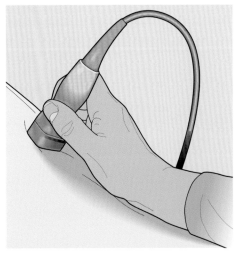

탐촉자를 잡는 법/ 엄지. 검지 및 중지를 사용해 연필을 잡듯 탐촉자를 잡아야 한다. 손과 탐촉자를 환자의 가슴에 부드럽게 얹고 화질을 위해 약간씩 위치를 조정하면 된다.

그림 2.5

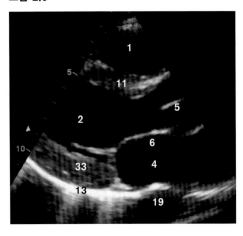

흉골연 장축도. (1) 우심실 내강; (11) 좌심실 전중격벽; (2) 좌심실 내강; (4) 좌심방; (5) 대동맥근; (6) 승모판; (13) 심낭; (19) 하행대동맥; (33) 좌심실 후벽;

의 위치를 조금씩 조정하면 영상의 질이 크게 달라질 수 있다. 또한 검사자가 허리 통증을 줄이기 위해 환자의 왼쪽에 앉아서 검사할 수도 있다. 검사자에게 맞는 것을 선택하라.

표준 영상(standard views)

흉골연 장축도(parasternal long axis view, PSLAX)

좌흉골연의 3번째 또는 4번째 늑간에 탐촉자를 위치하면 이 단면도를 얻을 수 있다(그림 2.2, 2.3). 최상의 영상을 얻기 위해 다른 늑간에서도 시도해 보아야 한다. 탐촉자의 표식이 오른쪽 어깨를 향하도록 탐촉자를 정렬한다.

이 단면도에서는 승모판, 대동맥판, 좌심방, 좌심실 기저부와 중간부 등 많은 구조물을 볼 수 있다(그림 2.5). 좌심실 첨부는 잘 보이지 않는다. 이상적으로 영상은 스캔 섹터(scan sector)의 첨부에서 나오는 M-모드의 커서 선이 심실중격과 수직이 되어야 한다. 우심실의 중간 부위도 일부 관찰할 수 있고, 탐촉자의 초음파 빔을 더 아래로 기울이면 우심방으로 삼첨판(그림 2.6a: 우심실유입단면도), 위로 기울이면 대동맥판 주위의 폐동맥판과 우심실 유출로(그림 2.6b: 우심실유출단면도)도 볼 수 있다.

흉골연 단축도(parasternal short axis view, PSSAX)

단축도는 흉골연 장축도에서 탐촉자를 왼쪽 어깨를 향해 시계방향으로 90° 돌려서 얻는다(그림 2.7). 이 영상에서 좌심실은 고리 모양의 좌심실의 단면을 얻게 되고 우심실은 옆에 붙어 있는 모양으로 보인다(그림 2.8a). 심실 중간부의 정확한 단면 영상은 유두근(papillary muscle)이 뒤쪽으로 보이고 승모판엽(mitral valve leaflet)이 영상 안에 들어오지 않아야 한다. 좌심실이 원형보다는 타원형으로 보이면 탐촉자를 위아래로 기울이기 전에 좌우로 돌려본다.

초음파 빔을 좌심실의 장축을 따라 아래로(둔부 쪽으로) 각도를 주면 좌심실의 첨부를 관찰할 수 있다. 반대 각도로 스캔을 하면 위쪽으로 승모판의 단면을 볼 수 있다(그림 2.8b). 훨씬 위쪽으로 각도를 주면 대동맥판의 단면, 삼첨판, 우심실 유출로, 폐동맥판막을 볼 수 있다(그림 2.8c).

그림 2.6

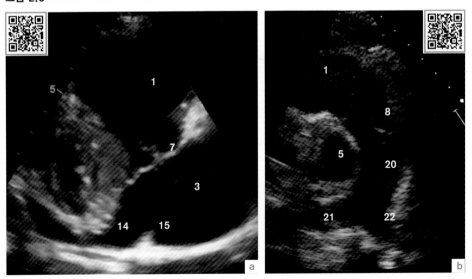

변형된 흉골연 장축도. (a) 아래로 기울인 화면; 우심실유입단면도; (1) 우심실 내강; (3) 우심방; (7) 삼첨판엽(tricuspid valve leaflet); (14) 하대정맥(inferior vena cava) ; (15) 유스타키안 판(Eustachian valve). **(b)** 위로 기울인 화면; 우심실유출단면도; (1) 우심실 유출로; (5) 좌심실 유출로; (8) 폐동맥판; (20) 폐동맥; (21) 우폐동맥; (22) 좌폐동맥

그림 2.7

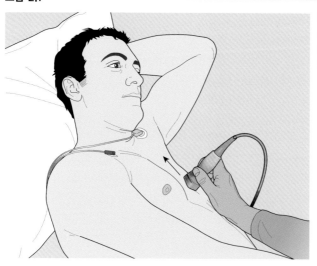

흉골연 단축도. 흉골연 장축도 상태에서 탐촉자를 시계방향으로 90° 돌려 탐촉자의 표식이 환자의 왼쪽 어깨로 향하게 하면 된다(화살표).

그림 2.8

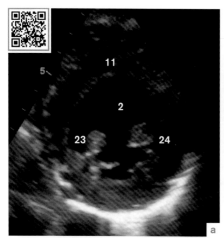

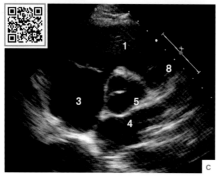

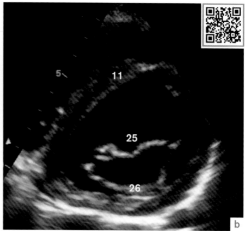

흉골연 단축도. (a) 중간 심실 레벨; (11) 심실중격; (2) 좌심실 내강; (23, 24) 유두근 **(b)** 승모판 레벨; (11) 심실중격; (25, 26) 승모판엽. **(c)** 대동맥판 레벨; (1) 우심실 내강; (3) 우심방; (4) 좌심방; (5) 대동맥판; (8) 폐동맥판.

심첨부단면도(apical views)

다음으로 중요한 영상은 심첨부 영상으로 탐촉자의 표식이 환자의 왼쪽으로 향하게 한다(그림 2.9). 가장 좋은 위치는 보통 시행착오를 거쳐야 얻을 수 있다. 영상의 방향과 질을 최적화하기 위해 다른 늑간과 위치를 시도해 본다. 흔한 실수는 탐촉자를 너무 위쪽이나 흉부의 중앙에 위치시키는 것이다.

심첨 4방도(apical 4-chamber view, A4C)에서는 양심실, 양심방, 승모판, 삼첨판이 보인다. 이상적으로는 화면의 중앙에 심실중격이 보여야 하고, 좌심실의 첨부가 짧아지지 (foreshortening) 않아야 한다(그림 2.10a). 심첨 4방도는 좌우심실 기능을 평가할 뿐만 아니라 승모판과 삼첨판에서 도플러 검사를 하는데 매우 중요하다.

심첨 5방도(apical 5-chamber view, A5C)에서 좌심실 유출로(left ventricular outflow tract, LVOT)를 5번째 방으로 함께 볼 수 있다. 이 영상은 탐촉자를 약간 위쪽으로 각도를 주면 좌심실 유출로와 대동맥판을 볼 수 있다(그림 2.10b). 이 영상은 좌심실 유출로와 대동맥판의 도플러 측정에 중요하다.

심첨 2방도(apical 2-chamber view, A2C)는 표준 심첨 4방도에서 반시계방향으로 약 45° 돌려서 탐촉자의 표식이 왼쪽 어깨로 향하도록 한 것이다. 이 영상에서 좌심실의 전벽과 하벽을 볼 수 있다(그림 2.10d).

심첨 3방도(apical 3-chamber view, A3C)는 반시계방향으로 45°를 더 돌려서 탐촉자의 표식이 오른쪽 어깨를 향하도록 한 것이다. 이것은 흉골연 장축도와 매우 유사하지만 방향이 다르다(그림 2.10c).

늑골하부단면도(subcostal views)

늑골하부단면도는 모든 환자에서 기본으로 시행해야 한다. 창이 불량하여 흉골연 단면도나 심첨부 단면도를 얻기 어려운 경우 늑골하부단면도에서 대신 가능한 경우도 많다. 움직일 수 없는 환자, 특히 중환자실에서 흔히 유일하게 얻을 수 있는 영상이다.

환자를 반쯤 옆으로 눕히고 무릎을 약간 굽혀서 복부를 이완시킨 뒤 탐촉자를 검상돌

그림 2.9

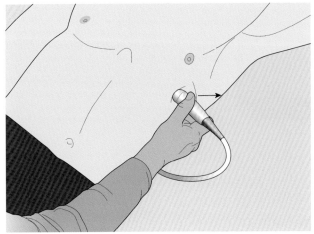

심첨부창. 탐촉자를 좌심실첨부 근처에 위치시킨다. 정확한 부위는 사람에 따라 다르므로 좌심실을 '단축(fore-shortening, 입사각에 따라 전면이 짧게 보이는 현상)'시키지 않도록 하면서 가장 좋은 영상을 얻을 수 있는 부위를 찾는다. 탐촉자의 표식은 왼쪽을 향하게 한다(화살표).

그림 2.10

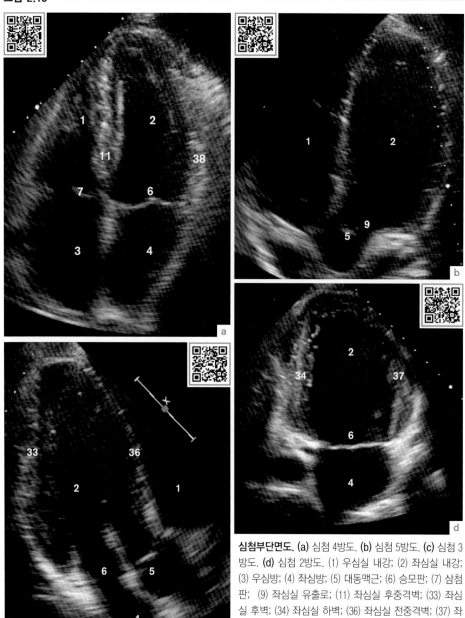

심첨부단면도. (a) 심첨 4방도. **(b)** 심첨 5방도. **(c)** 심첨 3방도. **(d)** 심첨 2방도. (1) 우심실 내강; (2) 좌심실 내강; (3) 우심방; (4) 좌심방; (5) 대동맥근; (6) 승모판; (7) 삼첨판; (9) 좌심실 유출로; (11) 좌심실 후중격벽; (33) 좌심실 후벽; (34) 좌심실 하벽; (36) 좌심실 전중격벽; (37) 좌심실 전벽; (38) 좌심실 전측벽

기의 중앙 아래에 위치시키고 왼쪽 어깨를 향해 탐촉자의 표식이 환자의 왼쪽을 향하게
한다(그림 2.11). 환자가 숨을 들이쉬고 참으면 최상의 영상을 얻을 수 있다.

늑골하부단면도는 일종의 측면(off-axis) 4방도이다(그림 2.12a). 탐촉자를 약간 위쪽
으로 기울이면 심첨 5방도와 유사하게 대동맥판과 좌심실 유출로를 볼 수 있다. 탐촉자
를 반시계방향으로 90° 돌리면 좌우심실의 단축도를 볼 수 있다(그림 2.12b). 탐촉자를
더 위쪽으로 각도를 주면 대동맥판의 단면 영상과 함께 우측 심장의 구조물을 볼 수 있
다(그림 2.12c).

탐촉자를 오른쪽으로 옮기면 하대정맥과 간정맥을 볼 수 있다(그림 2.12d).

흉골상부단면도(suprasternal views)

이 창에서 흉부 대동맥 부분을 볼 수 있다. 환자를 45° 기대어 앉도록 하고 머리를 뒤
로 젖히게 한다. 탐촉자를 목의 아래쪽에 있는 빗장위오목(supraclavicular fossa)에 위치시
키고 새김자(notch)를 왼쪽 어깨로 향하게 한다. 이 자세에서 대동맥궁과 하행대동맥을
볼 수 있으며(그림 2.13), 탐촉자가 오른쪽 어깨로 향하도록 하면 상행대동맥을 볼 수 있
다(그림 2.14a). 대동맥과 그 분지들을 확인하기 위해 색도플러(CFM)를 사용하면 된다.
탐촉자를 45° 반시계방향으로 돌리면 좌심방의 뒷부분과 폐정맥 유입을 볼 수 있는 단면
이 나온다(그림 2.14b). 이것은 좌심방과 4개의 폐정맥으로 이루어져서 게(crab) 단면도
로도 알려져 있다.

우흉골연단면도(right parasternal view)

이 영상은 대동맥판과 상행대동맥의 정보를 얻는데 특이적으로 사용된다. 대동맥을
지나는 혈류와 잘 맞아서 심첨부 영상보다 대동맥판 압력차(aortic valve gradient)를 더 정
확히 추정할 수 있다. 환자를 오른쪽으로 돌아눕게 해서 심장과 대동맥이 앞쪽으로 오게
한다(그림 2.15). 탐촉자를 2번째 또는 3번째 늑간에 위치시킨다.

그림 2.11

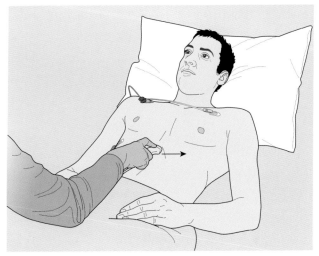

늑골하부창. 흉골의 검상돌기 아래 부
위에서 탐촉자를 왼쪽 어깨로 향하게
두고 탐촉자 표식(marker)은 왼쪽을
향하게 하면 된다.

그림 2.12

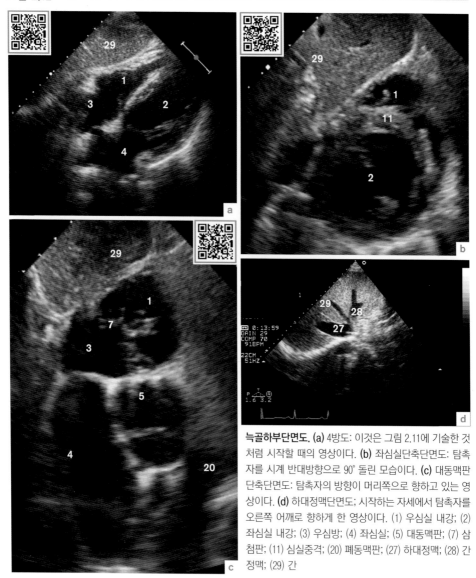

늑골하부단면도. (a) 4방도: 이것은 그림 2.11에 기술한 것처럼 시작할 때의 영상이다. **(b)** 좌심실단축단면도: 탐촉자를 시계 반대방향으로 90° 돌린 모습이다. **(c)** 대동맥판단축단면도: 탐촉자의 방향이 머리쪽으로 향하고 있는 영상이다. **(d)** 하대정맥단면도; 시작하는 자세에서 탐촉자를 오른쪽 어깨로 향하게 한 영상이다. (1) 우심실 내강; (2) 좌심실 내강; (3) 우심방; (4) 좌심실; (5) 대동맥판; (7) 삼첨판; (11) 심실중격; (20) 폐동맥판; (27) 하대정맥; (28) 간정맥; (29) 간

　　이상적으로는 도플러 전용 탐촉자를 사용해야 하지만 참고할 수 있는 이면성 영상이 없기 때문에 정렬이 어려울 수 있다. 표준 다목적 탐촉자를 사용하면 색도플러를 참고하여 연속파 도플러의 커서를 위치시킬 수 있다.

그림 2.13

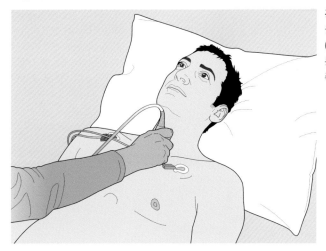

흉골상부창. 환자는 45° 기대 누워 목을 뒤로 젖힌다. 탐촉자를 흉골상절흔(suprasternal notch)에 놓고 하행대동맥을 보기 위해 탐촉자의 표식이 왼쪽 어깨를 향하도록 한다.

그림 2.14

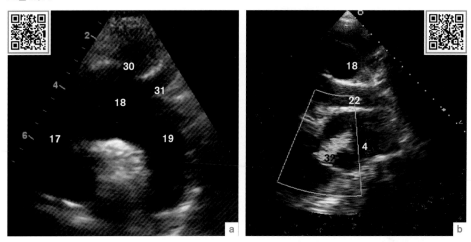

흉골상부단면도. **(a)** 대동맥궁과 하행대동맥. **(b)** 좌심방의 계단면도; 우하폐정맥에서 좌심방으로 들어오는 혈류를 색도플러 혈류로 나타냈다. (4) 좌심방; (17) 상행대동맥; (18) 대동맥궁; (19) 하행대동맥; (22) 좌폐동맥; (30) 좌총경동맥; (31) 좌쇄골하동맥; (32) 우하폐정맥 유입 혈류.

마무리

　　완전한 심초음파 검사를 위해 전부는 아니더라도 이러한 영상의 대부분을 확인하도록 노력해야 한다. 각 이면성 영상은 심장의 구조와 기능에 관한 정보를 제공하지만 각 방의 크기, 심실 기능, 판막 기능, 혈류를 평가하기 위해서는 다른 심초음파 기법(M-모드, 도플러, 조직 도플러)이 특이적으로 필요하다. 따라서, 기본 영상은 나머지 심초음파 검사를 위한 뼈대가 된다.

그림 2.15

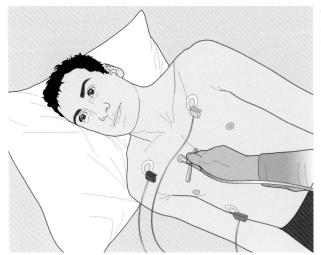

우흉골연창. 심장과 대동맥이 앞쪽으로 향하도록 환자를 오른쪽으로 돌려 눕힌다. 2번째나 3번째 오른쪽 늑간 사이에 도플러 전용 탐촉자를 놓고 대동맥 혈류를 찾기 위해 위치를 조정한다.

그림 2.16

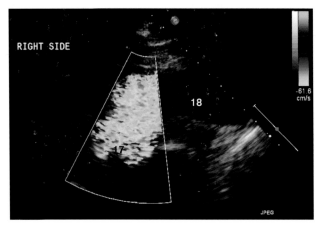

우흉골연창. 중증의 대동맥판 협착 환자의 상행대동맥과 대동맥궁이 나타나있다. 색도플러 영상에서 대동맥판에서 나오는 고속의 와류 제트(turbulent jet)가 확인된다. (17) 상행대동맥; (18) 대동맥궁

완전한 검사는 시작하기에 매우 어려울 수 있기 때문에 복잡한 것을 시도하기 전에 기초부터 다루며 자신감을 가져야 한다. 발전하면서 영상, 기법, 기술에 대한 레퍼토리를 구축하라. 중요한 것을 잊지 않도록 레퍼토리를 일상화하라. 진행하면서 볼 수 있는 모든 구조물을 확인하고 소견에 대해 의견을 내도록 하라. 이렇게 하면 정상과 정상에서 벗어난 것을 구분하는 것을 빠르게 배우게 될 것이다. 또한 누락하는 것을 피하게 될 것이다.

영상의 최적화

영상의 질은 환자, 검사자, 심초음파 검사를 시행하는 환경, 심초음파 기기의 세팅 등 많은 요인에 의해 결정된다. 가능한 한 많은 요인들을 최적화하는 데 시간이 들게 되지만 좋은 영상을 얻을 수 있을 것이다. 물론 좋지 않은 심초음파 창과 같은 일부 요인들로 인해 영상의 질이 떨어지는 것은 바꿀 수 없으나 이러한 상황에서도 개선시킬 수 있는 방법은 있다.

환자의 최적화

검사를 시행하기 전에 환자가 최대한 협조하도록 검사의 특징을 설명하고 동의를 구한다. 환자의 흉부를 노출시키고, 심초음파 창에 심전도 전극이 부착되어 있으면 제거한다. 환자를 심초음파 검사용 침대에서 45° 왼쪽으로 돌아눕도록 한다(좌측 측와위). 필요시 이 자세를 조정하고 검사자도 최대한 편한 자세를 취한다.

환자가 숨을 내쉰 후 참도록 하면 폐용적과 호흡운동으로 인한 간섭을 줄여서 화질이 개선된다.

심전도 감시 장치가 영상을 얻는데 도움을 준다. 심전도 전극을 양쪽 어깨에 붙이고 하나는 늑골하부에 부착한다. 전극의 표준 구성은 적색/오른쪽 어깨, 황색/왼쪽 어깨, 녹색/늑골하부이다. 때때로 황색과 녹색 전극을 바꾸어 부착하면 심전도 추적이 더 잘 되는 경우도 있다. 대개 심박동 1~2개만 기록해도 충분하지만 심방세동, 잦은 기외수축 또는 분당 100회 이상의 빈맥이 있는 환자에서는 최소한 3개의 심박동을 기록해야 한다.

검사 환경

조용하고 방해받지 않는 전용 공간에서 심초음파를 시행해야 한다. 조명은 어둡게 하고 심첨부 영상을 잘 보기 위해 심초음파 전용 침대가 유용하다. 초음파 겔을 이용해 탐촉자와 피부 사이의 접촉을 향상시킨다.

심초음파의 최적화

대부분의 심초음파 기기는 초음파 세팅과 영상 처리가 어느 정도 조절이 가능하지만 매 환자마다 매 영상을 맞춰야 한다. 조정해야 하는 주요 지표는 사용하는 모드에 달려 있다.

이면성 영상(two-dimensional imaging)

탐촉자 선택

심초음파 기기에는 보통 탐촉자가 여러개 연결되어 있으므로 자신에게 맞는 탐촉자로 잘 골랐는지 확인해야 한다. 주파수의 차이가 최대 해상도(resolution)와 초음파의 투과도(penetration) 깊이를 결정하기 때문에 탐촉자의 선택이 중요하다. 해상도는 초음파 빔이 감지할 수 있는 두 사물의 최소 길이로서 초음파의 파장과 같다. 예를 들어 표준형 3-MHz 탐촉자는 연부조직에서 해상도가 0.5 mm이다. 최고의 해상도를 원한다면 가급적 가장 짧은 파형/최고 주파수의 탐촉자를 사용해야 하지만, 조직 투과도가 감소할 것이다. 이러한 이유로 성인용 탐촉자는 3-MHz 전후인 반면에 소아용 탐촉자는 8-MHz까지 주파수를 사용할 수 있다. 환자의 체격이 크거나 작은 경우를 제외하면 대부분의 성인 심초음파 검사에서는 표준 다목적 성인용 탐촉자로 충분할 것이다.

섹터의 깊이(sector depth)

매 영상에서 심장 전체가 보이도록 깊이를 조정해야 한다. 특정 구조물만 집중할 필요가 있지 않는 한 화면의 가운데에 관심영역을 위치시킨다. 깊이를 너무 얕게 세팅하면 심부의 구조물을 놓칠 수 있고, 반대로 너무 깊게하면 심장의 전체 크기가 적절히 평가하기에 너무 작게 보일 수 있다(그림 3.1).

섹터의 폭(sector width)

가능한 한 심장의 많은 부위를 한번에 보려면 섹터의 폭을 최대로 해야 하지만, 간혹 특정 구조물을 주의 깊게 보기 위해 폭을 줄여야 하는 경우가 있다. 폭을 줄이면 초당 더 많은 스캔을 할 수 있기 때문에(화면율 증가) 영상의 질을 향상시킬 수 있다(그림 3.2).

게인(gain)

영상의 밝기는 탐촉자가 수신하는 초음파의 신호 강도에 의해 좌우된다. 신호 강도는 주로 주행거리에 좌우되지만 조직의 반사되는 성질에 의해서도 영향을 받는다. 따라서,

그림 3.1

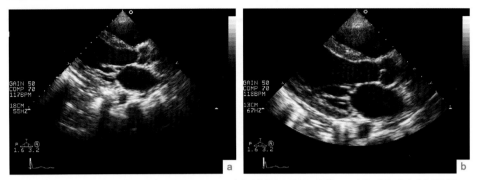

깊이(depth) 조정. 흉골연 장축도. **(a)** 깊이를 17 cm로 설정: 심장이 부채꼴 단면(sector)에 비해 작다. **(b)** 깊이를 13 cm로 설정; 심장이 부채꼴 부분을 가득 채우고 후방 구조물들이 적절하게 보인다.

그림 3.2

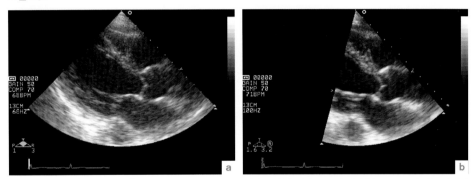

부채꼴 단면 너비(sector width) 조정. 흉골연 장축도. 대동맥판 주위의 너비를 줄여 화면율(frame rate)가 증가되며 화질을 향상시킨다.

탐촉자에 가까울수록 영상이 더 밝아지는 경향이 있다. 더 균일한 영상을 얻으려면 늦게 도달한 신호(더 멀리 있는 사물)의 강도를 올려주는 시간 게인 보상(time gain compensation, TGC)을 이용해 약한 신호를 증폭시킬 수 있다. 시간 게인 보상은 특정 깊이에서 수동으로 게인을 조절할 수 있게 해 준다. 이것은 주로 조절판(control panel)의 옆에 수직으로 배열되어 있다. 비슷한 방식으로 측면 게인 보상(lateral gain compensation, LGC)은 영상의 가장자리에서 약해진 신호를 영상의 특정 섹터로부터 신호를 보상하기 위해 증폭하는데 사용될 수 있다(그림 3.3). 일부 기기에는 자동 게인 최적화 기능이 있다.

더 밝은 영상이 더 좋아보일 수 있지만 게인이 지나치게 높으면 구조물 사이의 선명도가 떨어지고 허상(artefact)이 생길 수 있다. 게인을 잘 조정한 영상은 고형조직의 강도가 균질하고 혈액으로 차 있는 내강은 약간 반짝인다.

초점(focusing)

압전 소자(piezoelectric crystal)가 활성화된 시퀀스를 조절함으로써 특정 깊이에 초음파

그림 3.3

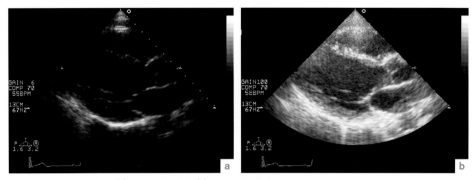

게인 조정. 흉골연 장축도. **(a)** 너무 낮은 게인. **(b)** 너무 높은 게인.

그림 3.4

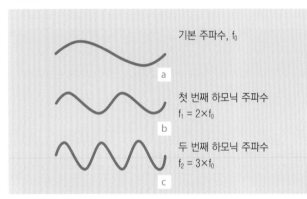

기본 주파수, f₀

첫 번째 하모닉 주파수
$f_1 = 2 \times f_0$

두 번째 하모닉 주파수
$f_2 = 3 \times f_0$

하모닉 영상의 원칙. 적색선은 진동하여 음파를 생성하는 악기의 줄을 나타낸다. **(a)** 기본 주파수에서 방출되는 소리의 파장은 선의 길이와 같다. **(b)** 첫 번째 하모닉 주파수는 기본 주파수의 2배이고, 그 파장은 1/2이다. **(c)** 그 다음 하모닉 주파수는 기본 주파수의 3배이다. 초음파의 하모닉 영상에서도 비슷한 원칙이 적용된다.

의 초점을 맞출 수 있다. 그 결과 작은 영역에서 초음파 신호를 집중시켜서 반사된 신호의 강도를 증가시키게 된다. 보고자 하는 구조물의 바로 아래에 초점을 위치시켜야 하고 각 영상에 따라 재조정이 필요할 수 있다.

하모닉(harmonics)

조직 하모닉 영상(tissue harmonic imaging, THI)은 화질을 강화하는 데 사용되는 세팅이다. 음악가에게 있어 하모닉이라는 개념은 옥타브(octave)에 선율(note)의 상관관계처럼 친숙하다. 예를 들어 기타줄을 확 잡아당기면 기타줄의 길이에 따른 특정 기본 주파수(f0)의 특별한 선율이 들린다(그림 3.4). 이것은 기타줄이 공명하는 주파수이다. 1음정이 높은 선율의 진동수는 기본 진동수(첫 번째 하모닉)의 2배이고 1음정씩 높아질수록 기본 진동수의 배수로 올라간다(두 번째 하모닉). 기본 진동수만으로 이루어진 소리는 온화하지만 공허하게 들리므로 일반적인 음악은 기본과 하모닉 진동수가 어우러진 소리를 만들어 고유의 선율을 감상할 수 있다.

그림 3.5

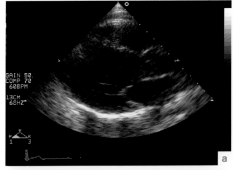
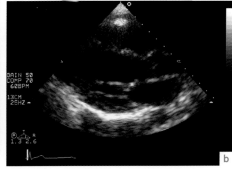
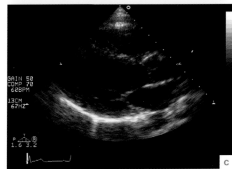

하모닉 영상. 흉골연 장축도. **(a)** 기본영상: 영상이 거칠다. **(b)** 첫 번째 하모닉 영상: 영상은 거칠지만 심근의 윤곽이 증강되었다. **(c)** 두 번째 하모닉 영상: 영상의 화질이 개선되었다.

비슷한 방식으로 초음파의 파형은 탐촉자 제조 시에 결정된 기본 주파수로 구성된다. 초음파가 조직에 닿으면 진동을 일으켜 기본 주파수의 배수로 이루어진 하모닉이 발생한다. 기본 진동수가 조직을 통과하면서 급격히 감소하기 때문에 초음파의 행동 양상이 유용한 반면에 실제로 하모닉 주파수는 탐촉자에서 4~8 cm 범위 내에서 더 강하게 된다. 조직 하모닉 영상은 하모닉 주파수를 선택적으로 이용하고 기본 주파수는 억제하여 깊은 부위의 화질을 증가시키는 방법이다(그림 3.5). 또한 기본 영상에서 허상을 피할 수 있다.

일반적으로 조직 하모닉 영상을 높이면 영상의 질을 개선시키지만 판막, 심낭처럼 반사가 잘 되는 조직은 실제보다 두껍게 보일 수 있다.

색도플러(color flow mapping Doppler, CFM)

섹터의 크기(sector size)

보고자 하는 구조물에 색도플러의 섹터를 위치시킨다. 역류제트(regurgitant jet)가 전체 제트와 함께 판막의 직전에 혈류 수렴 구역(flow convergence zone)이 있으면 함께 포함시켜야 한다. 섹터를 크게 설정하는 것이 선호되지만 영상 처리속도가 느려지고 전반적인 화질이 떨어지는 단점이 있다. 이런 경우에는 많은 심초음파 기기에서 흑백 억제사양(black and white suppress option)으로 색도플러 영상의 양쪽 가장자리에 보이는 이면성 영상의 섹터를 최소화할 수 있다.

그림 3.6

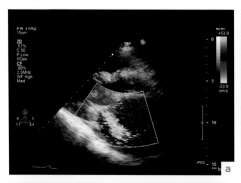 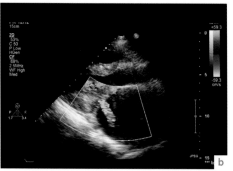

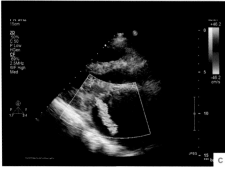

색도플러의 최적화. 흉골연 장축도. **(a)** 높은 게인 설정. **(b)** 낮은 게인. **(c)** 낮은 앨리어싱 속도. 색도플러의 설정에 따라 역류제트가 보이는 크기가 달라진다. 높은 게인은 제트 면적(jet area)을 증가시키고 낮은 게인은 감소시킨다. 낮은 앨리어싱 속도도 제트 면적을 증가시키는 경향이 있다.

색 게인(color gain)

비정상 혈류의 작은 제트를 잘 찾기 위해 게인을 조절하여 색도플러의 신호를 증폭시킬 수 있다. 역류성 판막 병변의 중증도에 영향을 미칠 수 있으므로 제대로 세팅하는 것이 매우 중요하다. 게인을 적절히 조절하면 약간 반짝거린다. 게인이 너무 지나치면 허상이 생기고 게인을 너무 낮추면 역류제트의 크기가 감소하고 미세한 비정상 혈류를 놓칠수 있다(그림 3.6).

앨리어싱 속도(aliasing velocity)

색도플러의 속도 범위는 화면의 한 쪽에 척도로 보이고 주로 자동으로 설정된다. 앨리어싱 속도는 색도플러의 속도가 척도의 표시 범위를 넘었을 때 나타난다. 이 현상을 조정하면 특히 역류제트의 경우 혈류의 모양이 바뀐다. 역류의 정도를 해석할 때 속도를 조정한 것을 고려해야 하며(그림 3.6) 역류의 중증도를 해석할 때 주의가 필요하다. 근위부 등속면 면적법(proximal isovelocity surface area, PISA)과 같은 기법은 색 대조(color contrast)를 증가시키기 위해 기준선을 조정해야 하고 특정 앨리어싱 속도가 필요하다(다음 단원 참고).

그림 3.7

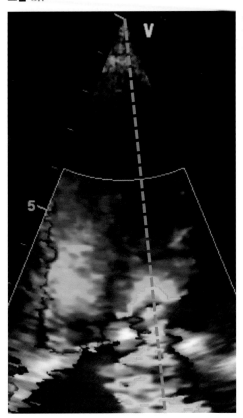

스펙트럴 도플러의 정렬. 심첨 4방도. 승모판 역류에서 도플러 커서가 판구(valve orifice)를 거쳐서 역류제트의 가장 좁은 부분인 vena contracta에 정렬된 모습이다.

스펙트럴 도플러(spectral Doppler)

도플러의 종류

스펙트럴 도플러 모드의 선택은 적용 목적과 속도 범위가 필요한 속도와 맞는지에 좌우된다. 표준 적용법은 판막 병변의 평가에 관한 단원에서 다룰 것이다. 일반적으로 간헐파 도플러는 정확한 위치에서 속도를 측정하는 것이 필요할 때 사용하고, 연속파 도플러는 빠른 속도의 혈류가 예상될 때 사용한다.

샘플 용적/커서의 위치(position of sample volume/cursor)

이면성 심초음파를 이용하여 샘플 용적/커서를 적절히 위치시켜야 한다. 또한 색도플러를 이용하여 혈류와 나란히 정렬시켜야 한다. 도플러 커서와 혈류 사이의 각도가 20°보다 크면 최대 속도가 과소평가된다. 역류제트에서 커서는 vena contracta라고 알려진 판구 직후 제트의 좁은 부분을 통과해야 한다(그림 3.7).

그림 3.8

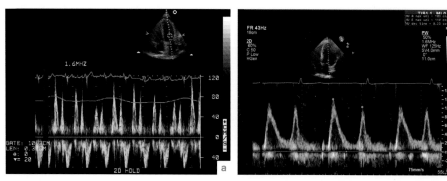

스펙트럴 도플러의 최적화. 경승모판(transmitral) 간헐파 도플러의 기록. **(a)** 심장눌림증의 경우 호흡에 따른 승모판 유입혈류(mitral inflow) 속도의 변화를 더 잘 평가하기 위해 스캔 속도를 25 mm/s로 설정하였다. **(b)** 더 빠른 스캔 속도(75 mm/s)에서는 경승모판 혈류의 개별 구성요소들을 더 자세히 분석할 수 있다. 기준선(baseline)과 속도 척도(scale) 또한 판독에 최적화되도록 조정되었다.

척도/기준선(scale/baseline)

보고자 하는 부위를 최대한 자세히 관찰하여 정확히 측정하기 위해 스펙트럴 화면의 척도와 기준선을 조정해야 한다(그림 3.8).

일소 속도(sweep speed)

스펙트럴 도플러의 시간 척도는 적용법에 따라 변할 수 있다(그림 3.8). 표준 일소 속도는 50 mm/s인데 대개 이것으로 충분하다. 일소 속도를 증가시키면 신호를 길게 늘여 시간을 정확하게 측정할 수 있다. 반면에 일소 속도를 늦추면 다수의 심장주기를 함께 압축하여 수초에 걸쳐 호흡주기와 연관된 변화에 대한 평가가 가능하다.

좌심실

좌심실의 해부학

좌심실은 한쪽 끝이 럭비공 모양인 벽이 두꺼운 방이다. 기저부에 승모판과 좌심실 유출로가 있으며, 이곳을 통해 좌심실로 혈액이 들어오고 나간다. 내부에는 잔기둥(trabeculation)이 거의 없어 매끈한 벽을 이루고 있다. 승모판 장치(apparatus)를 지탱하는 2개의 유두근은 좌심실의 자유벽(free wall)에 붙어 있다. 심실중격(interventricular septum)은 우심실의 벽이 좌심실에 붙어서 형성된다.

좌심실 벽의 근섬유는 기저부부터 벽 안의 깊이가 다양한 심첨부까지 복잡한 나선형으로 배열되어 있다. 일반적으로 근섬유는 벽의 중간부에서는 원주형으로 배열되어 있고 심내막과 심외막에서는 더 장축 방향으로 배열되어 있다. 심장이 수축할 때 균일하게 짧아지기보다는 비틀림 운동을 한다.

심초음파 소견

좌심실은 거의 모든 표준 심초음파 영상에서 볼 수 있으며, 특히 흉골연 장축도, 흉골연 단축도, 심첨 4방도, 심첨 3방도 및 심첨 2방도에서 잘 보인다(그림 2.5, 2.8, 2.10, 2.12). 좌심실의 구조와 기능을 완전히 평가하려면 여러 영상이 필요하고 기본 심초음파 검사로 모두 시행해야 한다.

정상 심근의 에코 밀도는 판막이나 심낭보다 약간 낮아야 한다. 일부인에서 근위부 중격 비후가 생기는 경우가 있다. 좌심실 벽의 두께는 보통 균일하나(그림 4.1), 이는 정상 변이로 임상적 의의는 거의 없다.

좌심실 건삭(left ventricular chord)은 얇은 섬유성 띠로서 종종 좌심실의 자유벽에서 중격까지 심실 내강을 가로지르거나(그림 4.2) 심실 벽의 장축으로 이어지기도 한다. 건삭은 심초음파에서

그림 4.1

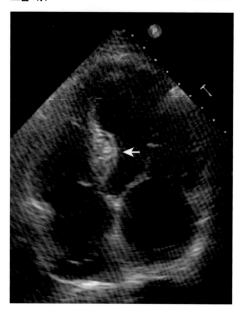

근위부 중격비후(proximal septal hypertrophy). 심첨 4방도. 심실중격의 기저부(화살표)가 부분적으로 두꺼워져 있다. 나머지 좌심실 벽 두께는 정상이다.

밝게 보이며 승모판의 건삭과 비슷하다. 건삭은 심장주기에 따라 늘었다 줄었다 한다.

좌심실의 구조

좌심실 용적의 표준 측정 시 이완기말과 수축기말에 측정한 심실중격(interventricular septal wall, IVS) 두께, 좌심실 내경(left ventricular internal diameter, LVID), 후벽 두께(posterior wall thickness, PWT)를 측정한다(그림 4.3). 이러한 측정치는 좌심실 구조에 관한 중요한 정보를 제공하며, 좌심실 질량(left ventricular mass)과 분획 단축(fractional shortening)과 같은 지표를 계산하는데 사용될 수 있다. 좌심실 용적(left ventricular volume)의 평가는 다음 섹션에서 다룬다.

일반적인 접근법은 이면성 영상으로 흉골연 장축도에서 승모판 끝 레벨에서 좌심실을 가로질러 M-모드 커서를 위치시키는 것이다. 좌심실 용적이 더 크게 측정되지 않도록 커서를 좌심실의 장축과 수직으로 정렬해야 하며, 그렇지 않으면 측정치가 과대평가된다. 만약 적절히 정렬되지 않으면 이면성 영상에서 직접 측정하는 것을 권한다(그림 4.3). 좌심실 벽 경계에서 직접 측정해야 하며 유두근/승모판 건삭과 같은 구조물은 피한다.

체구의 차이에 의한 영향을 고려하여 심실의 측정치와 용적은 체표면적과 성별에 따라 보정한다. 성별에 따른 모든 용적의 수치는 부록 1에 있다.

그림 4.2

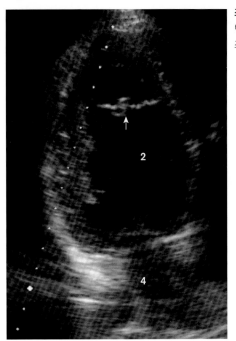

좌심실 건삭. 심첨 4방도. 2개의 가는 건삭(화살표)이 자유벽에서 중격으로 좌심실 내강을 가로지르는 모습이다. (2) 좌심실 내강; (4) 좌심방.

좌심실 질량(left ventricular mass)

좌심실 질량을 측정하는데 다양한 방법을 사용할 수 있다. 실제로 대부분 심초음파 소프트웨어 패키지는 관련 데이터로부터 좌심실 질량을 자동으로 계산하기 때문에 필요한 측정값만 알면 된다. 공식을 알고 싶어 하는 분들을 위해 부록 2에 수록하였다.

이러한 공식은 좌심실 기하학적 구조가 대칭(예, 동심비대, concentric left ventricular hypertrophy)이라고 가정하지만, 기하학적 구조가 왜곡되거나 비대칭(예, 심근경색증 후 재형성)이라면 부정확해진다.

M-모드

좌심실 벽 두께

심실중격 두께 또는 좌심실 후벽 두께는 흉골연 단축도에서 M-모드로 이완기에 측정할 수 있다. 성인 남성에서 > 1.0 cm, 성인 여성에서 > 0.9 cm이면 비정상으로 간주한다. 비정상의 범위는 부록 1에 있다. 좌심실이 확장되면 정상 벽 두께에도 불구하고 전반적인 좌심실 질량이 증가할 수 있으므로 이러한 간단한 접근법은 어느 정도 한계가 있다.

그림 4.3

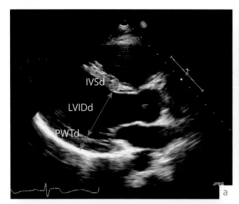
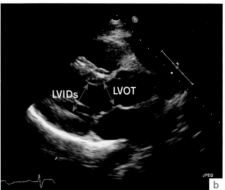
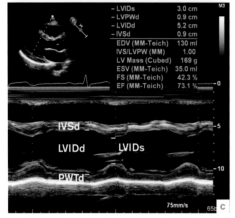

좌심실 크기 측정. (a) 흉골연 장축도, 이완기말. **(b)** 흉골연 장축도, 수축기말. **(c)** M-모드. LVIDd, 이완기말 좌심실 내경; LVIDs, 수축기말 좌심실 내경; PWTd, 이완기말 후벽 두께; LVOT, 좌심실 유출로.

입체 공식(cubed formula)

이것은 좌심실의 모양이 잘린 럭비공처럼 생겼다고 가정한다(prolate ellipsoid). 그림 4.30c에서 보는 것처럼 간단히 3가지(LVSd, LVIDd, PWTd)를 측정한다.

이면성 방법

면적-거리 공식(area-length formula)

이 공식에는 3가지 간단한 측정치가 필요하다(그림 4.4).
1. 심첨부의 심내막면으로부터 승모판륜 중간 지점까지 좌심실의 거리(L).
2. 유두근의 위치에서 흉골연 단축도에서 이완기의 좌심실의 심외막면에 의해 정의된 영역(A1).
3. 같은 영상에서 좌심실 내강의 심내막면에 의해 정의된 영역(A2). 측정에 유두근을 포함시키지 말아야 한다.

그림 4.4

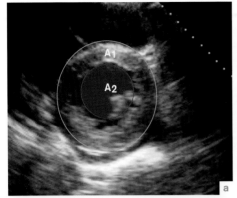

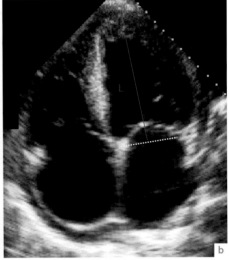

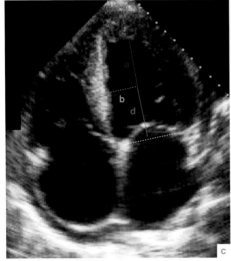

좌심실 질량: 이면성 방식. (a) 흉골연 단축도: 유두근 높이. (b와 c) 심첨 4방도. 면적-거리 공식: 흉골연 단축도 이완기 말기에 심외막(A1)과 심내막(A2) 경계를 따라 그린다. 심외막과 심내막 사이는 심근 영역을 반영한다. 다음 단계로, 좌심실 첨부에서부터 승모판륜 레벨의 중간지점까지의 거리를 측정한다. 잘린 타원체 측정법: 면적-거리 공식과 같은 방법으로 A1, A2를 그린다. 좌심실 첨부에서부터 승모판륜 레벨까지의 거리를 세분화하여 심첨부 부분과 기저부 부분으로 나눈다. 좌심실의 단축 직경이 최대가 되는 지점을 기준으로 나눈다. 직경 b는 직접 측정할 필요 없이 면적 데이터를 바탕으로 계산되어 얻어진다.

잘린 타원형(truncated ellipsoid)

이것은 본질적으로 면적-거리 공식(그림 4.4)과 매우 유사한 측정법이다. 앞의 방법과 같이 A1과 A2를 측정한다. 길이 L은 좌심실의 직경이 최대가 되는 지점에서 길이 a와 d로 나눈다. 길이 a는 심첨부에서 최대 단축의 교차점까지이고, 길이 d는 이 교차점으로부터 승모판륜의 중간 지점까지이다.

좌심실 비대(left ventricular hypertrophy)

좌심실 비대는 심근세포의 비대와 세포 외 섬유화로 인한 좌심실 질량의 증가로 정의된다. 이것은 이차적 상태(예, 비대심근변증) 또는 고혈압, 심근경색증, 판막 질환과 같은 병리에 이차적으로 발생할 수 있다. 좌심실 비대의 여러 양상이 특정 병리에서 생길 수 있다. 좌심실 비대는 전형적으로 압력 과부하(예, 대동맥판 협착 또는 고혈압)에 반응하여 발생하며, 좌심실 내경 안으로 들어오는 대칭성 비대를 유발하여 내강의 크기가 줄어든다. 편심성 비대는 용적 과부하(예, 대동맥판 역류 또는 승모판 역류)에서 발생하며 좌심실 내경의 감소 없이 좌심실 질량이 증가한다.

좌심실 수축기능(left ventricular systolic function)

좌심실 기능의 평가는 심초음파 검사를 하는 가장 흔한 목적이지만 숙달하기가 매우 어렵다. 심초음파의 기술적인 측면과도 관련이 있지만, 좌심실 기능을 평가하는 모든 방법에 보편적으로 적용하기 어려운 문제도 있다.

첫째, 좌심실은 수축기와 이완기가 지속적으로 반복되는 복잡한 펌프이다. 이것은 결코 고정된 상태가 아니다. 심장주기의 모든 시기를 고려하여 한번에 측정할 수 있는 단일 변수는 없다. 둘째, 심장기능은 우세한 혈역학적 상태로 자동적으로 조정되며, 좌심실 충만압(전부하, preload)과 펌프기능에 대한 저항(후부하, afterload)에 따라 심박출량(cardiac output)이 다양해진다(그림 4.5). 이것이 Frank-Starling 기전이며 심초음파든 아니든 좌심실 기능을 측정하는 모든 방법에 다소 영향을 미친다. 마지막으로 좌심실의 기능 또는 형태가 종종 국소적으로 뒤틀리는 경우도 있어 기능의 평가를 복잡하게 한다.

그림 4.5

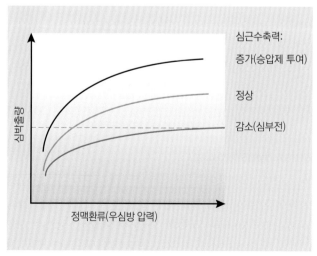

심근수축력:
증가(승압제 투여)
정상
감소(심부전)

심박출량
정맥환류(우심방 압력)

Frank-Starling 기전. 전부하에 따른 심박출량의 변화를 나타낸다: 전부하가 증가할수록 심박출량도 비선형적으로 증가하다가 어느 시점부터는 더 이상 증가하지 못한다. 심부전의 경우 심박출량과 전부하의 관계 곡선은 훨씬 평탄해진다. 수축력이 다르더라도 전부하에 따라 동일한 심박출량을 보일 수 있다(녹색 점선). 적색 실선, 심부전; 청색 실선, 정상 수축기능; 흑색 실선, 승압제(inotrope)에 의해 심장 수축력이 증가된 경우

좌심실 기능의 가장 좋은 평가 방법은 무엇인가?

좌심실 기능의 평가는 검사자의 의도에 따라 단순할 수도 복잡하거나 다수할 수도 있다. 앞서 기술한 다수의 방법들은 모두 문제점을 갖고 있다. 현재 임상현장에서 거의 모든 결정은 좌심실 박출률(ejection fraction, EF)과 국소벽운동이상(regional wall motion abnormality)의 평가에 의존한다. 이러한 지표는 완벽하지 않지만 임상적으로 덜 중요한 다른 지표들보다 많은 역할을 수행하고 있다.

주관적 평가(subjective assessment)

전반적인 좌심실 수축기능을 육안으로 보아 대략적으로 정상, 경도(mild) 장애, 중등도(moderate) 장애, 중증(severe) 장애로 육안으로 넓게 등급을 매기는 경우가 흔하다. 이를 정확히 하기 위해 경험이 필요하고 정상 좌심실 기능의 느낌을 알기 위해 시간을 들여 제2장에 있는 모든 심초음파 동영상을 보아야 한다.

좌심실이 수축하면 심근은 두꺼워지면서 안으로 이동한다. 심근분절의 운동은 주위의 수축분절에 의해 끌리거나 호흡에 의해 단순히 움직일 수 있기 때문에 오인할 수 있으므로, 운동 자체보다는 수축이 훨씬 더 좋은 지표다. 심근이 30% 이상 두꺼워지면 정상으로 간주하며(그림 4.6a, b), 30% 이내로 두꺼워지면 저운동증(hypokinesis)을 나타내고, 두꺼워지지 않으면 무운동증(akinesis)을 나타낸다(그림 4.6c-f). 운동실조분절(dyskinetic)은 수축동안 역으로 바깥쪽으로 운동(paradoxical outward movement)을 보이는 것으로 수축기능이 전혀 없다는 것을 반영한다(그림 4.6g, h). 그러나, 심실중격의 운동실조는 좌각차단(left bundle branch block), 우심실 심박동기(right ventricular pacing), 우심실 압력 과부하, 심낭 협착(pericardial constriction), 심장 수술 후 등에서 생길 수 있다. 따라서, 운동실조는 환자의 임상적 상황에 적절히 해석해야 한다.

좌심실 기능의 평가에 주의해야 할 몇 가지 함정이 있다. 첫째, 부위별 차이가 있으므로, 단 1가지 방법으로 전반적인 심장의 기능을 평가할 수 있는 심초음파 영상은 없다. 따라서, 좌심실의 모든 부위를 평가하기 위해 많은 영상이 필요하다. 때로는 일부 혹은 대부분의 영상을 쉽게 얻기 어려울 수 있다. 한 영상에서 심근이 저운동증으로 보였다가, 다른 영상에서는 그렇지 않은 경우가 있다. 이것은 특히 심첨부 영상에서 흔하며, 반대로 횡단면에서 두꺼워지는 것을 관찰하기 어려울 수 있다. 나아가 좌심실의 심근섬유 배열이 복잡하고, 단순히 방사상으로만 수축하지 않고 장축 운동과 비틀림 운동을 하므로 육안으로 평가하기가 어려울 수 있다.

어떤 경우에는 좌심실 기능을 과대평가할 수 있으므로 주의해야 한다. 심첨부 영상의 경우 단면도를 만들면 좌심실이 짧아 보여서(foreshortening) 심실이 작아 보이고 벽운동은 과장된다. 이는 좌심실의 최대 크기를 유지하도록 꾸준히 주의를 기울여야 피할 수 있다. 승모판 역류의 경우 혈액이 전신 순환으로 가기보다 좌심방으로 쉽게 빠져나가기 때문에 유의미한 장애가 있음에도 불구하고 좌심실의 기능이 좋아 보일 수 있다.

그림 4.6

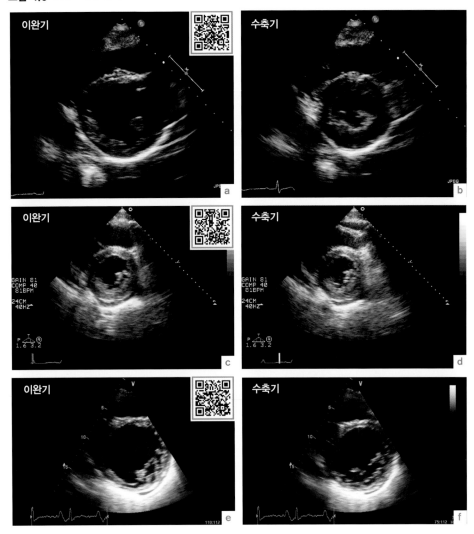

반정량적 평가(semiquantitative assessment)

좌심실 기능의 부위별 차이는 허혈성 심질환 환자에서 자주 발생하는데, 각 관상동맥이 구분된 심근 영역에 혈액을 공급하기 때문이다. 한 관상동맥으로 혈액공급의 장애나 폐색은 그 영역에서 수축이상을 일으킬 수 있지만 다른 영역은 영향을 받지 않을 것이다. 그러한 변이를 국소벽운동이상(regional wall motion abnormalities, RWMA)이라 한다.

국소벽운동이상을 고려하여 관상동맥의 혈액공급을 반영하고 좌심실을 명확한 분절로 나누는 점수체계가 개발되었다. 이를 통해 좌심실 기능을 순수한 주관적 평가보다 더 정량적으로 평가할 수 있게 되었다. 좌심실은 장축을 따라 3개(심첨부, 중간부, 기저부)로 나누고, 이것을 여러 분절로 더 나눈다. 중간부와 기저부는 6개의 분절이 있으며, 구분하

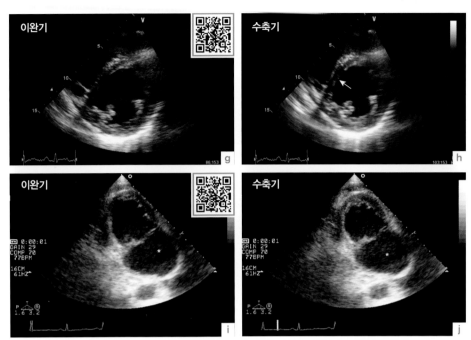

좌심실 수축기능의 육안적 평가. (a와 b) 정상 기능: 수축기동안 모든 심근분절이 뚜렷하게 두꺼워지는 것이 정상 수축기능을 뜻한다. (c와 d) 저운동증: 모든 분절에서 두꺼워지는 정도가 감소한다. (e와 f) 무운동증: 이전의 심근경색증으로 인해 전중격 및 전벽에서 무운동증을 보인다(화살표). (g와 h) 운동실조: 수축기 동안 중격의 운동이 바깥쪽을 향하고 있다(화살표). (i와 j) 심실류: 하벽에 심실류가 확인된다(*).

여 단면에서 원형으로 배열되어 있고, 심첨부는 4개의 분절로 나눈다(그림 4.7). 따라서, 16분절 모형이라고 한다. 각 분절의 기능은 표 4.1에 설명한 원리에 따라 표준화된 방법으로 점수화한다.

벽 운동지수(wall motion score index, WMSI)는 점수의 합을 평가한 분절의 수로 나눈 것이다. 정의에 따르면 정상 심실은 1점이고, 1점이 넘으면 좌심실 장애를 뜻한다. 벽 운동지수는 박출률과 상관관계가 있다고 하더라도 서로 동일한 가치를 부여할 수는 없다. 그림 4.6의 심초음파 동영상을 시청하며, 각 증례에서 분절을 확인하고 점수를 매겨 보자. 대부분의 심초음파 소프트웨어 패키지는 벽운동 점수를 보고하게 할 것이며 벽 운동지수를 자동으로 계산할 것이다.

미국심초음파학회는 17분절 모형을 추천하는데 이것이 해부학적 자료와 가장 일치하고 심장 자기공명영상과 핵관류영상(nuclear perfusion imaging)과 같은 기타 영상 기법과 잘 들어맞기 때문이다. 이 모형은 심첨부에 모자와 같은 별도의 분절이 있으며, 여기에는 심내막 경계(endocardial border)가 없다(그림 4.7b). 기법을 표준화하면 비교에 도움이 되지만, 17번째 분절모형은 관류기법(perfusion technique)에 의해서만 적절히 평가할 수

그림 4.7

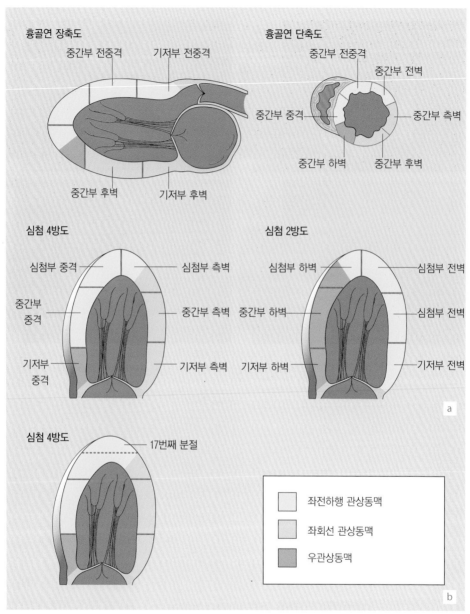

좌심실의 분절모형. (a) 16분절모형. 표준 흉골연 및 심첨부단면도에서 좌심실을 16개 분절로 구분하여 각각의 심근 기능을 점수로 평가할 수 있다. 관동맥 혈류공급은 각 분절에 표시한 색깔로 구분하였고 개인차가 있어 일부 분절에서는 색깔이 섞여 있다. 미황색, 좌전하행관상동맥; 주황색, 우관상동맥; 녹색, 좌회선관상동맥. **(b)** 17분절모형. 심첨 4방도에서 추가된 심첨부 분절이 표시되어 있다. 각 분절의 용어도 16분절모형과 다르다.

표 4.1 벽운동 점수의 기준

점수	기술	기준
1	정상(normal)	수축기에 심근이 안쪽으로 정상적으로 움직이며 30% 이상 두꺼워진다.
2	저운동성(hypokinetic)	수축기에 심근의 안쪽으로의 움직임과 두꺼워짐(30% 미만)이 감소한다.
3	무운동성(akinetic)	심근이 두꺼워지지 않는다.
4	이상운동성(dyskinetic)	수축기동안 역설적으로 심근이 바깥쪽으로 움직인다.
5	심실류(aneurysmal)	이완기 벽 변형: 심근이 얇아지고 반향성이 과도하게 증가한다.

있으며, 비조영 증강 경흉부 심초음파는 관련이 있는 것은 아니다.

정량적 평가(quantitative assessment)

분획 단축(fractional shortening)

이것은 단순히 이완기와 비교해 수축기 동안 좌심실의 직경의 분획 변화이다. 국소벽 운동이상이 없는 한 좌심실 기능의 믿을만한 측정치이다. 이것을 측정하기 위해 흉골연 장축도에서 좌심실의 기저부의 M-모드에서 이완기말 좌심실 내경(end diastolic diameter, LVIDd)과 수축기말 좌심실 내경(end systolic diameter, LVIDs)을 측정해야 한다(그림 4.3c).

Fractional shortening = [(LVIDd − LVIDs)/LVIDd] × 100

성별에 따른 정상 범위는 부록 1에 있다. 일반적으로 분획 단축의 정상치는 26~44% 이다. 이 모형은 기저분절이 전반적인 좌심실 기능을 적절하게 반영한다고 가정한다. 따라서, 이것은 심장기능이 완전히 정상이거나 국소적이지 않은 좌심실 기능장애가 있을 때에 비교적 잘 반영하고, 이외의 다른 상황에서 좌심실 기능을 평가할 때는 더 복잡한 방법을 사용해야 한다.

박출률(ejection fraction)

가장 흔히 사용되는 심장기능 측정법은 좌심실 박출률(left ventricular EF)이다. 이것은 단순히 각 심장주기 동안 좌심실 밖으로 뿜어져 나간 혈액의 분율이다. 박출률을 계산하기 위해 이완기말과 수축기말에 좌심실의 용적을 추정해야 한다.

Ejection fraction (%) = (Stroke volume/End diastolic volume) × 100
Stroke volume = end diastolic volume − end systolic volume

표 4.2 박출률

박출률(%)	좌심실수축기능
55~85	정상
45~54	경도 이상
30~44	중등도 이상
< 30	중증 이상

그림 4.8

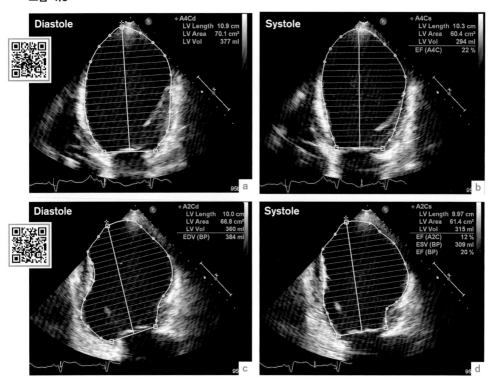

박출률의 결정: 변형 Simpson법. (a와 b) 심첨 4방도. (c와 d) 심첨 2방도. 이완기말(a와 c)과 수축기말(b와 d)에 이면(biplane)의 좌심실 모양을 측정하여 좌심실의 용적과 박출률을 계산할 수 있다. 이 증례의 박출률은 20%로 계산되었다(정상치는 55~85%).

정상 범위는 표 4.2와 부록 1에 있다.

좌심실 직경을 한 번 측정하거나 하나 이상의 단면에서 여러 번 측정하여 용적으로 외삽하는 많은 방법들이 있다. 현재 추천하는 방법은 이면(biplane) 변형 Simpson법

(modified Simpson's rule)이다. 이것은 불규칙한 심실의 기하학적 구조나 국소벽운동이상을 고려하여 서로 수직인 2면에서 좌심실 내강 영역을 측정하여 구한다. 좌심실 내강을 높이가 같은 20개의 작은 원통으로 나누고 이것을 동전처럼 쌓은 뒤 합산하여 좌심실 용적을 구한다(그림 4.8).

이 방법을 사용하기 위해 심첨 4방도와 심첨 2방도에서 수축기와 이완기에 심내막 경계를 따라 그린다(이것은 서로 수직이다). 대부분의 심초음파 소프트웨어 패키지는 자동으로 따라 그린 영역을 얇게 나누고 각 용적을 계산하여 박출률을 구할 것이다.

이 방법은 단지 2면만 분석하며 다른 면에서의 국소벽운동이상은 고려하지 않기 때문에 여전히 완벽하지 않다. 예를 들어, 후벽 심실류(posterior wall aneurysm)는 심첨 4방도 또는 심첨 2방도에서 보이지 않겠지만 좌심실 기능에 상당한 영향을 미칠 것이다. 나아가 이것은 심내막 경계의 확인에 매우 의존하는데 이 경계가 항상 잘 구분되는 것도 아니다. 삼차원 심초음파, 자동 경계 감지 소프트웨어, 좌심실 조영제와 같은 심초음파 기술의 발전이 이러한 한계를 극복할 수 있는 희망을 주고 있다(제21장 참고).

결과 보고

좌심실기능 보고

요약

– 전반적인 수축기능 및 이완기능에 대한 언급

정성적 자료

– 국소벽운동이상

– 반흔, 심실류, 비대의 부위

정량적 자료

– 좌심실 직경

– 분획 단축

– 좌심실 용적

– 박출률

– 좌심실 종괴

– E:A 비

– 감속 시간

– E:e' 비

이완기능과 비동시성

좌심실 이완기능(left ventricular diastolic function)

　이완기능은 좌심방에서 들어온 혈류를 좌심실이 얼마나 잘 채울
수 있는지를 보는 능력이다. 이것은 주로 좌심실의 이완과 뻣뻣한
정도(compliance)에 의해 좌우되며 좌심방의 기능도 일부 기여한다.

　이완기의 충만을 평가하기 위해 이완기의 4단계를 알아야 한
다.

1. 등용적 이완(isovolumic relaxation): 좌심실이 늘어나기 시작하
   면서 이완기가 시작되고, 대동맥판이 닫히면 본격화된다. 초기
   이완기에 좌심실의 압력은 급격하게 감소한다. 대동맥판과 승
   모판이 모두 닫히면 좌심실내의 용적은 변하지 않는다.

2. 초기 급속 충만(early rapid filling): 다음 단계는 좌심실의 압력
   이 떨어져 좌심방보다 낮아지고 이로 인해 승모판이 열리게 될
   때 발생한다. 혈류는 좌심방에서 좌심실로 수동적인 흐름을 보
   인다(두 chamber 사이의 작은 압력차 때문). 혈류속도와 용적의
   관점에서 볼 때 대부분의 경우 좌심실 충만의 상당 부분을 담
   당한다.

3. 정체기(diastasis): 느린 속도의 수동적인 좌심실 충만이 일어나
   는 시기이다. 좌심방과 좌심실 사이의 압력차는 미미하다.

4. 후기 충만(late filling): 마지막 단계로 좌심방의 수축으로 인
   해 능동적으로 혈류가 승모판을 통과한다. 이는 좌심실 충만의
   20~30%를 담당한다.

이완기능 장애(diastolic dysfunction)

　이완기능 장애는 심근이 늘어나는데 장애가 있거나 뻣뻣해졌을
때 생긴다. 궁극적으로 좌심실과 좌심방의 이완기 압력이 상승하

게 뇌면 폐순환계까지 영향을 미친다. 이런 좌심실로 들어오는 혈류 압력의 변화는 속도, 시간, 시기의 변화로 표현된다. 이 변화들을 심초음파를 통해 발견해 낼 수 있다.

이완기능 장애와 연관된 상태

이완기능 장애는 단순히 자연적인 노화 과정이나 좌심실 비대와 연관되는 경우도 있다. 일부 연구에 따르면 임상적으로 심부전을 진단한 환자의 약 50%는 정상 박출률을 보이지만 이완기능이 정상이 아닌 양상을 띠며 이를 박출률 보존 심부전(heart failure with preserved ejection fraction, HFpEF)이라 한다.

이완기능 장애는 다양한 상황과 연관되어 있으며, 이 중 좌심실 비대(주로 고혈압성), 허혈성 심질환, 확장심근병증이 흔한 원인이 된다. 제한심근병증은 그 정의 자체로 중증의 이완기능 장애를 의미한다. 대부분의 경우 좌심방이 눈에 띄게 늘어나 있고, 이는 좌심방의 압력이 장기간 증가되어 있었음을 나타낸다.

간헐파 도플러를 통한 이완기능의 평가

승모판을 지나는 혈류의 단계는 간헐파 도플러(그림 5.1)를 통해 도식화할 수 있다. 이를 위해 A4C에서 간헐파 도플러의 샘플 용적을 승모판 끝(tip) 레벨에 위치시켜야 한다.

전형적인 양상은 조기 충만기를 반영하는 E파 뒤에, 심방 수축을 의미하는 느린 속도의 A파가 생기는 형태로 나타난다. E, A파와 관련된 수많은 지표를 측정하여 좌심실의 이완기능을 평가할 수 있지만, 실제 현장에서는 일반적으로 이들 중 다음의 몇가지만 확인한다(그림 5.1): E파 속도(E), A파 속도(A), E:A 비, A파 지속시간, E파 감속 시간(deceleration time, DT). 샘플 용적이 정확히 위치되지 않으면 속도의 절대값이 변할 수 있지만, E:A 비는 보존된다.

이완기능이 저하됨에 따라 좌심실의 이완기말 압력이 증가하게 되는데, 이는 좌심방 압력을 증가시키고 좌심방과 좌심실 사이의 혈류 양상을 바꾸게 된다. 승모판을 통해 유입되는 도플러 신호를 통해 이완기능을 4가지로 구분할 수 있다(그림 5.1).

1. 정상. 초기의 수동적인 충만이 대부분(용적, 속도)을 차지한다(E파 속도 > A파 속도)
2. 이완장애(impaired relaxation). 좌심실의 이완은 이완기 초기에 일어난다. 이완에 장애가 생기고 이완에 걸리는 시간이 늘어나면 좌심실의 초기 수동적 충만이 영향을 받게 되고 이로 인해 좌심실의 충만을 위해 좌심방의 수축에 의존하는 부분이 커지게 된다. 다시 말하면 좌심실 충만이 지연되지만 좌심방 압력은 아직 정상인 단계이다. 이러한 혈류의 변화는 E파 속도의 감소, 감속속도의 증가, A파 속도의 증가 형태로 나타난다 (E파 속도 < A파 속도)
3. 거짓 정상 충만(pseudonormal filling). 더 중증의 이완기능 장애가 생겨 보상적으로 좌심방 압력이 증가하게 되어 초기의 수동적 충만을 개선시킨다. 이로 인해 E파 최대 속도가 상승한다(E파 속도 > A파 속도).
4. 제한적 충만(restrictive filling). 극단적인 경우에 좌심실이 매우 뻣뻣해져 좌심실의 충만이 좌심방 압력이 높을 때만 이루어지는 상태이다. 좌심실 용적이 조금만 증가해도

그림 5.1

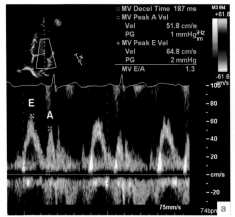

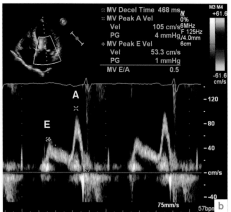

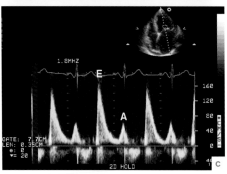

승모판 유입 혈류 양상.

(a) 정상 또는 거짓 정상(pseudonormal) 충만 양상: E/A
비 0.8~1.5

(b) 이완장애: E/A 역전

(c) 제한성 충만 양상: E ≫ A

좌심방 압력의 변화가 크고 빠르게 이루어지며 추가적인 충만이 제한된다. 이로 인해 좌심실 충만은 이완기 초기에 국한되어 이루어져 후기에는 매우 적은 혈류만 흐르게 된다. 이러한 양상은 빠른 E파 속도, 빠른 DT, 느린 A파 속도의 형태로 나타난다(E파 속도 ≫ A파 속도).

위와 같은 혈류 양상을 통해 좌심실 이완기능을 간단히 구분할 수 있지만 몇 가지 유의할 점이 있다. 먼저 심방세동이 있는 경우 A파가 없기 때문에 사용할 수 없다. 또한 이 구분법은 좌심실 수축기능 장애가 있는 경우에만 유효하다. 따라서, 비교적 건강하고 젊은(< 50세) 정상 수축/이완기능을 가진 사람임에도 불구하고 나타나는 비정상 이완기 패턴은 유효하지 않다. 이완기 충만은 심박수의 영향도 받으며, 심박수가 100회/분 이상인 경우에는 판독할 수 없다.

정상과 거짓 정상(pseudonormal) 충만 양상이 구분이 불가능해 보이지만, 실제로 거짓 정상 충만의 경우 좌심실 비대나 좌심방 확장과 같은 구조적인 이상과 동반된다.

조직 도플러 영상(Doppler tissue imaging, DTI)

DTI의 기본 원리에 대해 제1장에서 설명하였다. 이 방식은 특정 부분의 심근 벽운동 속도(거리가 아님)를 측정하는 것으로 위에서 설명했던 간헐파 도플러 방식보다 이완기능 장애를 평가하는데 더 민감하며 특이적이다.

DTI의 샘플 용적은 A4C의 승모판륜의 중격 또는 측벽에 위치시키는데, 승모판륜의 이동면과 초음파 빔 사이에 각이 최소화되도록 해야 한다(그림 5.2). 누구나 알 수 있듯이 심근 수축이 진행되면 안쪽(좌심실 내강 쪽으로 - 역자 주)으로 가속/감속이 이루어지며(S파), 이완기에는 반대로 나타난다. 초기에 수동적 충만이 이루어질 때의 속도 변화는 e'(e prime)파를 생성하고, 뒤이어 좌심방의 수축 발생하면 a' (a prime)파가 만들어지는데, 승모판을 지나는 혈류에서 E, A파가 생기는 것과 유사하다. 일반적으로 중격의 최대 속도는 측벽의 속도보다 느리며, 나이가 들수록 e'파는 감소하고 a'파는 증가한다.

DTI를 이용한 이완기능의 평가를 위해 승모판륜의 중격과 측벽 모두에서 이완기의 최대 속도를 측정해야 한다. 일반적으로 이 두 값의 평균은 이완기능의 전반적인 상태를 예측하는 데 사용된다. 이완기능의 장애는 e' 속도의 감소(중격 e' < 8 cm/s, 측벽 e' < 10 cm/s)와 연관되며 낮을수록 그 장애 정도가 심하다고 판단할 수 있다.

좌심실 수축기능의 관점에서 볼 때, 좌심실 충만압은 승모판을 지나는 혈류의 E파 최대 속도와 승모판륜의 평균 e' 속도의 비(E/e' 비)와 연관되어 있다. E/e' < 8이면 정상적인 충만압을 의미하며, > 13이면 좌심방 압력이 증가되어 있음을 강하게 시사한다(그림 5.3). 이 값이 8~13이면 이완기능에 대한 결론을 내기 위해 다른 지표를 평가해야 한다.

불행하게도 E/e' 비는 좌심실 수축기능 장애가 있는 경우 신뢰도가 높으며, 모든 상황에서 무조건 적용할 수는 없다. 좌심실의 수축기능이 정상이거나 확연한 승모판륜 석회화가 있다면 해석에 주의해야 한다. 이외에도 승모판륜을 지나는 혈류에 영향을 줄 수 있는 질환(예, 승모판 질환, 심낭 협착)이 있으면 E/e' 비가 부정확해질 수 있다.

그림 5.2

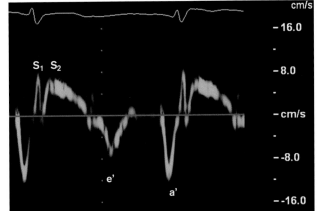

좌심실의 간헐파 조직 도플러 영상.
S1 & S2: 수축기 속도, e': 초기 이완기파, a': 후기 이완기파

그림 5.3

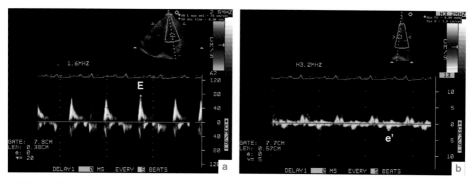

좌심실 충만압의 평가. (a) 제한성 양상을 보이는 승모판 충만 양상이다. E파 최대 속도는 76 cm/s이다. **(b)** 측벽 승모판륜의 조직 도플러에서 매우 느린 수축기 및 이완기 조직속도를 보이고 있다. e'가 1.9 밖에 되지 않아 E/e'이 40이며, 이는 좌심실 충만압이 눈에 띄게 상승했음을 시사한다.

그림 5.4

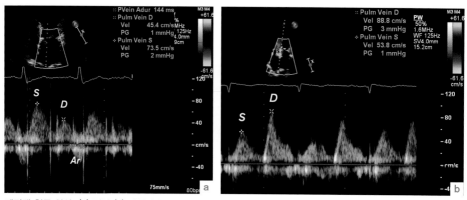

폐정맥 혈류 양상. (a) 정상 **(b)** 이완기가 우세한 혈류. S: 수축기 혈류, D: 이완기 혈류, Ar: 역전된 심방 혈류.

폐정맥 혈류(pulmonary vein flow)

폐정맥 혈류는 심첨 4방도에서 측정한다. 연속파 도플러 지도를 이용해 우상 폐정맥과 우하 폐정맥을 찾아내고, 간헐파 도플러의 샘플 용적을 정맥의 0.5 cm 이내에 위치시킨다(그림 5.4). 하나의 샘플 용적만 있으면 깊이(depth) 설정을 잘 조절하는 것이 중요하다.

정상적인 폐정맥 혈류는 복잡한데, 심실 수축기의 전방 혈류(S파), 이완기의 전방 혈류(D파), 심방 수축기의 작은 역방향 혈류(Ar 파)로 이루어진다. 전방 혈류는 주로 수축기에 이루어지기 때문에 S파의 최대 속도 및 속도−시간 적분(VTI)은 D파와 같거나 크다.

표준 측정법은 S, D, Ar파의 최대 속도 및 S파와 D파의 VTI, Ar파의 지속시간을 포함한다. 이완기능을 알기 위해 중요한 지표는 다음과 같다.

- S파와 D파 최대 속도의 비(정상 > 1)
- 수축기 충만 분획(systolic filling fraction). 이것은 수축기와 이완기 전체의 VTI에서 수축기 VTI가 차지하는 백분율을 의미(정상 > 40%)
- Ar 지속시간 − 승모판 A파 지속시간(Ar−A duration, 정상 < 30 ms)

이들 중 기저병태를 고려하지 않는다면 Ar−A duration ≥ 30 ms인 경우가 가장 믿을만한 이완기말 좌심실 압력 상승의 지표로 보인다. 감소된 수축기 전방혈류(S:D 비 <1, 수축기 충만 분획 < 40%)는 이완기능 장애 및 좌심방 압력의 상승 지표이지만 심실 수축기능이 정상이거나 비대심근병증, 승모판 질환, 심방세동이 있는 경우 그 신뢰도가 떨어진다.

이완기능의 분류

다양한 이완기능의 분류법이 제시되었다. 이 가운데 미국심초음파학회에서 권고한 단순한 모식도(2009년 가이드라인 기준)가 그림 5.5에 나와 있다.

이 분류법으로 평가할 때 필요한 4가지 지표는 다음과 같다.

1. 좌심방 용적
2. 조직 도플러 영상(DTI)
3. 승모판을 통과하는 간헐파 도플러
4. 폐정맥 간헐파 도플러

이완기능 장애는 확연한 좌심방 확장(특별한 이유가 없는)이 있고 DTI 값의 이상이 발견되고 처음 진단된다. 승모판을 통과하는 혈류 지표는 장애의 등급(grade)을 분류하는 데 사용된다. 이완장애는 grade 1, 거짓 정상(pseudonormal)은 grade 2, 제한성은 grade 3 이다. 폐정맥 혈류, 특히 비정상적인 Ar−A 지속시간은 확연한 이완기능 장애를 확진하는 데 도움이 된다.

심실의 동시성(ventricular synchrony)

정상 심장에서는 전기 자극이 빠르게 퍼져 좌심실과 우심실의 모든 구획이 거의 동시에 수축한다. 그러나, 진행된 심부전 환자에서 종종 이 수축이 동시에 이루어지지 못해 심장이 제 기능을 하지 못하게 된다. 일부 환자에서 심장 재동기화 치료(cardiac resynchronization therapy, CRT 혹은 양심실조율−biventricular pacing)를 통해 수축의 동시성을 회복시켜 좌심실 박출률을 개선하고 좌심실 용적을 줄이며 운동능력을 증가시키기도 한다.

비동시성에는 2가지 형태가 있다.

그림 5.5

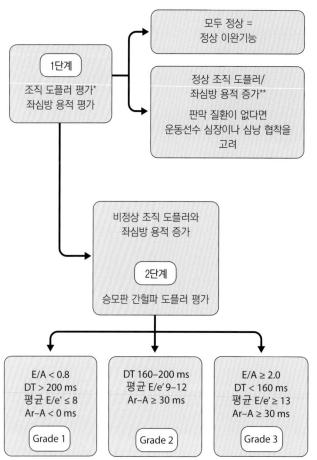

이완기능의 구분.
DT (deceleration time): 감속 시간
* 정상 조직 도플러 소견은 중격 e' ≥ 8 cm/s, 측벽 e' ≥ 10 cm/s
** 좌심방 용적 ≥ 34 ml /m²

1. 전기적 비동시성. 이 환자들은 대부분 좌각차단(LBBB, QRS duration ≥ 150 ms)이 있으며 중격에 비해 후벽의 활성화가 늦게 이루어짐
2. 문제가 되는 심근의 전기-기계적 연결 문제가 있어 기계적 비동시성이 전기적 비동시성이 없이(QRS duration < 150 ms) 발생

비동시성은 3가지 수준의 형태로 나타난다.
1. 심실간(interventricular). 좌심실과 우심실 수축 사이의 눈에 띄는 지연
2. 심실내(intraventricular). 좌심실의 각 분획 사이의 눈에 띄는 지연
3. 심방-심실간(atrioventricular). 심방과 심실 수축 타이밍이 비정상적이어서 심실의 충만이 온전히 이루어지지 않음

심초음파를 이용한 비동시성의 평가

중증의 비동시성은 이면성 영상에서 좌심실의 흔들거리는 움직임(rocking motion)을 통해 종종 알아차릴 수 있다(그림 5.6). 그러나, 상대적으로 눈에 잘 안 띄는 비동시성의 경우 조심스러운 평가가 필요한데, 현재까지 비동시성을 판단하는 데 있어 절대적인 하나의 심초음파 지표는 없으며, 비동시성을 찾아냈다고 하여 CRT의 반응이 좋을 것이라고 장담할 수도 없다. 현재까지 주요 임상연구를 따르면 DTI 기법을 사용하는 것이 가장 근거가 있다고 보고 있다.

CRT의 반응률은 좌각차단이면서 QRS duration이 150 ms 이상인 심실내 비동시성일 때 가장 높았다. 이런 환자에서는 CRT 기기 삽입술 전에 심초음파를 통한 비동시성의

그림 5.6

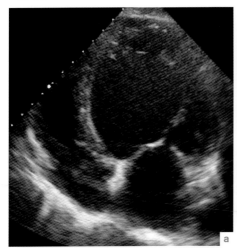
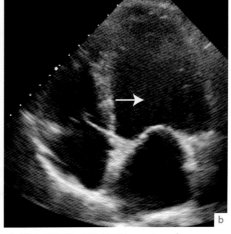
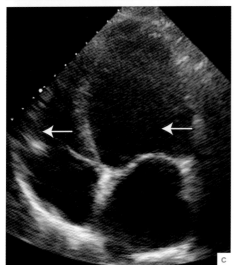

저명하게 관찰되는 비동시성(dyssynchrony).
심첨 4방도. (a) 이완기말. **(b)** 수축 초기는 중격의 수축과 관련이 있다(화살표). **(c)** 수축기말은 중격의 이완과 동시에 이루어지는 측벽의 수축과 관련이 있다.

그림 5.7

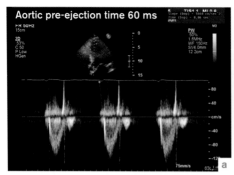
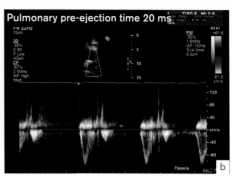

심실 내 비동시성의 평가: 구출전기(pre-ejection times). (a) 좌심실 유출로의 간헐파 도플러. **(b)** 우심실 유출로의 간헐파 도플러. Pre-ejection time은 QRS의 시작점부터 도플러에서 관찰되는 전방혈류의 시작점까지의 시간을 의미한다. 이 차이가 40 ms 이상이면 이상이 있다고 본다.

평가가 굳이 필요하지 않다. 그러나, CRT를 통해 도움을 받을 수 있으면서 QRS duration < 150 ms인 환자의 경우 심초음파 평가가 도움이 된다.

심실간 비동시성

구출전기(pre-ejection times)

좌심실과 우심실 수축의 전반적인 타이밍은 심전도에서 QRS 복합체의 시작점, 좌심실과 우심실에서의 혈류 시작점 사이의 지연을 분석하여 비교한다. 이 사이의 시기가 구출전기이며 간헐파 도플러를 통해 좌심실과 우심실 유출로의 혈류를 기록하여 측정할 수 있다. 이 차이가 40 ms를 넘는 경우 의미가 있다고 본다(그림 5.7).

심실내 비동시성

M-모드

좌심실 내의 국소적인 비동시성의 증거는 흉골연 장축도 혹은 흉골연 단축도의 심실 중간부 레벨에서 전중격과 후벽의 수축을 비교한 M-모드 기록을 통해 발견할 수 있다. 중격과 후벽이 최대로 심강 내로 움직인 시간의 차이를 측정한다. 이 차이가 130 ms 이상이면 의미 있는 지연이 있는 것을 의미한다(그림 5.8).

이 지표들은 다양한 이유 때문에 비동시성의 절대적인 증거가 될 수는 없다. 첫째, 중격의 운동은 복잡해서 최대 운동 지점을 결정하는 것이 어려울 수 있다. 둘째, 수동적인 이동과 수축을 구별할 수 없다.

조직 도플러 영상(tissue Doppler imaging)

좌심실 벽운동의 국소적인 지연은 조직 도플러 기법을 이용해 좀더 정확하게 평가할

그림 5.8

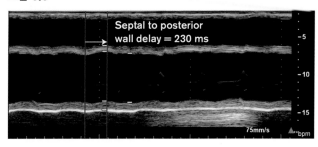

M-모드를 이용한 심실 내 비동시성의 평가.
흉골연 장축도의 M-모드(일소 속도 75 mm/s). 중격과 후벽 수축의 시간 지연을 그림과 같이 측정한다. 130 ms 이상이면 이상이 있는 것으로 본다.

그림 5.9

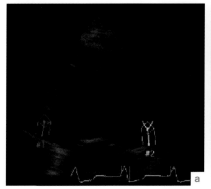
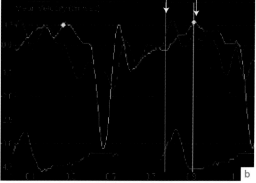

색을 입힌 조직 도플러 분석. (a) 색 이면성 조직 도플러 영상(중격과 측벽의 샘플 용적을 얻기 위한 준비 영상) **(b)** 각각의 샘플 용적에서 얻어낸 속도 그래프. 2개의 화살표 사이 시간 간격(지연)을 보면 중격과 측벽의 최대 조직 도플러 속도 도달지점이 > 100 ms 차이가 난다.

수 있다. 가장 믿을만한 접근법은 색을 입힌 DTI를 이용해 좌심실의 수축기 속도를 반대쪽 벽과 비교해 보는 것이다(그림 5.9). 영상은 심첨 4방도에서 좌심실, 승모판륜이 보이는 상태에서 색 DTI 영역이 좌심실 전체를 덮게 하면서 높은 화면율(> 90 frames/s)을 확보한다. 그리고나서 오프라인에서 분석할 3~5주기 영상을 저장한다. 동일한 방법으로 각 심첨부 단면에서 반복하면 모든 구획을 분석할 수 있다.

샘플 용적은 심실의 마주보는 구획에 위치시키고(예, 측벽과 중격), 시간-속도 스펙트럼이 명확히 구분되도록 보정한다. 수축기 속도는 좌심실 구출기(좌심실 유출로에서 혈류가 시작되어서 끝나는 동안 간헐파 도플러로)에만 측정하여 시간-속도 곡선에 겹쳐 놓는다.

QRS의 시작과 수축기 최대 속도 사이의 시간은 마주보는 심근 분획의 쌍에서 측정한다. 가장 간단한 방법은 심첨 4방도에서 비교하는 것이다(예, 기저 중격과 측벽 속도): 65 ms 이상이면 의미가 있다. 보다 종합적인 분석을 최대 12곳(심첨 4방도, 심첨 2방도, 심첨 3방도의 중간 및 기저 분획)에서 할 수 있다: 최대 차이가 100 ms 이상이거나 표준편차 ≥ 33 ms이면 CRT에 반응이 있을 것을 예측할 수 있다. 훨씬 더 복잡한 방법들이 있지만 이 간단한 2 분획 접근법보다 더 낫다는 증거는 거의 없다.

대부분의 기관에서는 실시간 간헐파 조직 도플러 영상을 이용해 QRS의 시작부터 최대(또는 시작) 수축기 속도시간을 심첨 4방도의 승모판륜 측벽과 중격에서 측정한다(그림 5.10). 이런 방식의 가장 큰 문제는 검증되지 않았다는 것이고, 각기 다른 심장주기가 각 분획에서 분석되어 환자의 호흡이나 움직임에 의해 오류가 발생할 가능성이 더 높다는 것이다.

그림 5.10

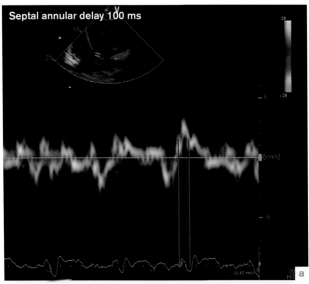

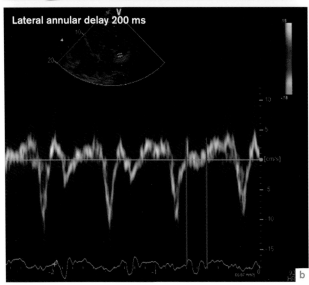

간헐파 조직 도플러를 이용한 심실 내 비동시성의 평가

(a) 중격 승모판륜. (b) 측벽 승모판륜. 심실의 중격과 측벽 사이의 비동시성이 확연히 관찰된다.

스펙클 추적(speckle tracking)

심근은 이면성 흑백 영상에서 점의 형태로 보이는데, 소프트웨어를 이용하면 이 음영의 움직임을 추적할 수 있다. 이를 통해 심근의 속도와 변형(strain, 두께 변화 백분율)에 대한 정보를 얻을 수 있다. 각 분획의 방사상 변형(radial strain)을 분석하여 비동시성을 발견하는 방법이 될 것으로 기대한다(그림 5.11).

실시간 삼차원 심초음파

실시간 삼차원 심초음파로 국소 비동시성을 평가할 수 있다(제21장 참고). 이 방법은 모든 분획의 벽운동을 하나의 심장주기에서 분석할 수 있다는 장점이 있다. 그러나, 화면율이 낮아 시간 해상도가 문제가 된다. 구획별 벽운동을 지도화하면 비동시성의 위치를 파악하고 정량화하는데 도움이 될 수 있다(그림 5.12).

그림 5.11

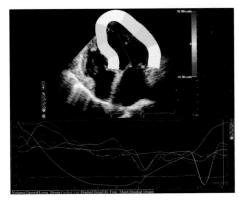

스펙클 추적.
심첨 4방도. 색을 입힌 스펙클 추적 자료를 좌심실의 이면성 영상에 덮어 씌운 것이다. 이 그림에서 각 분절의 방사상 속도(radial velocity)는 하단에 그래프로 그려져 있다. 확연한 비동시성은 없다.

그림 5.12

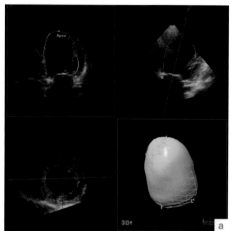

실시간 삼차원 영상.

(a) 좌심실 내막의 경계를 인식하여 삼차원으로 재구성한
것.

(b) 심내막의 수축시간과 이동거리(excursion)를 분절 별
로 나타내어 비동시성이 있는 영역을 알 수 있다.

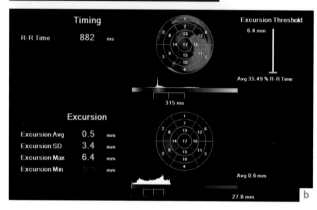

우심실

우심실의 해부학

　　우심실은 많은 면에서 좌심실과 구별된다. 우심실은 좌심실보다 낮은 압력에서 박동하므로 벽이 얇다. 또한 잔기둥(trabeculation)이 매우 많고 심첨부 근처에서 우심실 내강을 가로지르는 사이막모서리기둥(moderate band)이 자주 관찰된다. 사이막모서리기둥은 전도조직을 포함하는 정상 조직이다. 비교적 대칭적인 좌심실과 달리 우심실의 기하학적 구조는 복잡하고 비대칭적이다.

　　혈류는 삼첨판을 지나가고 폐동맥판으로 가는 깔대기 모양의 근육으로 된 우심실 유출로(right ventricular outflow tract, RVOT)를 따라 빠져나간다.

심초음파 소견

　　한 영상으로 우심실 전체를 볼 수는 없다. 우심실은 심첨 4방도에서 가장 잘 볼 수 있지만 흉골연 장축도, 흉골연 단축도, 늑골하부단면도와 우심실유입단면도 및 유출단면도에서도 관찰할 수 있다(그림 2.5, 2.6, 2.8, 2.10, 2.12 참고).

　　정상 우심실은 벽이 얇고 좌심실보다 작아야 한다. 잔기둥들은 심내막에서 부드러운 안감처럼 보인다. 심첨 4방도에서 심첨부는 좁고 좌심실의 첨부가 대부분을 차지한다.

　　사이막모서리기둥은 종종 심실중격으로부터 심첨부 근처의 우심실 자유벽까지 뻗어있다. 심첨 4방도에서 가장 잘 관찰되고(그림 6.1), 우심실의 잔기둥과 합쳐진다.

그림 6.1

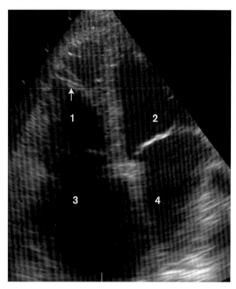

사이막모서리기둥(moderator band). 심첨 4방도. 심실중 격과 우심실 자유벽 사이의 우심실 첨부에서 사이막모서리 기둥(화살표)이 조직 꾸러미로 보인다. (1) 우심실 내강; (2) 좌심실 내강; (3) 우심방; (4) 좌심방.

우심실의 평가

구조적 평가(structural assessment)

우심실은 모양이 복잡해서 구조적인 평가가 어렵다. 우심실의 전체 크기는 좌심실보 다 작아야 하고 심첨 4방도에서 좌심실이 심첨부를 이뤄야 한다. 유의미한 우심실 확장 이 있는 경우에는 심첨부에서 우심실이 우세하다.

우심실의 표준 내경 측정 방법은 그림 6.2와 6.3에 제시되어 있다. 심첨 4방도에서 직 경은 삼첨판륜 레벨(RVID1: 정상 ≤ 2.8 cm)와 심실 중간부(RVID2: 정상 ≤ 3.3 cm)에 서 측정해야 한다. 우심실의 길이는 심첨부부터 삼첨판륜(RVID3: 정상 ≤ 7.9 cm)까지 측정해야 한다. 우심실 중간부의 직경은 흉골연 장축도에서 M-모드로 좌심실과 같은 방 법으로 평가할 수 있다(그림 6.2). 또한 흉골연 단축도에서 폐동맥판 주위의 우심실 유출 로의 직경(정상 ≤ 2.3 cm)과 폐동맥판의 직경(정상 ≤ 2.9 cm)을 측정할 수 있다(그림 6.3).

우심실 자유벽의 두께는 삼첨판 건삭 레벨의 늑골하부단면도에서 가장 잘 평가할 수 있다. 정상 두께는 0.5 cm 미만이다(그림 6.4).

수축기능의 평가

우심실의 기능 평가에 주관적 혹은 정량적인 방법들을 사용할 수 있다.

주관적 평가(subjective assessment)

우심실 기능을 평가하는 것은 쉽지 않다. 벽이 두꺼워지는 것은 쉽게 평가할 수 있지만

그림 6.2

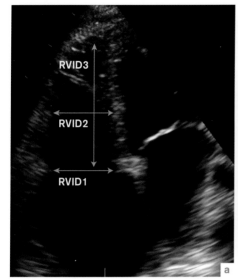
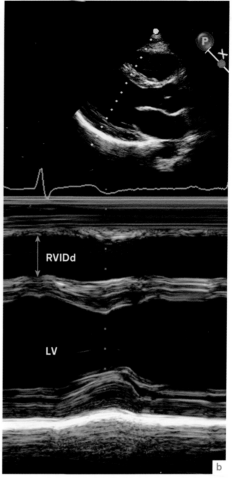

우심실 용적 측정. (a) 심첨 4방도에서 용적 측정은 이완기말에 시행한다: RVID1, 삼첨판륜 레벨의 기저부 우심실 내경(basal right ventricular diameter); RVID2, 중간 우심실 내경(mid-ventricular dimension); RVID3 심첨부에서 기저부(삼첨판륜 중간 부위, mid-tricuspid annulus)까지의 우심실 길이. (b) 흉골연 장축도 M-모드. 이완기말 우심실 내경(end diastolic right ventricular internal diameter, RVIDd).

수축의 양상은 심첨부로부터 우심실 유출로 쪽을 향하므로 단일 단면도에서 한번에 관찰할 수 없기 때문이다. 우심실의 전반적인 기능은 심첨 4방도에서 우심실의 운동을 관찰하면 알 수 있다. 특히 우심실의 첨부로 향하는 삼첨판륜의 움직임에 집중하면 도움이 된다.

심근경색증 후에 국소벽운동이상이 발생할 수도 있으나 특정 점수체계는 사용하지 않는다.

정량적 평가(quantitative assessment)

심첨 4방도에서 다양한 정량적 방법을 사용할 수 있다.

1. 삼첨판륜 수축 이동(tricuspid annular plane systolic excursion, TAPSE): M-모드 빔을 측벽 삼첨판륜(lateral tricuspid annulus)에 위치시킨다. 심첨부로 정상적인 이동은 그림 6.5에 나타냈다(정상 1.6~2.0 cm, 경도 장애 1.1~1.5 cm, 중등도 장애 0.6~1.0 cm, 중증 장애 ≤ 0.5 cm).

그림 6.3

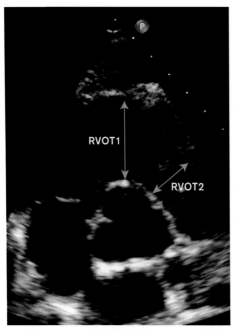

우심실 유출로 용적 측정. 대동맥판 레벨의 흉골연 단축도. RVOT1, 대동맥판에서 위로 12시 방향에 위치한 대동맥상부 우심실 유출로 용적(supraaortic RVOT dimension). RVOT2, 폐동맥판 레벨의 폐동맥하 우심실 유출로 용적(subpulmonic RVOT dimension).

그림 6.4

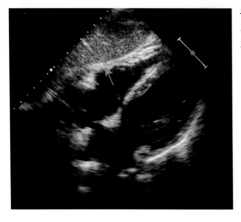

우심실 자유벽 두께 측정. 우심실의 늑골하부단면도: 이완기말에 삼첨판 건삭 레벨에서 자유벽의 두께를 측정한다(화살표).

2. 조직 도플러 영상: 측벽 삼첨판륜 수축기 속도(lateral tricuspid annular systolic velocity)는 간헐파 조직 도플러 영상으로 평가할 수 있다. 정상 최고 수축기 속도는 > 10 cm/s 이다.

3. 우심실 분획 면적 변화(right ventricular fractional area change): 심첨 4방도에서 수축기와 이완기 동안 우심실의 심내막 경계를 따라 그린다. 우심실 면적의 차이는 수축기능을 반영하지만 박출률과 동일하지는 않다. 정상은 > 30%이다(그림 6.6).

그림 6.5

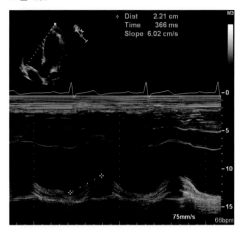

수축기 동안 심첨부를 향한 삼첨판륜의 이동은 측벽 삼첨
판륜에서 M-모드로 측정한다(화살표).

그림 6.6

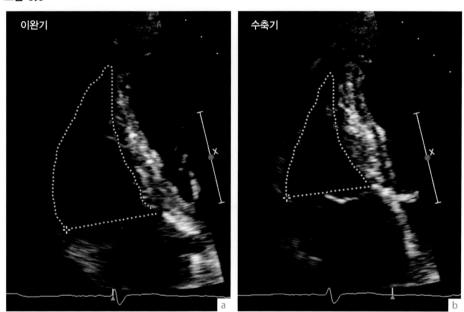

우심실 분획 면적 변화. 심첨 4방도에서 이완기(**a**)와 수축기(**b**)에 우심실 면적을 그린다. 이 증례에서는 면적 변화가
52%로서 우심실 수축기능이 정상이다.

이완기능의 평가

실제로 우심실의 이완기능은 거의 평가하지 않는다. 이것은 좌심실에서 이미 기술한 것
과 같은 방법으로 간헐파 도플러에서 삼첨판 유입속도(E:A 비)에 따라 분류할 수 있다.

정상 E:A 비는 1~1.5, 이완장애(impaired relaxation)는 < 1, 거짓 정상(pseudonormal)
은 1~1.5, 제한적 양상(restrictive)은 > 1.5이다. 비정상 이완기능이 있으면 하대정맥/간

정맥의 혈류 양상도 비정상(이완기 우세)이 되며, 정상과 거짓 정상 이완기능을 감별하는 데 사용될 수 있다.

결과 보고

우심실 관련 결과 보고

요약
- 진단
- 우심실 구조 및 기능
- 관련 판막 질환
- 폐고혈압

정성적 자료
- 우심실 구조: 확장, 부정맥 유발성 우심실 이형성증
- 국소벽운동이상
- 관련 판막 질환의 중증도
- 심내 션트(예, 심방중격결손/심실중격결손)

정량적 자료
- 우심실 직경
- 우심실 분획 면적 변화
- 우심실 이완기능
- 폐동맥 압력
- 폐동맥 직경
- 우심방 직경
- 하대정맥 직경
- 간정맥 혈류

심방

심방의 해부학

심방은 심장에서 가장 작은 방이다. 심방은 구형이며 방실구(atrioventricular groove) 근처에 작은 심방귀(appendage)가 있다. 양쪽 심방은 심방중격(interatrial septum)으로 나누어지고, 심방중격에는 난원와(fossa ovalis)가 있다. 혈액은 상대정맥과 하대정맥으로부터 흘러와 우심방으로 들어가고, 4개의 폐정맥으로부터 흘러와 좌심방으로 들어간다. 각 심방의 혈액은 방실판막(atrioventricular valve)을 거쳐 각 심실로 들어간다.

심방은 압력이 낮고(5~10 mmHg) 벽이 얇은 구조물이다. 심장주기의 각 단계에서 심방은 펌프, 저장소(reservoir), 전도계(conduit)의 기능을 하여 심실 충만을 도와준다.

심초음파 소견

좌심방은 흉골연 장축도, 흉골연 단축도, 심첨부단면도, 늑골하부단면도, 흉골상부단면도 등 많은 심초음파 영상에서 관찰할 수 있다(그림 2.5, 2.8, 2.10, 2.12, 2.14). 좌심방은 정상 좌심실 크기의 약 1/2~1/3이다. 좌심방귀(left atrial appendage)는 대개 경흉부 심초음파에서는 확인하기 어렵고, 경식도 심초음파에서 선명하게 볼 수 있다.

심방중격은 자주 선명하지 않게 보이는데, 난원와 부위에서 매우 얇고 늑골하부단면도를 제외하고는 대부분 초음파 빔에 평행하기 때문이다.

4개의 폐정맥은 좌심방의 후벽에 연결된다. 이 가운데 일부는 혈류를 나타내는 색도플러를 이용한 심첨 4방도와 흉골상부 게(crab) 단면도에서 확인할 수 있다(그림 2.14, 13.11).

우심방의 크기와 모양은 좌심방과 비슷하다. 우심방은 심첨 4방도, 흉골연 단축도, 늑골하부단면도에서 볼 수 있다(그림 2.6,

2.8, 2.10, 2.12). 하대정맥과 우심방의 연결은 늑골하부단면도에서 볼 수 있다. 때때로 상대정맥은 변형된 늑골하부단면도에서도 볼 수 있다.

좌심실 구조의 평가

좌심방의 전후 직경은 M-모드를 이용해 흉골연 단축도에서 좌심방의 이완기에 측정하거나 이면성 영상에서 직접 측정한다(그림 7.1). 대략적인 추정치는 ≤ 4.0 cm이어야 한다. 심방 확장은 종종 비대칭적이므로 Simpson의 이면(biplane) 방법을 이용해 좌심방 용적을 추정하는 것이 더 좋다. 좌심방의 기하학적 구조는 심첨 4방도와 심첨 2방도에서 심방의 이완 동안 심내막 경계를 따라 그려서 2면에서 정의한다(그림 7.2). 이것은 체표 면적으로 나눠서 보정해야 한다.

우심방은 2개의 직교 영상(orthogonal view)으로 잡히지 않으므로 용적의 측정은 불가능하다. 대신에 중격부터 측벽까지 단축의 직경은 심첨 4방도에서 측정한다(정상 ≤ 4.5 cm). 대안으로서 우심방의 면적을 측정할 수 있다(그림 7.2).

그림 7.1

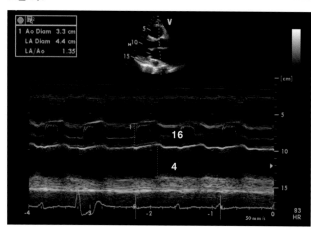

좌심방 직경의 M-모드 측정. 흉골연 장축도에서 M-모드 커서를 대동맥근 (Ao)에 수직으로 정렬시킨다. 좌심방의 전후직경(LA)은 심장의 이완기에서 측정한다.

그림 7.2

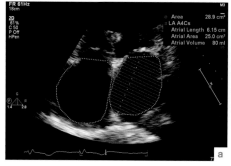
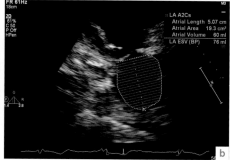

좌심방의 용적 측정. (a) 심첨 4방도. (b) 심첨 2방도. 좌심방의 모양은 심첨 2방도와 심첨 4방도에서 심방이 이완되어 있을 때 심방의 심내막 경계를 이어 그린 선으로 정의한다. 우심방 면적도 표시되어 있다.

그림 7.3

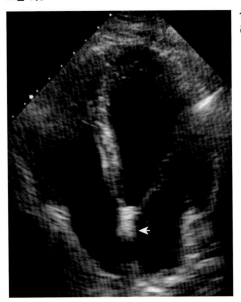

심방중격의 지방종성 비후. 심첨 4방도. 난원와(화살표 머리)를 제외한 심방중격이 전체적으로 두꺼워져 있다.

정상 변이(normal variants)

심방중격의 지방종성 비후(lipomatous hypertrophy of the interatrial septum)

이 상태에서는 지방성 물질이 축적되어 심방중격이 두꺼워진다. 이것은 병리적인 상황은 아니며 특별한 상황도 아니다. 중격의 비후는 전반적이거나 국소적일 수 있지만 대개 난원와 부위는 두꺼워지지 않는다(그림 7.3). 국소 비후를 종양 또는 혈전으로 오인될 수 있다.

키아리 망상기형(Chiari network)

키아리 망상기형은 발생학적 흔적으로 심초음파에서 하루살이처럼 가볍게 떠도는 모습으로 관찰된다. 이것은 심첨 4방도와 늑골하부단면도에서 가장 잘 관찰된다(그림 7.4). 간혹 혈전과 같은 물체가 망상기형의 그물망에 걸리기도 한다.

유스타키안 판(eustachian valve)

이것은 하대정맥과 우심방의 연결부에 있는 심내막 융기(ridge) 또는 주름(fold)이다. 혈액을 태아기에 난원공(foramen ovale) 쪽으로 향해 혈류를 보내는 역할을 하지만 성인에서는 별 의미가 없다. 보통 작은 융기처럼 보이지만 매우 긴 형태를 보일 수도 있고, 혈전이나 종양으로 오인될 수 있다. 이것은 심첨 4방도, 늑골하부단면도, 흉골연 장축도의 우심실유입단면도에서 볼 수 있다(그림 7.5).

그림 7.4

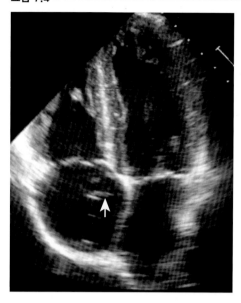

키아리 망상기형. 심첨 4방도. 우심방에서 키아리 망상기형(화살표)이 뚜렷하게 관찰된다. 이것은 가는 선형 구조물이 떠돌아다니는 듯한 특징적인 소견이 있어 동영상에서 가장 정확하게 구별할 수 있다. 이 영상에서는 심실중격류가 함께 관찰된다.

그림 7.5

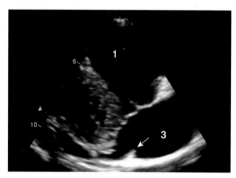

유스타키안 판. 경식도 심초음파. 유스타키안 판(화살표)이 하대정맥과 우심방의 접합부에서 보이며 난원공 방향으로 혈류를 보낸다. (1) 우심실; (3) 우심방.

심방 질환

심방 확장(atrial enlargement)

심방 확장(atrial enlargement)은 다른 심장 문제의 결과로, 특히 심실 충만압이 상승하거나(예, 심실의 수축기능 장애 또는 이완기능 장애) 유의한 판막 질환이 있을 때 매우 자주 발견된다(그림 7.6). 이러한 상황에서 심방 확장은 정상 전기적 활성의 분열로 인하여 종종 심방세동을 유발할 수 있다. 반대로 특별한 심장질환 없이 만성 심방세동에 의한 결과로 심방 확장이 생길 수도 있다.

그림 7.6

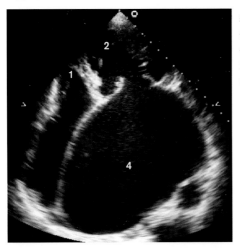

좌심방 확장. 심한 좌심방 확장으로 인해 다른 심방/심실들이 눌려 작아져 보인다. 심방중격은 우심실 방향으로 돌출되어 있어 좌심방 압력이 상승되어있음을 시사한다. 기저 원인은 승모판 역류이다. (1) 우심실 내강; (2) 좌심실 내강; (4) 좌심방.

그림 7.7

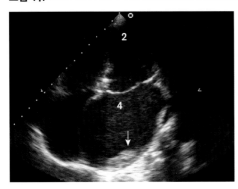

좌심방의 자발에코음영과 혈전. 심첨 4방도. 이 환자는 심한 류마티스성 승모판 질환으로 인해 좌심방이 심하게 확장되었다. 혈전층이 좌심방의 상벽에서 뚜렷하게 관찰된다. 동영상으로 좌심방의 자발에코음영이 소용돌이치고 있는 모습을 확인할 수 있다. (2) 좌심실; (4) 좌심방.

자발에코음영 및 혈전(spontaneous contrast and thrombus)

　심방 내 혈전 생성은 심방세동 환자에서 가장 흔히 발생한다. 이것은 부분적으로 심방 확장과 심방 수축력 감소로 인한 혈류의 정체로 설명된다. 혈전증의 위험은 특히 류마티스성 승모판 질환에서 높지만 다른 요인들도 혈전 형성에 기여할 수 있다. 좌심방 혈전의 주요 합병증은 전신 색전증으로 뇌졸중, 장경색증, 말초동맥 색전증 등이 있다.

　혈전의 약 90%는 좌심방귀에서 발생하며 경식도 심초음파에서만 확실히 발견될 수 있다. 그러나, 간혹 큰 혈전이 좌심방 내 다른 부위에서 관찰될 수 있다(그림 7.7).

　자발에코음영(spontaneous echo contrast)은 혈액 풀 내의 에코 발생 증가를 말하는 것으로 소용돌이치는 연기와 유사한 소견이다. 이것은 미세혈전(microthrombi)을 나타낼 수

그림 7.8

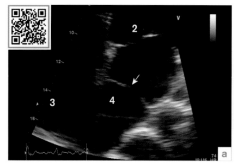
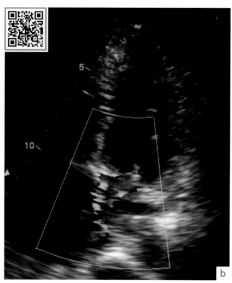

삼심방(cor triatriatum). 심첨 4방도. **(a)** 좌심방(화살표)을 나누는 막이 있다. **(b)** 색도플러는 막의 작은 통로를 통과하여 심방중격을 따라 승모판을 향하는 고속 제트를 보여준다. (2) 승모판; (3) 우심방; (4) 좌심방.

도 있으며, 혈전증의 위험 증가와 관련이 있다.

폐색전은 말초정맥 혈전으로부터 발생한다. 매우 간혹 큰 색전이 우심방에서 폐로 가는 길목에 심초음파로 발견될 수 있다.

심방 종괴(atrial masses)

심방 종괴와 종양은 제18장에서 자세히 다루었다.

심방중격결손(atrial septal defects)

선천성 심방중격결손의 분류와 평가는 제20장에서 자세히 다루었다.

삼심방(cor triatriatum)

이것은 심방 중 하나가 또 다른 중격에 의해 더 나뉘는 선천적 이상이다. 따라서, 이름이 시사하는 바와 같이 심방이 3개로 보인다. 임상양상은 심방을 가로지르는 막이 정상 혈류를 가로막는 정도에 따라 결정된다. 중증의 경우는 주로 출생 당시나 유아기 때 폐부종으로 나타나고, 경증 증례는 성인기에 발견되기도 한다(그림 7.8).

결과 보고

심방 관련 결과 보고

요약

심방 크기 및 중요한 병리에 대한 언급

정성적 자료

심방 병리/정상 변이

- 혈전

- 종괴/종양

- 유스타키안 판(eustachian valve)

- 키아리 망상기형(chiari network)

심방중격 병리/정상 변이

- 난원공개존

- 심방중격류

- 심방중격결손

- 지방종성 비후

정량적 자료

좌심방 직경(체표면적으로 보정)

- 전후 직경(M-모드)

- 이면(biplane) 용적

우심방 직경(체표면적으로 보정)

- 심첨 4방도에서 직경

- 심첨 4방도에서 면적

- 단면 면적

심근경색증

개요

심근경색증은 부적절한 산소 공급(허혈)으로 인한 심근조직의 괴사로 정의된다. 대부분의 심근경색증은 관상동맥의 혈전성 폐색에 의해 유발되며, 주로 죽상경화반(atherosclerotic plaque)의 파열로 촉발된다(그림 8.1). 이것의 예후는 사실상 폐색된 관상동맥의 혈류(재관류)가 회복되는지 여부에 달려있다. 최악의 시나리오는 주요 혈관의 근위부가 막혀 전체 심근 영역이 죽으면서 즉각적이고 장기적인 합병증들이 연이어지는 것이다. 반대로 원위부의 작은 분지가 막히는 경우 합병증이 생길 가능성은 훨씬 적다.

급성 합병증

좌심실 기능장애(left ventricular dysfunction)

심근허혈/심근경색증은 심근의 수축기능 장애를 일으킨다. 심초음파 검사에서 영향을 받은 관상동맥 영역의 국소벽운동이상으로 나타난다. 국소벽운동이상의 범위는 혈전증(근위 또는 원위 혈관)의 부위와 개인적인 해부학적 변이뿐만 아니라 측벽 혈류의 유무에 따라서도 달라질 수 있다.

3개의 관상동맥은 각각 명확하게 구분되는 심근 영역에 혈액을 공급한다(그림 4.7). 따라서, 좌전하행동맥(left anterior descending artery)의 폐색은 전벽 운동이상을 일으킨다(그림 8.2). 마찬가지로 우관상동맥(right coronary artery)의 폐색은 하벽 운동이상을 유발한다(그림 10.1).

급성 심근경색증에서는 정상적으로 보이는 무운동성 분절이 비가역적 경색의 영역인지 또는 심근기절(stunned myocardium)이나

그림 8.1

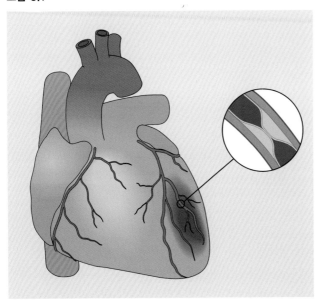

심근경색증의 병태생리. 하나의 관상 동맥의 폐색되면 해당 영역의 허혈/경색을 유발한다.

그림 8.2

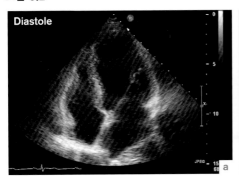
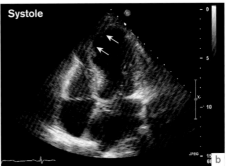

급성 전벽 심근경색증. 심첨 4방도. (a) 이완기. **(b)** 수축기. 좌심실은 벽두께는 정상이지만, 전중격부의 심근(화살표)이 수축기때 두꺼워지지 못하고 무운동성을 보인다. 다른 모든 부위는 정상적으로 두꺼워진다. 이러한 양상은 급성 전중격 경색증(anteroseptal infarction)을 의미한다.

일시적인 기능장애인지 알 수는 없다. 혈류를 회복시키면 생존가능한 심근(viable myocardium)을 구제할 수 있으며, 기능 회복은 수일 또는 수주 후에 발생할 수 있다. 이와 대조적으로 밝은 반향성의 얇은 무운동성 심근(akinetic myocardium)은 이전(수주~수년)의 심근손상을 나타낸다(그림 8.8).

우심실 기능장애(right ventricular dysfunction)

우심실 경색증은 모든 하벽 심근경색증의 약 50%에서 발생하고, 임상적으로 약 10%

로 현저하다. 대개 우관상동맥의 근위부 폐색으로 인해 생기며, 급성 우심실부전(right ventricular failure)과 심인성 쇼크(cardiogenic shock)를 일으킨다.

우심실 경색증의 급성기 심초음파 특징으로 우심실 확장, 수축기능 장애, 국소벽운동 이상, 역설적 중격운동, 급성 삼첨판 역류가 있다(그림 10.1). 장기적으로 심초음파에서 반흔과 재형성이 뚜렷해질 수 있다.

심근 파열(myocardial rupture)

급성으로 경색된 심근은 구조적으로 약하고 자발적 파열이 생길 수 있다. 다만 다행히도 이것은 매우 드물다. 예후나 심초음파 소견은 파열 부위에 따라 달라진다.

심실 자유벽 파열(ventricular free wall rupture)

심실 자유벽 파열은 높은 압력에서 심낭 공간(pericardial space)으로 파국적인 혈액 누출에 의해 심장눌림증(cardiac tamponade)을 일으킨다(그림 8.3). 심장눌림증은 항상 치명적이며 급성 심근경색증으로 인해 병원 내에서 사망하는 원인의 약 10%를 차지한다.

부분적인 심근파열은 심낭 혈종(pericardial hematoma)에 의해 혈액 누출이 막혀 가성 심실류(pseudoaneurysm)를 형성할 수 있다. 혈종을 심실류성 심근(aneurysmal myocardium)으로 오인할 수 있지만, 진성 심실류(true aneurysm)와 달리 목이 좁으며 파열 부위를 시사한다(그림 8.4). 가성 심실류는 수술적 치료가 가능하다.

심실중격 파열(ventricular septal rupture)

경색된 심실중격 안으로 출혈이 생기면 중격이 파열되어 심실중격결손이 생긴다. 그 결과 좌심실에서 우심실로 혈액이 이동하는 션트(shunt)가 생기고 혈역학적 이상과 심인성 쇼크를 유발할 수 있다.

그림 8.3

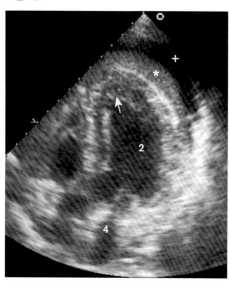

심실 자유벽 파열. 심첨 5방도. 심낭 혈종(*)과 무반향성 공간(+)이 관찰되는데, 이는 혈액 유출이 진행 중임을 나타내는 소견일 수 있다. 또한 좌심실 심첨부에서 심실벽의 단절이 있으며(화살표) 이는 파열 부위를 의미한다. 좌심방은 눌려 있다. 이는 가성 심실류가 생겼음을 시사하며, 결과적으로 혈액 유출로 인한 심장눌림증을 유발한다. (2) 좌심실; (4) 좌심방.

　　허혈성 심실중격결손 주위의 심근은 대체로 조직의 부종으로 인해 비정상적으로 두꺼워져있는 경우가 많다. 결손을 통한 혈류는 색도플러에서 잘 관찰된다(그림 8.5). 표준영상만으로는 심실중격결손을 놓칠 수 있으므로 임상적으로 진단이 강하게 된다면 가능한 한 많은 영상에서 심실중격을 자세히 확인해야 한다.

유두근 파열(papillary muscle rupture): 급성 승모판 역류(acute mitral regurgitation)

　　승모판은 다른 판막에 비해 심근 기능장애에 취약하다. 급성 심근경색증에서 급성 승모판 역류는 주로 유두근의 허혈 때문에 생기며, 이는 후내측(posteromedial) 유두근에 영향을 미치는 하벽 및 후벽 심근경색증에서 더 흔하다. 이 경우 보통 단일 동맥에서만 혈액을 공급받으므로 경색 영역은 대체로 크지 않다.

　　허혈은 유두근의 이완장애를 일으켜 승모판 후엽(posterior mitral valve leaflet)의 운동이 제한되며 승모판 전엽과 유합이 꼭 맞지 않게 된다. 재관류(reperfusion)가 성공적인 경우 유두근의 기능이 개선되면서 승모판 역류가 해소될 수 있다. 유두근은 정상이면서 후벽 또는 하벽의 무운동과 함께 편심성 승모판 역류제트(eccentric mitral regurgitation jet)가 있다면 유두근의 허혈을 추론할 수 있다. 이때 승모판 후엽의 움직임은 제한되어 보일 수 있으며 역류제트는 주로 뒤쪽으로 비정상판엽 쪽을 향한다. 이것은 승모판 탈출(mitral valve prolapse)에서 역류제트가 탈출된 판엽에서 멀어지는 쪽으로 향하는 것과 대

그림 8.4

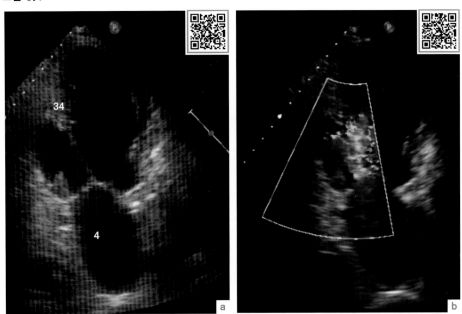

가성 심실류. 심첨 2방도. **(a)** 좌심실 하벽에 가성 심실류가 관찰된다. 심실류의 목(neck) 부위에 특징적인 변연(rim)이 있으며, 심낭 공간은 혈전으로 채워져 있다. **(b)** 색도플러는 가성 심실류로 혈류를 보여준다. (4) 좌심방; (34) 좌심실 하벽.

그림 8.5

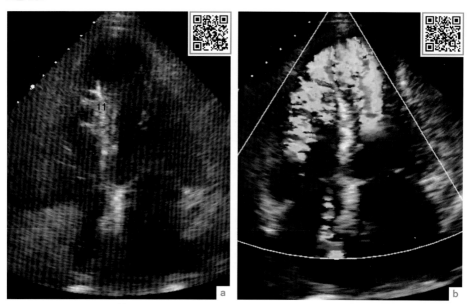

심실중격 파열. 심첨 4방도. **(a)** 심첨부 심실중격에 큰 파열이 있다. **(b)** 색도플러는 좌심실에서 우심실로 흐르는 와류를 보여준다. (11) 심실중격.

조적이다.

덜 흔하지만 경색증에 이차적으로 유두근의 완전 또는 부분 파열에 급성 승모판 역류가 생길 수 있다(그림 8.6). 이 경우 매우 치명적인 승모판 역류와 급성 폐부종을 일으킬 수 있으므로 응급 복구술(repair) 또는 치환술(replacement)이 필요하다.

파열된 유두근은 성흉부 심초음파에서 승모판엽이나 유두근 기저부에 붙어있는 그루터기(stump)의 형태로 나타난다. 파열된 유두근이 잘 관찰되지 않더라도 펄럭거리는(연가양, flail) 승모판엽이나 분절이 있다면 유두근 파열을 추론할 수 있다. 경식도 심초음파로 더 선명하게 확인할 수 있다.

급성 승모판 역류의 경우 좌심방 압력의 급격한 상승에 의해 역류제트의 크기가 감소되어 보일 수 있으므로 색도플러만으로는 중증도를 과소평가할 수 있다. 이런 상황에서 가장 믿을만한 지표는 vena contracta 폭이다. 심인성 쇼크의 임상적 증거가 있음에도 불구하고 좌심실 기능이 종종 역설적으로 좋아 보이는 것과 같이, 승모판 역류가 처음 발견했을 때보다 심할지도 모른다는 추정을 할 수 있어야 한다.

벽재성 혈전(mural thrombus)

혈전의 형성은 무운동성, 경색된 심근 주위에 심내막의 손상과 혈액의 정체로 인해 생긴다. 특징적으로 혈전은 균질하게 보이고, 구형/꽃자루형(globular/pedunculated)이면서 움직이거나 판형이면서 정적일 수 있다(그림 8.7). 혈전을 쉽게 놓칠 수 있고, 일부 영상에서 혈전이 작고 숨어 있거나 정상 심근처럼 보이기 때문에 이를 발견하기 위해서는 매

그림 8.6

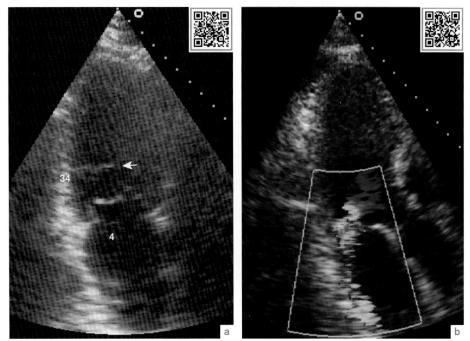

급성 승모판 역류. (a) 심첨 2방도. **(b)** 심첨 3방도. 후내측 유두근 군의 머리 부분 중 1개가 승모판엽과 연결이 끊어져 있다(화살표). 이것은 뒤쪽을 향하는 편심성 승모판 역류제트를 일으키며 승모판 전엽의 과도한 운동과 일치한다. (34) 좌심실 하벽; (4) 좌심방.

우 의심해야 한다. 유의미한 벽운동이상이 없는 한 혈전의 가능성은 낮다. 벽재성 혈전은 제18장에서 더 자세히 다루었다.

심낭염(pericarditis)

급성 심근경색증 발생 후 급성 심낭염은 흔하며, 대개 저절로 좋아진다. 이것은 심외막/심낭 염증을 일으키는 전벽 경색(transmural infarction)을 의미한다. 삼출액은 대개 소량이고 심초음파에서 사실상 보이지 않으며 특별히 구별되는 특징도 없다. 심근경색증이 수주 뒤 자가면역을 촉발하여 반복적으로 심낭염을 일으킬 수 있다. 이것은 Dressler 증후군으로 알려져 있다. 이것도 특별히 구별되는 심초음파 특징은 없다.

만성 합병증

좌심실 재형성(left ventricular remodeling)

재형성(remodeling)은 급성 심근경색증 후에 일어나는 좌심실의 구조적 변화를 말한

그림 8.7

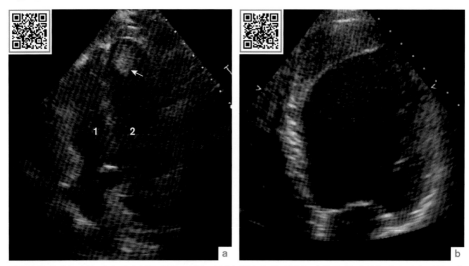

벽재성 혈전. (a) 며칠 전의 전벽 심근경색증 이후 좌심실 첨부에 혈전(화살표)이 차 있다. (b) 만성 판상 심첨부 혈전. (1) 우심실; (2) 좌심실.

그림 8.8

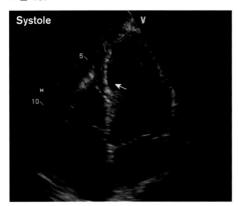

심근 반흔. 심첨 4방도. 중격의 반향성이 증가되어 보이며 무운동성이다(화살표). 이는 만성 반흔을 뜻한다.

다. 경색된 조직은 수주~수개월에 걸쳐 반흔으로 바뀌고 좌심실 확장, 수축/이완기능 장애, 비경색 분절의 보상성 비대가 생길 수 있다. 이는 심부전의 임상적 징후와 관련이 있다.

반흔은 심초음파에서 반향성이 증가된 얇은 무운동성(akinetic)/운동실조성(dyskinetic) 심근으로 보인다(그림 8.8). 심실류(aneurysm)는 밖으로 튀어나온 얇고 반사되는 심실조직의 영역으로 약한 반흔 조직이 바깥으로 팽창되어 심실벽의 비정상적인 확장을 형성하여 생기며, 넓은 목에 의해 좌심실의 나머지 부분과 연결되어 있다(그림 8.9). 운동실조(역설적 외향운동, paradoxical outward movement)의 양상을 보이지만 명확하지 않을 수도 있다. 어느 부위에서든 생길 수 있으며, 그 중 심첨부 심실류(apical aneurysm)가 가장 흔

그림 8.9

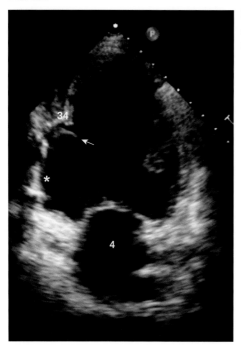

하벽 심실류. 심첨 2방도. 좌심실 하벽의 기저/중간 분절에서 진성 심실류(*)가 관찰된다. 심실류 내에 혈전(화살표)이 확인된다. (34) 좌심실 하벽; (4) 좌심방.

하다.

만성 승모판 역류(chronic mitral regurgitation)

심근경색증 이후 만성기에 승모판 역류는 주로 좌심실 재형성으로 인한 승모판 하부 장치(subvalvular apparatus)가 파괴되어 생긴다. 뚜렷한 좌심실 확장은 유두근의 위치를 바꿀 수 있고 승모판 하부 장치를 당겨서 판엽이 적절히 접합(coaptation)되지 못하게 된다. 또한 좌심실 확장은 승모판륜을 확장시킬 수 있으며, 이 자체가 정상적으로 판막이 닫히는 것을 방해할 수 있다. 일반적으로 이러한 변화는 중증 좌심실 기능장애가 있을 때 생기며, 승모판 역류제트의 방향은 중심(central)을 향한다(그림 8.10). 뚜렷한 기능적 승모판 역류는 좌심실의 용적 부담을 가중시켜 좌심실기능을 떨어뜨리고 승모판 역류를 악화시키는 악순환을 초래할 수 있다. 다만 일반적으로 이러한 기능적 승모판 역류는 수술적 복구술(surgical repair)이나 판막 치환술(valve replacement)의 대상이 되지 않는다.

또 다른 가능한 기전은 유두근 경색과 반흔으로서 해당 승모판엽이나 다른 승모판엽의 유두근을 단축시키고 퇴축(retraction)시키는 것이다. 이 과정은 주로 후내측(postero-medial) 유두근 군에 영향을 미친다. 일반적인 심초음파 소견은 후하벽(posteroinferior) 운동 이상으로 인한 후엽의 운동 제한과 뒤쪽을 향하는 편심성(eccentric) 승모판 역류제트이다(그림 8.11). 좌심실 기능은 비교적 양호한 경우가 많다. 이러한 기전의 중증 역류는 승모판 복구술(mitral valve repair)의 대상이 될 수 있다.

그림 8.10

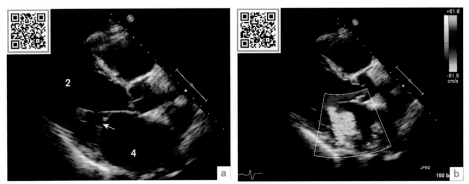

기능적 승모판 역류. (a와 b) 흉골연 장축도. 이전의 심근경색으로 인해 좌심실이 심하게 확장되어 있다. 판막 끝(tip)이 잘 접합(coaptation)되지 않아(화살표) 기능적 승모판 역류가 유발된다. (2) 좌심실; (4) 좌심방.

그림 8.11

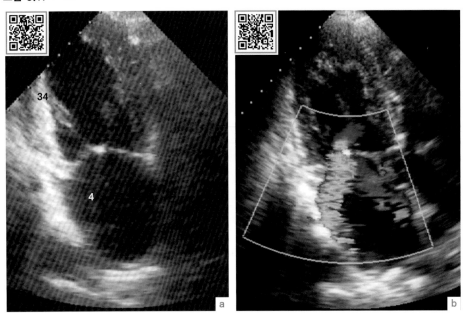

만성 유두근 기능장애. (a) 심첨 2방도. **(b)** 심첨 3방도. 하벽과 유두근은 무운동성과 밝은 에코를 보이는데 이는 섬유화를 뜻한다. 이때 승모판의 편심성 역류제트는 뒤쪽을 향하게 되는데, 이는 승모판 후엽이 잘 닫히지 못함을 시사한다. (34) 좌심실 하벽; (4) 좌심방.

결과 보고

심근경색증 관련 결과 보고

요약

- 전반적인 좌심실 및 우심실 수축기능에 대한 언급
- 주요 합병증에 대한 언급

정성적 자료

- 국소벽운동이상
- 반흔, 심실류, 비대의 위치
- 혈전
- 심실중격결손, 가성 심실류, 유두근
- 심낭 삼출

정량적 자료

- 좌심실: 직경, 분획 단축, 박출률, 좌심실 질량, E:A 비, 감속 시간, E:e` 비
- 우심실: 직경, 분획 면적 변화, 삼첨판륜 수축 이동(TAPSE)

CHAPTER

9

심근병증

심근병증은 주로 원인 불명의 심근질환을 가리키는 다소 비특이적인 용어이다. 심근병증은 좌심실의 병태생리에 따라 3가지 주요 유형인 비대심근병증, 확장심근병증, 제한심근병증으로 나뉜다.

비대심근병증(hypertrophic cardiomyopathy, HCM)

비대심근병증은 고혈압과 같은 확실한 이차성 원인 없이 중증의 좌심실 비후(비대)를 일으키는 유전질환이다. 좌심실 또는 좌심실 유출로에서 혈류의 폐쇄가 있으면 폐쇄성 비대심근병증(hypertrophic obstructive cardiomyopathy, HOCM)이라 한다. 대부분 근섬유분절 단백질(sarcomeric protein)을 담당하는 유전자의 돌연변이를 수반하지만, 이것이 어떻게 심장 표현형을 일으키는지는 현재까지 알려져 있지 않다. 임상양상은 실질적으로 환자와 가족 간에 중증도와 발병시기가 다양하다.

비대심근병증의 심초음파 특징은 다음과 같다.

1. **좌심실 비대**(left ventricular hypertrophy, LVH)는 비대심근병증의 기본적 특징이다. 가장 흔한 양상은 비대칭적 중격비후(asymmetric septal hypertrophy, ASH)로서 심실중격의 두께가 대개 15 mm 이상이거나 M-모드에서 심실중격 두께와 후벽 두께의 비가 1.3:1 이상이다(그림 9.1). 이 밖에 좌심실 비후의 양상은 좌심실 자유벽 혹은 심첨부(그림 9.2)에 국한되어 있거나 동심성(concentric)으로 나타나기도 한다. 대개 좌심실 내강은 작고 비대가 매우 심해서 수축기 동안 내강이 거의 막힐 수도 있다(그림 9.1).

   비대의 복잡한 양상으로 인해 내강 용적과 벽 두께를 주의깊게 평가해야 한다. 심실중격과 후벽 두께를 평가하기 위해 흉골연 장축도에서 M-모드로 측정을 시작한다. 그러고 나서 흉골연 단축도(그림 9.3)의 기저부(승모판), 중간부(유두근), 심첨부 위치에서 4개 구역(전벽, 측벽, 후벽, 중격)의 벽 두께를 측정한다. Off-axis 측정과 유두근을 피하도록 주의한다. 마지막으로 심첨부 영상에서 Simpson의 이면(biplane) 방법을 이용해 좌심실 용적과 박출률을 평가한다.

2. **우심실 비대**(> 0.5 cm)는 종종 좌심실 비대와 함께 생긴다. 흉골연 단축도, 늑골하단면도, 심첨 4방도에서 우심실 자유벽 두께를 평가한다.

3. **승모판의 수축기 전방 운동**(systolic anterior motion, SAM)은 수축기 동안 승모판 전엽(anterior mitral valve leaflet)이 심실중격 쪽으로 향하는 비정상적인 전방 운동을 말한다. 이것은 막혀 있는 심실중격을 지난 혈액이 빨라지면서 생긴 흡인력(Venturi effect) 때문에 생긴 것으로 생각되지만 비정상적인 승모판엽 또는 유두근 위치와 같은 요인들도 기여하는 것으로 보인다. 승모판의 수축기 전방 운동은 흉골연 장축도의 승모판에서 M-모드 기록으로 가장 잘 평가되며, 실시간 이면성 영상에서는 찾아내기 매우 어려울 수 있다(그림 9.1).

4. **좌심실 유출로 폐쇄**(left ventricular outflow tract obstruction, LVOT obstruction)는 심한 중격 비후와 수축기 전방 운동의 결과로 생길 수 있다. 좌심실 유출로 폐쇄는 심장 주기 동안 변하지 않는 고정된 폐쇄인 대동맥판 협착과는 달리 역동적이어서 수축기 동안 점점 더 악화된다. 좌심실 유출로/대동맥판을 지나는 연속파 도플러 스펙트럼은 종종 특징적인 언월도(scimitar) 모양이면서 후기에 최대 속도(그림 9.1d, 9.4)를 보이는데, 이는 수축기동안 폐쇄가 진행하는 것을 반영하며, 수축기 전방 운동과 중격 비후의 명확한 증거가 있다면 더욱 확실해진다. 때때로 중격비후로 인해 좌심실 내강의 다른 부위에서 폐쇄가 생길 수 있다. 연속파 도플러는 정확한 값의 압력차를 구하는 데 유용하지만 폐쇄의 위치에 대한 정보는 제공하지 않는 문제가 있다. 이것은 간헐파 도플러를 이용해 좌심실 내강, 좌심실 유출로, 대동맥의 각 부위에서 압력차를 각각 측정해 구별할 수 있다(그림 9.4). 내강 내 압력차가 심한 경우 좌심실 유출로의 압력이 낮아지면서 수축기가 끝나기 전에 대동맥판이 조기에 닫히기도 한다. 이것은 M-모드로 평가할 수 있다(그림 9.1f). 더 흔하게는 대동맥판 소엽(aortic valve cusp)이 와류로 인해 떨리는 것을 관찰할 수 있다.

　　압력차는 안정 시 뚜렷하지 않을 수 있으므로 운동, 질산염(nitrate) 또는 도부타민(dobutamine) 주입 등과 같이 수축력을 증가시키거나 전부하/후부하를 감소시키는 방법으로 압력차를 조장할 수 있다.

5. **이완기능 장애**(diastolic dysfunction): 이완기능 장애의 정도는 매우 다양하며 비대의 정도와 관련이 없다. 이완기능 장애에 의한 높은 좌심실 충만압은 심방 확장과 심방세동을 일으킬 수 있다.

6. **승모판 역류**(mitral regurgitation)는 승모판엽의 연장(enlongation), 유두근의 비정상 부착, 수축기 전방 운동의 결과로 생길 수 있다. 승모판이 중격 쪽으로 빨려가서 기능이 떨어지게 되어 수축기 중기 또는 후기에 승모판 역류를 일으킨다.

그림 9.1

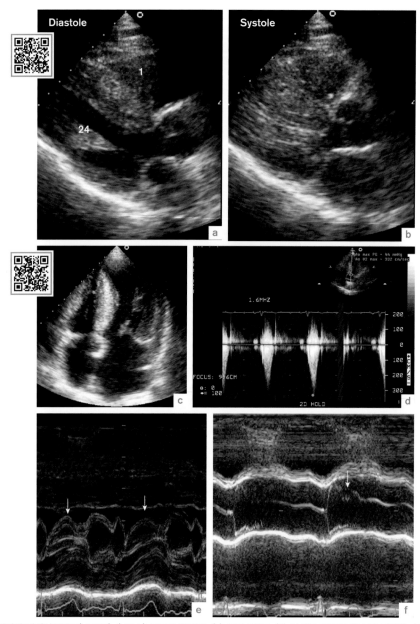

폐쇄성 비대심근병증(HOCM). (a와 b) 흉골연 장축도. **(c)** 심첨 4방도. **(d)** 좌심실 유출로 연속파 도플러. **(e)** 승모판 M-모드. **(f)** 대동맥판 M-모드. **(a-c)** 중증의 비대칭성 중격비후가 모든 단면도에서 관찰할 수 있으며, 수축기에 좌심실 내강은 거의 소실(obliteration)된다. **(d)** 연속파 도플러에서 안정 상태의 좌심실 유출로 압력차는 44 mmHg이다. 도플러 스펙트럼은 역동성 폐쇄를 반영하는 언월도(scimitar) 모양이다. **(e)** 승모판 전엽의 수축기 전방 운동은 M-모드에서 수축기 후기에 전엽이 중격을 향해 이동한 모습(화살표)으로 나타난다. **(f)** 수축기 중기 동안 대동맥판이 조기에 닫힘. (1) 우심실; (24) 좌심실 후벽.

그림 9.2

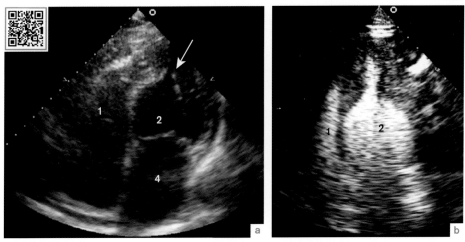

심첨부 비대심근병증. (a) 심첨 4방도. **(b)** 좌심실 조영제를 사용한 심첨 4방도. 특징적인 스페이드 에이스(ace of spades) 모양이 관찰된다. 수축기에 심첨부의 내강은 소실된다. (1) 우심실 내강; (2) 좌심실 내강; (4) 좌심방.

그림 9.3

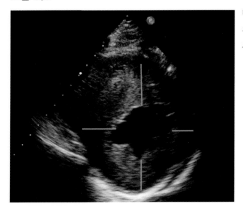

벽 두께에 대한 분절 평가. 흉골연 단축도. 좌심실 중간 부위. 그림처럼 4분절로 나누어 두께를 측정하며, 심첨부, 유두근, 승모판 레벨에서도 측정한다.

7. **확장심근병증**(dilated cardiomyopathy): 비대심근병증이 소진되어 점점 더 얇아지고 수축기능 장애를 동반한 심실 확장을 일으킬 수 있다.

비대칭적 중격비후, 수축기 전방 운동, 역동적 좌심실 유출로 폐쇄는 비대심근병증에만 고유한 것은 아니며, 이러한 비정상적인 소견을 발견하면 임상적 상황의 맥락에서 고려해야 한다(표 9.1).

비대심근병증의 합병증으로 협심증, 심부전, 실신, 돌연사, 심방세동, 승모판 역류, 감염성 심내막염 등의 증상이 있다. 예후는 심실성 부정맥으로 인한 돌연심장사의 위험에

그림 9.4

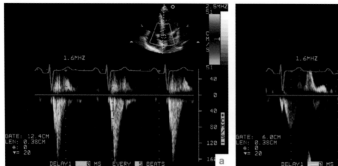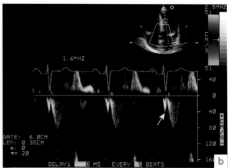

좌심실 유출로 압력차의 위치 결정(localization). **(a)** 대동맥판에 샘플 용적을 위치시킨 간헐파 도플러의 최대 속도가 1.6 m/s를 넘는다. **(b)** 좌심실 내강의 샘플에서는 최대 속도는 0.8 m/s이다. 좌심실 내강과 대동맥판 사이의 혈류 가속은 경도의 좌심실 유출로 폐쇄가 있음을 의미한다. 폐쇄 부위를 더 정밀하게 결정하기 위해 몇 개의 샘플 점(sampling point)을 추가로 사용한다. 화살표는 수축기 직전에 나타나는 전방 혈류(presystolic forward flow)를 가리키며, 비대 심근병증에서 볼 수 있다. 이는 경직된 좌심실로 심방이 수축하며 생기는 혈류를 나타낸다.

표 9.1 ASH, SAM, 좌심실 유출로 폐쇄의 다른 가능한 원인

	원인
비대칭적 중격비후(ASH)	고혈압성 좌심실 비대
	후벽 심근경색증
승모판의 수축기 전방운동 (SAM)	과수축성 상태(예, 도부타민 부하 심초음파 검사 중, 저혈량증, 패혈성 쇼크)
	승모판 수선 수술
	선천성 유두근 이상
	급성 심근경색증
	대혈관전위
좌심실 유출로 폐쇄	중증 고혈압성 좌심실 비대(도부타민 부하 심초음파 검사 중)
	선천성 유두근 이상
	급성 심근경색증
	스트레스 유발성 심근병증

그림 9.5

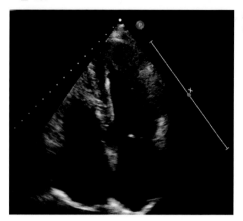

Anderson-Fabry 심근병증. 심첨 4방도. 중격의 밝은 심내막 경계와 심첨부 비후가 잘 관찰된다.

달려있다. 이것은 매우 중증의 비대(심실중격 두께 > 30 mm)와 상관관계가 있다. 놀랍게도 심초음파에서 좌심실 유출로 폐쇄의 중증도는 돌연심장사 위험 예측과 관련한 영향력이 그렇게 크지 않다.

Anderson-Fabry 병

이것은 좌심실 비대를 일으킬 수 있는 선천성 대사질환(예, α-galactosidase 결핍증)이다. 심초음파 소견은 비대심근병증과 유사하다. 때때로 심내막 경계가 매우 밝게 보이지만(그림 9.5) 이 질환에 특이적이지는 않다.

운동선수 심장(athlete's heart)

조정(rowing), 수영, 철인 3종 경기와 같은 지구력을 요하는 고강도 훈련은 좌심실의 용적 부하로 인해 편심성 심장비대를 일으킨다. 이것은 생리적, 가역적이므로 양성(benign)으로 간주한다. 역도와 같은 스포츠는 심장에 압력 부하를 주어 동심비대를 일으킨다. 이러한 비대의 양상은 양성이 아닐 수도 있다.

간혹 비대심근병증과 운동선수 심장을 구별하기 어려운 경우가 있다. 과학적으로 정확하지는 않지만 구별할 수 있는 몇 가지 특징적인 차이가 있다(표 9.2).

확장심근병증(dilated cardiomyopathy)

확장심근병증은 비가역적 심근 손상을 일으키는 다양한 심장 병리의 말기 상태다(표 9.3). 흔히 기저 원인을 확인할 수 없는 경우가 흔하다. 좌심실 확장, 전체적인 저운동성(global hypokinesia), 얇은 좌심실 벽이 특징이다(그림 9.6). 심초음파 검사로 좌심실의 수

표 9.2 비대칭적 중격비후, 승모판 수축기 전방 운동, 좌심실 유출로 폐쇄의 원인

특징	운동선수 심장	비대심근병증
배경	엘리트 지구력 운동선수	가족력
훈련 효과	중단 시 회복	회복 없음
직경	이완기 심실중격 두께 < 1.6 cm	제한 없음
	이완기 좌심실 내경 > 55 mm	< 45 mm
수축기능	정상	비정상일 수도 있음
이완기능	정상/호전됨	비정상

표 9.3 비대심근병증과 운동선수 심장을 구별할 수 있는 특징

원인
특발성(예, 원인이 밝혀지지 않은 경우)
허혈성 심질환
판막 질환
고혈압
알코올 남용
바이러스성 심근염
가족성 심근병증
항암화학치료(anthracyclines, Herceptin)

축 및 이완기능, 가능한 기저 원인, 이차성 합병증(예, 기능적 승모판 역류), 좌심실의 기계적 비동시성(mechanical dyssynchrony)의 증거를 평가해야 한다.

기저 원인의 평가

일반적으로 심초음파로 확장심근병증의 기저 원인을 결정하는 것은 불가능하며, 환자의 병력이 정보를 가장 많이 제공한다(예, 심근경색증의 과거력, 심근병증의 가족력, 알코올 남용). 그러나, 특이적 단서가 있을 수 있으므로 중증 판막질환, 좌심실 비대(고혈압성 심질환 또는 비대심근병증을 시사) 또는 국소벽운동이상(기저의 허혈성 심질환을 의미)과 같은 증거를 찾는 것이 중요하다. 일부 심근병증은 후술된 바와 같은 특징적인 심초음파 소견을 가지고 있다.

그림 9.6

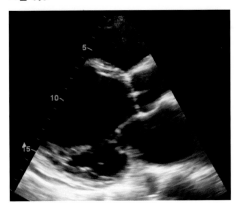

확장심근병증. 흉골연 장축도. 좌심실 벽이 두껍지 않고, 수축기 동안 움직임이 기의 없으면서 내경이 확장되어 있고(이완기말 좌심실 내경 7.5 cm), 전체적인 수축기능저하가 관찰된다.

좌심실 비치밀화(left ventricular non-compaction, LVNC)

심근병증은 매우 명확한 소견을 보이는데 특징적으로 심첨부/측벽 자유연에 정상(치밀화) 심근과 스펀지(비치밀화) 심근의 층이 구분되어 보여진다(그림 9.7a). 종종 색도플러로 스펀지층의 작은 공동 내에 나타나는 혈류를 관찰할 수 있다. 또한 좌심실 비치밀화는 잔기둥(trabeculation)이 그물처럼 나타나거나(그림 9.7b) 다발성의 뚜렷한 잔기둥들 사이에 혈액이 처 있는 뚜렷한 함요(recess)와 같은 모습(그림 9.7c, d)으로 보일 수 있다. 다만 심근병증이 없는 정상인에서도 현저한 잔기둥을 관찰하게 되는 경우가 있으나, 때때로 심첨부 비대심근병증이나 벽재성 혈전, 심첨부가 짧게 보이도록 한 경우(foreshortening)와 유사한 소견을 보일 수 있다.

좌심실 비치밀화는 일반적으로 유년기/성인 초기에 나타나며 기저의 유전적 소인을 갖고 있는 경우도 있다. 선천성 심장 기형과 관련이 있을 수 있으며, 일종의 발달장애인 것으로 보인다. 모든 확장심근병증과 마찬가지로 돌연심장사, 부정맥, 심인성 색전증의 위험이 증가한다.

스트레스 유발성 심근병증(타코츠보 심근병증, Takotsubo cardiomyopathy)

이것은 유의미한 관상동맥질환의 증거가 없는 것을 제외하고는 종종 급성 심근경색증과 유사한 방식으로 나타나는 심근병증이다. 전형적으로 환자는 급성 병색으로 흉통, 경색을 시사하는 심전도 변화, 심부전/심인성 쇼크의 징후가 있다. 이 이름은 심실조영술에서 좌심실의 모양을 비유하여 일본어로 '문어 항아리'라는 뜻이다(그림 9.8). 흔히 극심한 감정적 충격에 의해 사건이 촉발되기 때문에 때때로 '상심' 증후군(broken heart syndrome)이라고도 한다. 병인은 심장에 공급하는 교감신경으로부터 아드레날린 및 관련 화

그림 9.7

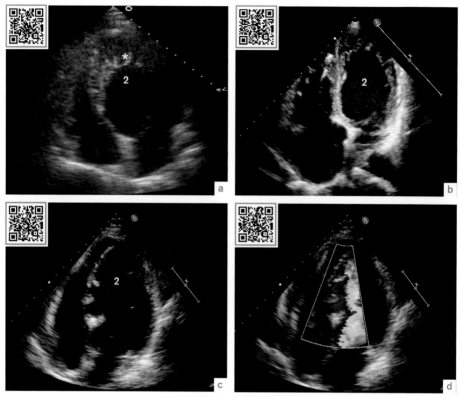

심실 비치밀화증(isolated ventricular non-compaction). 심첨 4방도. **(a)** 특징적인 심내막층의 스폰지 모양(*)과 함께 상대적으로 심외막층의 심근은 정상 모양을 보인다. **(b)** 잔기둥의 그물망 모양. **(c)** 다발성의 큰 잔기둥들이 중격부 심근 내에 존재하고 있다. **(d)** 잔기둥 사이의 오목 부위에 혈류가 명확히 관찰된다. ⑵ 좌심실.

합물의 엄청난 분비에 의해 매개되는 것으로 생각된다. 대다수의 환자에서 수주에 걸쳐 좌심실 기능이 정상으로 회복된다.

　심초음파 검사에서 과역동적인 기저 분절이 있으면서 대부분의 좌심실이 광범위한 무운동증을 보인다(그림 9.8). 간혹 매우 비정상적인 수축의 양상으로 승모판의 수축기 전방 운동이 생겨 역동적 좌심실 유출로 폐색과 승모판 역류를 일으키기도 한다.

좌심실 기능의 평가

　이 주제는 제4장과 제5장에서 자세히 다루었다.

　좌심실 기능의 정확한 정량적 평가는 삽입형 심장제세동기(implantable cardioverter defibrillators)와 심장 재동기화 치료(cardiac resynchronization therapy)와 같은 특정 치료법

그림 9.8

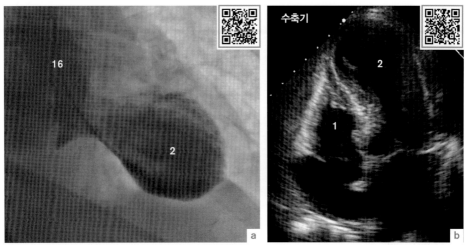

스트레스 유발성 심근병증. (a) 좌심실 조영: 좌심실이 카테터를 통해 주입된 조영제가 채워져 특징적인 '문어 항아리' 모양이 관찰된다. 수축기 동안 기저부 분절에서만 수축이 일어나며, 나머지 심실은 풍선처럼 바깥으로 부풀어 오른다. **(b)** 심첨 4방도, 수축기: 중간부 및 심첨부의 분절들이 무운동성이다. (1) 우심실; (2) 좌심실; (16) 대동맥.

에 대한 적합성을 결정할 뿐만 아니라 가장 중요한 예후 지표이기 때문에 필수적으로 확인해야 한다.

　좌심실 수축기능에 대한 기본 정보로 좌심실 크기와 이면(biplane) 평가를 통한 박출률을 측정해야 한다. 제한성 이완기 장애(restrictive physiology)인 환자는 경도의 이완기능 장애가 있는 환자보다 예후가 나쁘기 때문에 이완기능 역시 중요하다.

제한심근병증(restrictive cardiomyopathy)

　제한심근병증은 심실이 매우 경직(stiffness)되어 중증 이완기능 장애를 일으키는 것이 특징이다. 이것은 다양한 범위의 질환에 의해 유발될 수 있으며, 그중 가장 흔한 원인으로 심장 아밀로이드증(cardiac amyloidosis)이 있다. 이것은 심근에 비정상 단백질이 축적되거나, 심근이 섬유화되는 것과 관련이 있으며 좌심실 비대와 비정상적인 심근신전성(myocardial distensibility)을 유발한다. 좌심실의 충만 장애에 의해 압력이 역으로 전달되면 확연한 좌심실 확장을 유발한다.

　심초음파에서 좌심실 수축기능은 대부분 정상에 가깝지만 현저한 양심실 비대, 양심방확장, 제한성 이완기능 장애(E/A 비 ≥ 2, E파 감속 시간 < 160 ms)와 현저히 상승한

그림 9.9

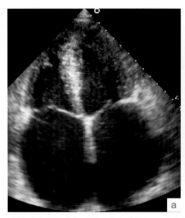
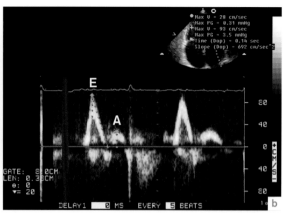

제한심근증. (a) 심첨 4방도. **(b)** 승모판 유입(mitral inflow) 간헐파 도플러. 중증의 양심실 비대와 양심방 확장이 있다. 승모판 유입 간헐파 도플러는 제한성 이완기능 장애를 시사하며 E/A 최대 속도 비가 약 3:1, E파 감속 시간은 140 ms이다. 중격이 반짝거리는 듯한 양상을 보인다면 기저의 아밀로이드증의 진단을 시사한다.

좌심실 충만압(E/e′ 비 ≥ 13) 등이 관찰된다(그림 9.9). 아밀로이드증은 특징적으로 심근 중격이 반짝거리는 듯한(speckled) 양상을 보이며 판막의 비후를 일으킨다.

협착심낭염(constrictive pericarditis)도 이완기 충만 이상과 함께 양심방 확장의 유사한 임상적 소견을 유발할 수 있다. 따라서, 심초음파만으로는 확진이 어려울 수 있으므로 다른 영상검사가 추가로 필요할 수 있다.

심내막심근섬유증(endomyocardial fibrosis)

이것은 제한심근병증의 특이한 형태로 심내막에 반흔 조직을 형성하는 것이 특징이다. 전형적으로 단심실 혹은 양심실의 첨부가 폐쇄되지만 다른 영역의 섬유화도 일어날 수 있다. 열대지방에서는 흔하지만 선진국에서는 드물다. 기저 원인은 알려져 있지 않다.

심초음파에서 심첨부를 채우는 두껍고 에코가 밝은 물질로 관찰되며, 때로는 기저의 혈전 때문에 줄어든 심실 용적을 확인할 수 있다(그림 9.10). 심방은 확장된 경우가 흔하다.

그림 9.10

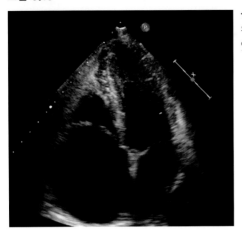

심내막심근섬유증. 양심실의 첨부가 섬유화된 조직으로 채워지면서 내강의 크기가 감소하였다. 수축기능은 보존되어 있다. 심방은 심하게 확장되었다.

결과 보고

비대심근병증 관련 결과 보고

요약
- 진단: 비대심근병증
- 비후의 중증도
- 기능적 영향: 유출로 폐쇄, 수축기능/이완기능
- 합병증(예, 승모판 역류)

정성적 자료
- 비대의 양상: 비대칭적, 동심성, 심첨부 등
- 승모판의 수축기 전방 운동: 중증도
- 대동맥판의 조기 폐쇄
- 폐쇄의 위치: 유출로, 내강 중간 부위
- 합병증

정량적 자료
- 좌심실 크기 및 두께 측정
- 흉골연 장축도 M-모드 크기 측정
- 흉골연 단축도 기저부, 중간부, 심첨부 벽 두께
- 우심실벽 두께: 흉골연 단축도, 흉골하부단면도, 심첨 4방도
- 좌심방 용적
- 좌심실 용적 및 박출률
- 이완기능 변수: E:A 비, 감속 시간, E:e'비
- 좌심실 유출로 압력차

결과 보고

확장심근병증 관련 결과 보고

요약
- 좌심실의 전반적인 수축기능/이완기능 등급
- 우심실의 구조와 기능
- 확장의 중증도
- 합병증에 대한 언급

정성적 자료
- 국소벽운동이상
- 반흔, 심실류, 비대의 위치
- 합병증: 승모판 역류, 혈전 등

정량적 자료
- 좌심실 직경
- 좌심실 용적
- 좌심실 질량
- 박출률
- 분획 단축
- 벽 운동지수
- 이완기능 변수: E:A 비, 감속 시간, E:e' 비
- 우심실 직경
- 우심실 분획 면적 변화
- 폐동맥 압력

결과 보고

제한심근병증 관련 결과 보고

요약
- 진단
- 기저원인질환(예, 아밀로이드증, 심내막심근섬유증)
- 비후의 중증도
- 수축기능/이완기능 이상의 중증도

정성적 자료
- 이완기능 변수들에 대한 해석
- 폐/간정맥 혈류 양상

정량적 자료
- 좌심실 직경
- 좌심실 질량
- 좌심실 박출률 및 분획 단축
- 조직 도플러 속도
- 이완기능 변수: E파 최대 속도, E:A 비, 가역성, E:e' 비
- 하대정맥 직경
- 폐동맥 압력
- 심장 직경

우심실 병리

다양한 병리가 우심실 심근에 영향을 줄 수 있다. 좌심실에 비해 상대적으로 간과될 수 있으나 우심실 역시 임상적으로 중요하게 다뤄져야 한다.

우심실 심근경색증(Right ventricular myocardial infarction)

우심실 심근경색증은 주로 우관상동맥 근위부의 혈전성 폐색에 의해 발생한다. 이는 비교적 흔하며, 모든 하벽 심근경색증의 약 50%에서 발생한다. 이것은 주로 우관상동맥의 근위부 혈전성 폐색 때문이다. 좌심실은 침범하지 않고 우심실에만 경색이 생기는 경우도 있으나 훨씬 드물다. 우심실 심근경색증은 심인성 쇼크를 유발할 수 있다.

급성일 때 심초음파상 특징은 우심실 확장, 수축기능 장애, 국소벽운동이상, 역설적 중격운동(paradoxical septal motion), 급성 삼첨판 역류 등이 있다(그림 10.1). 장기적으로 심초음파상 반흔과 재형성이 뚜렷해질 수 있다.

부정맥 유발성 우심실 이형성증

(arrhythmogenic right ventricular dysplasia, ARVD)

이것은 우심실을 주로 침범하는 심근병증이며 좌심실을 침범하는 경우도 점차 늘어나고 있다. 병인은 명확히 있지 않지만 가족성일 수 있다. 우심실의 심근이 점차 섬유지방성 조직으로 대체되면서 우심실 확장과 기능장애가 일어난다. 이름이 시사하는 바와 같이 심실빈맥, 심실세동과 같은 심실성 부정맥을 잘 일으킨다.

그림 10.1

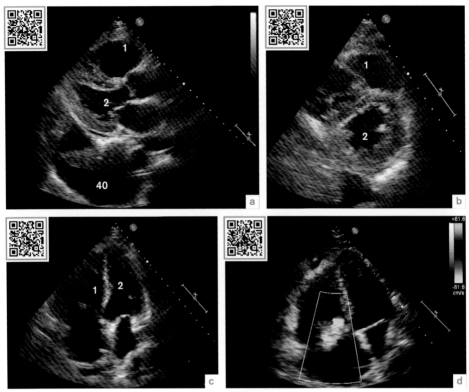

급성 우심실 심근경색증. (a) 흉골연 장축도. **(b)** 흉골연 단축도. **(c와 d)** 심첨 4방도. 우심실 자유벽과 좌심실 하벽의 무운동성이 관찰된다. 우심실 기능은 심각하게 감소되어 있는 반면에 좌심실의 전반적인 기능은 보존되어 있다. 급성 확장 및 용적 과부하는 중증의 저압 삼첨판 역류를 유발하였다. 흉수가 관찰된다. (1) 우심실; (2) 좌심실; (40) 흉수.

심초음파에서 경도의 좌심실 확장부터 좌심실 벽의 깊은 균열(deep cleft), 미세심실류 (microaneurysm)와 현저한 확장/기능장애를 동반한 심한 구조적 이상까지 다양하게 나타난다(그림 10.2). 그러나, 질환 초기에는 심초음파에서 미묘한 이상 소견이 발견되지 않을 수 있으므로 부정맥 유발성 우심실 심근병증의 진단을 배제할 수 없다. 이 경우에는 자기공명영상이 더 민감하고 특이적이다.

폐성심(cor pulmonale)

폐성심은 좌심장의 기능이상 없이 폐고혈압에 대한 반응으로 생긴 우심실의 재형성

그림 10.2

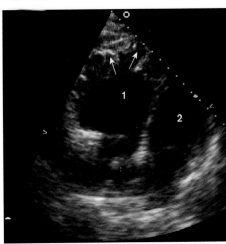

부정맥 유발성 우심실 이형성증. 심첨 4방도. 우심실이 확장되어 있고, 사유벽(화살표) 쪽에 깊은 굴곡이 확인된다. (1) 우심실; (2) 좌심실.

표 10.1 폐고혈압의 원인

I군: 폐동맥 고혈압
원발성 폐고혈압: 특발성 혹은 가족성
이차성(예, 결체조직 질환, 선천성 심질환, 문맥 고혈압, HIV 감염, 약물)
II군: 폐정맥 고혈압
좌측 심장의 판막/심방/심실 질환에 의한 이차성
III군: 호흡기질환 혹은 저산소증에 의한 폐고혈압
(예, COPD, 간질성 폐질환, 수면무호흡증)
IV군: 혈전폐색성질환에 의한 폐고혈압

세계보건기구(WHO) 폐고혈압 분류에 따름.
HIV, 사람면역결핍바이러스; COPD, 만성 폐쇄성 폐질환.

(remodeling)을 말한다. 다양한 병리가 폐성심을 유발할 수 있지만(표 10.1), 심초음파에서 구별할 수 있는 특징적인 소견이 없기 때문에 심초음파만으로 각 병리를 구분하기는 어렵다.

급성 폐성심(acute cor pulmonale): 급성 폐색전증(acute pulmonary embolism)

급성 폐성심의 가장 흔한 원인은 대량의 급성 폐색전증이다. 이것은 큰 혈전이 주폐동맥을 막았을 때 생기며, 폐동맥 압력과 폐혈관 저항이 급격히 심하게 상승한다. 이렇게

그림 10.3

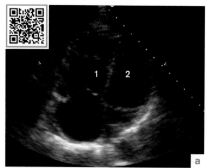
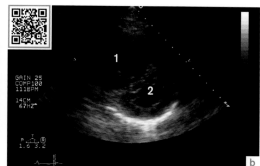
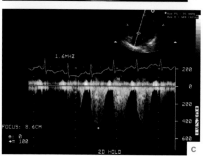

급성 폐색전증. (a) 심첨 4방도. (b) 흉골연 단축도. (c) 삼첨판 연속파 도플러. 심첨부 우심실기능은 보존되어 있지만, 나머지 부위의 기능은 심각하게 감소되어 있다. 우심실이 심하게 확장되어 있으면서 압력 과부하(우심실 수축기압 = 95 mmHg)로 인해 역설적 중격운동(paradoxical septal motion)이 뚜렷이 관찰된다. (1) 우심실; (2) 좌심실.

되면 우심실은 효율적으로 기능하지 못해서 확장되고 저운동성(hypokinetic)이 된다. 급성 폐성심은 심한 저산소증으로 인해 폐혈관 수축을 일으키는 급성호흡부전증후군(acute respiratory distress syndrome)과 같은 급성에서도 나타날 수 있다.

그림 10.3은 급성 폐성심의 주요 심초음파 소견으로 중증의 우심실 확장, 상대적으로 심첨부 기능은 유지되면서 우심실 전체의 중증 저운동증, 심실중격이 평평해짐, 급성 삼첨판 역류, 폐고혈압이 있다.

심실중격이 평평해지는 것은 흉골연 단축도에서 가장 잘 관찰되고, 수축기 후기/이완기 초기에 좌심실이 D자 모양으로 보이게 된다. 이것은 2가지 과정 때문이다. 첫째, 심낭 내 우심실의 확장은 중격을 좌심실 쪽으로 밀어낸다. 둘째, 좌심실에 비해 우심실의 구혈이 연장되어 수축기말/이완 초기에 우심실압이 일시적으로 좌심실압을 넘게 된다. 저운동성 중격운동은 중격이 좌심실보다는 우심실과 함께 수축하는 것처럼 보이게 된다.

폐색전증이 의심되거나 확진된 상황에서 혈역학적 이상이 있는 급성 우심실 압력 과부하의 증거가 있다면 혈전용해술의 적응증으로 고려해야 한다. 매우 간혹 우심장이나 폐동맥에서 이동하고 있는 혈전을 볼 수도 있다(그림 10.4). 폐색전증 후에도 우심실이 지속적으로 확장되면 예후가 불량하다.

그림 10.4

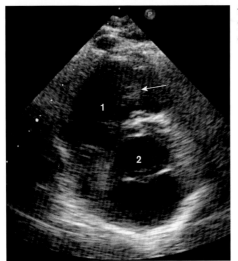

움직이는 혈전. 흉골연 단축도. 최근 폐색전증 병력이 있었던 환자. 큰 혈선(화살표)이 우심실 내에서 진동싱 움직임(oscillating)을 보이고 있다. (1) 우심실; (2) 좌심실.

만성 폐성심(chronic cor pulmonale)

　만성 폐성심의 원인 중 가장 흔한 것은 만성 폐쇄성 폐질환이다. 이외에 만성 혈전색전성 폐고혈압이나 원발성 폐고혈압에서도 생길 수 있다. 지속적인 압력 과부하는 우심실의 보상적 비대를 초래하지만, 결국 우심실이 확장되면서 우심부전으로 이어진다. 용적 과부하는 삼첨판륜 확장과 기능성 삼첨판 역류를 유발할 수 있다. 다시 말하지만 심실중격이 평평해지는 것은 압력/용적 과부하로 인한 상태의 특징이다.

CHAPTER 11

판막 질환의 원리

개요

심장판막은 심강들 사이에서 전방혈류의 저항이 최소화되면서 혈류가 한 방향으로만 흐르게 하는 역할을 한다. 판막의 기능장애는 혈류가 막히거나, 역류하거나, 혹은 이 둘이 공존하여 발생한다.

판막 기능의 평가는 모든 심초음파 검사의 필수적인 부분이다. 판막의 일반적인 형태만으로도 많은 정보를 얻을 수 있지만, 보다 자세한 평가를 위해 다양한 도플러 기법을 이용할 수 있다. 이 장에서는 모든 판막과 병소에 공통적으로 적용할 수 있는 생리적 원리에 대해 다룰 것이다. 심내 션트(다음 장에서 설명)에서도 유사한 접근법을 적용할 수 있다.

압력차의 추정: 베르누이 공식(Bernoulli equation)

압력차는 압력이 서로 다른 심강이나 혈관들이 연결되어 있는 곳이라면 어디에서든 생긴다(그림 11.1). 이 압력차는 협착이나 역류 혹은 심내 션트가 있을 때에도 생긴다.

혈액은 압력의 차이에 따라 하나의 심강에서 다른 곳으로 흐르게 된다. 이것은 혈액 자체의 물리학적 특성의 영향(특히 가속능)을 받기 때문에 혈류속도와 압력차 간의 정확한 관계는 복잡하다. 그러나 대부분의 임상적인 상황에서 단순화된 베르누이 공식을 통해 추정할 수 있다.

압력차(mmHg) = $4V^2$

V = 최대 속도(m/s)

그림 11.1

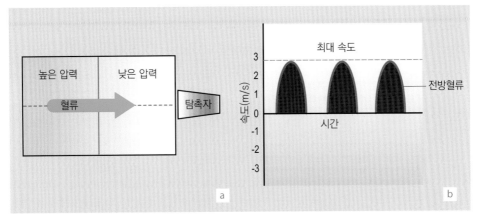

압력차의 측정. (a) 압력이 다른 2개의 심강이 연결되어 있는 부위의 혈류는 압력이 높은 쪽에서 낮은 쪽으로(파란 화살표) 흐른다. 도플러 빔을 혈류와 평행하게 맞추면 속도를 측정할 수 있다. **(b)** 초음파 탐촉자를 향하는 혈류의 도플러 스펙트럼을 보면 혈액이 최대 속도까지 가속된 후 감소하기를 심장주기마다 반복한다. 최대 속도는 압력차를 계산하는 데 이용된다(압력차 = 4 × 32 = 36 mmHg).

순간 최대, 평균 압력차

압력차는 단순하게 두 개의 공간 사이에 동일한 순간에 생기는 압력의 차이이다. 기타 다른 정보를 담고 있지는 않으며, 이 값이 각 공간의 실제 압력을 보여주지도 않는다.

심장은 계속적으로 주기적인 움직임(수축과 이완)을 보이므로, 압력차는 매 순간마다 다르고, 측정 위치에 따라서도 다르다. 이러한 이유 때문에 심초음파로 측정한 압력차는 다른 방법으로 측정했을 때와 종종 다를 수 있다. 예를 들어 좁아진 대동맥판 사이로 좌심실 최고압과 대동맥 최고압 간의 차이(peak to peak)를 심도자술을 통해 직접 측정한 값은 심초음파로 최대 속도를 통해 추정한 압력차보다 낮다. 이렇게 되는 가장 큰 이유는 압력차가 가장 커지는 시점이 대동맥 압력이 최대가 되는 시점이 아니라 압력이 상승하고 있는 중간 지점이기 때문이다. 압력차가 최대가 되는 지점의 압력차를 최대 순간 압력차(peak instantaneous gradient)라 하며 이는 최대 속도(Vmax) 시점과 일치한다(그림 11.2).

최대 속도는 측정하기 쉽기 때문에 재현성이 좋다. 따라서, 대동맥판, 좌심실 유출로, 폐동맥판, 심실간 션트, 심첨판의 압력차를 평가하는 일상적인 방법이 되었다.

혈류가 복잡한 경우 최대 압력차보다 평균 압력차가 더 의미가 있다(그림 11.3). 이는 혈류의 모든 시점의 속도를 측정하여 혈류가 지나간 시간으로 나누어 측정한다. 실제로는 도플러 스펙트럼의 속도-시간 그래프 경계를 따라 그려주면(tracing) 평균 압력차는 심초음파 기기가 자동으로 계산해 준다.

평균 압력차는 좁아진 부분을 평가하는 데 사용되며, 특히 대동맥판과 승모판에서 유용하다.

그림 11.2

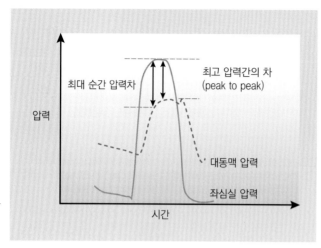

대동맥판 협착에서 다양한 압력차 측정. 좌심실 수축기압(파란 실선)과 대동맥압(빨간 점선)이 시간에 따라 압력차를 형성한다. 심도자술을 통해 대동맥과 좌심실의 최고압력을 각각 측정할 수 있지만, 이 시기가 정확히 동시에 생기지 않는다. 반대로 심초음파로 최대 속도를 측정하면 대동맥판을 지나는 혈류가 그 순간에 만드는 최대 압력차를 추정할 수 있다. 이것을 최대 순간 압력차(peak instantaneous gradient)라고 하며, 일반적으로 최고 압력간의 차(peak to peak)보다 크다.

그림 11.3

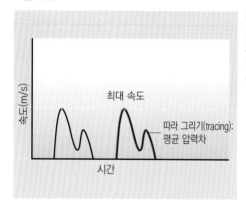

평균 압력차. 판막 사이의 평균 압력차는 도플러 스펙트럼의 경계선(빨간 선)을 따라 그리면(tracing) 기기가 자동으로 계산해준다. 이 방식은 모든 판막에서 적용할 수 있으며 특히 혈류 양상이 복잡한 경우(예, 이완기의 승모판 유입 혈류)에 유용하다.

용적과 혈류의 측정

심초음파를 이용한 정량적 평가를 통해 속도 정보로부터 혈류량을 추정할 수 있다. 혈류가 일정한 속도로 긴 튜브를 통해 흐르고 있는 매우 단순한 상황을 가정해 보자(그림 11.4). 혈류속도를 이용하면 튜브를 따라 혈류가 단위시간당 이동하는 거리를 계산할 수 있다(이동거리 = 속도 × 시간). 또한 특정 지점의 단면적을 측정하면 이로부터 우리는 그 지점을 지나는 혈류량을 알아낼 수 있다.

혈류량 = 거리 × 단면적

이므로

혈류량 = 속도 × 시간 × 단면적

심장은 박동하여 속도가 지속적으로 변화하므로 상황이 이보다 복잡하다. 따라서, 정확히 혈류량을 구하기 위해 각 속도의 혈류가 지속되는 기간과 모든 속도 변화를 알아야 하는데 이를 속도–시간 적분(velocity time integral, VTI)이라고 한다. VTI는 사실 도플러 스펙트럼의 면적과 같으므로 기준선 위의 속도 경계선을 따라 그리는 간단한 과정을 통해 그 면적을 구할 수 있다(그림 11.5).

혈액이 지나는 특정 구조의 VTI와 그 지점의 단면적을 측정한다면 그곳을 지나는 혈류의 용적도 계산할 수 있다. 대부분의 상황에서 우리는 원형 구조물(예, 혈관, 판구)을 평가하기 때문에 단면적은 간단히 직경을 측정하여 추정할 수 있다(원의 면적 = π × 반경²).

기본적으로 직경이 고정되어 있고 둥근 형태의 구멍이나 내강을 가진 심장과 혈관의 모든 지점에서 용적은 단면적과 VTI 값으로 계산할 수 있다. 좌심실 유출로와 우심실 유출로, 승모판륜, 대혈관의 경우 이러한 방법이 유용하게 사용될 수 있다. 다만 대동맥판구와 폐동맥판구는 둥글지 않아 이 방법을 사용할 수 없고, 삼첨판륜의 측정값도 역시 부정확하다.

좌심실/우심실 유출로를 지나는 혈류는 좌심실과 우심실의 일회 박출량과 같다(즉, 각 심장주기에 분출되는 혈액의 양). 따라서, 심박출량(cardiac output)은 일회 박출량에 심박수를 곱해 얻어낼 수 있다.

좌심실과 우심실 유출로, 승모판륜의 혈류를 평가하는 방법은 표 11.1에 있다.

그림 11.4

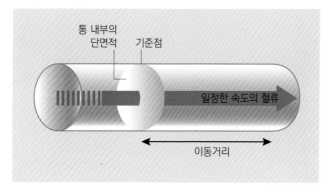

속도 정보를 이용한 혈류량의 계산. 만약 혈류가 일정한 속도로 원기둥의 내부를 흐른다면(빨간 화살표), 기준점을 지나는 혈류는 단위 시간당 일정한 거리를 이동하므로, 여기에 통 내부의 단면적을 곱하면 용적을 알 수 있다.

그림 11.5

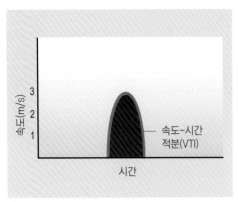

속도-시간 적분. 속도-시간 적분 도플러 스펙트럼의 기준선에서 출발하여 기준선으로 돌아올 때까지의 둥근 양상을 따라 그려 측정할 수 있다. 이 곡선의 아래쪽 면적(검정색)이 속도-시간 적분값이며 다양한 계산에 활용할 수 있다.

표 11.1 일회 박출량(stroke volume)을 측정하는 기술적인 권고사항

위치	지표	방법
좌심실 유출로 (LVOT)	SV_{LV}	좌심실 유출로 직경: 흉골연 장축도에서 대동맥판륜 바로 앞쪽(심실 방향)에서 수축기 중기의 최대 직경
		간헐파 도플러: 심첨 5방도. 샘플 용적을 대동맥판 바로 앞쪽에 둔다.
우심실 유출로 (RVOT)	SV_{RV}	우심실 유출로 직경: 흉골연 단축도에서 폐동맥판륜의 앞쪽(심실 방향)에서 수축기 중기의 최대 직경
		간헐파 도플러: 흉골연 단축도 샘플 용적을 폐동맥판륜 바로 앞쪽에 둔다.
승모판륜		승모판륜 직경: 심첨 4방도에서 이완기 초기에 최대 직경
		또는 승모판륜 면적: 흉골연 장축도에서 초기 이완기의 승모판륜 면적을 따라 그림
		간헐파 도플러: 심첨 4방도에서 샘플 용적을 승모판륜 사이에 둔다(즉, 승모판 끝에 두는 것이 아님).

삼첨판은 실제로 거의 사용되지 않아 제외하였다.

LVOT, left ventricular outflow tract; RVOT, right ventricular outflow tract; SV, stroke volume.

임상적 적용: 연속성과 비연속성

심초음파의 정량적 기법은 대동맥판 면적, 션트 비, 판막 역류량 또는 분획의 추정 등 다양한 상황에 적용할 수 있다.

이러한 활용 방식은 심장이 닫힌 계(closed system)여서 우측 심장으로 들어오는 혈류량과 좌측 심장에서 나가는 혈류량이 일정하다는 전제를 바탕으로 한다. 따라서, 모든 판막과 심방, 심실을 지나는 혈류는 정확히 동일해야 한다. 반대로 좌측과 우측 심장에서 나가는 혈류량에 확연한 차이가 있다면 유의한 심내 션트나 판막 누출이 있다는 뜻이다. 결론적으로 판막을 지나는 혈류의 양을 측정할 수 있다면 이 정보를 다른 판막이나 션트을 지나는 혈류의 변화를 해석할 정보로 활용할 수 있다.

판막 면적의 추정: 연속성 공식(continuity equation)

연속성 공식은 대동맥판 협착에서 대동맥판 면적을 추정하는데 경험적으로 사용된다. 이것은 좌심실 유출로에서 매 심장주기마다 뿜어져 나오는 혈류량(좌심실의 일회 박출량)이 대동맥판을 지나는 혈류량과 같다는 전제를 바탕으로 한다. 이전에 대동맥판을 지나는 혈류의 용적은 좌심실 유출로의 속도−시간 적분(velocity time integral, VTI)과 면적의 곱이라는 것을 언급한 바 있다.

좌심실 유출로(LVOT)를 통과하는 혈류량 = 대동맥판(AV)을 통해 분출되는 혈류량

$$면적_{LVOT} \times VTI_{LVOT} = 면적_{AV} \times VTI_{AV}$$

$$면적_{AV} = (면적_{LVOT} \times VTI_{LVOT})/VTI_{AV}$$

$$면적_{AV} = [(\pi r_{LVOT}^2) \times VTI_{LVOT}] \times VTI_{AV}$$

이 방식을 이용한 측정법은 그림 11.6에 도식화했으며 보다 자세한 임상적인 활용법에 대해 제12장에서 다루었다. VTI를 측정하는 대신 좌심실 유출로와 대동맥판의 최대 속도만을 이용하는 단순한 접근법도 사용할 수 있다는 점을 알아둔다.

역류 분획: 비연속성

판막의 역류가 있다면 전방혈류량은 더 이상 모든 판막에서 같을 수 없다. 이 차이를 이용하여 심장의 다른 두 지점의 혈류량의 차이를 추정함으로서 역류의 중증도를 결정할 수 있다. 두 판막의 전방혈류의 차이 비율이 역류 분획이 된다.

중증 승모판 역류 같은 실제 사례를 보면 이해가 쉽다. 수축기에 좌심실은 좌심실 유출로와 대동맥판을 경유해 체순환계로 혈액을 내보낸다. 중증 승모판 역류가 있다면 많은 혈액이 거꾸로 좌심방 쪽으로 향하게 된다. 이완기에 심실을 채우는 혈액량과 수축기에 좌심실 유출로를 통해 분출되는 혈액량(일회 박출량)의 차이가 승모판 역류량이 된다.

좌심실의 일회 박출량은 위에 설명한대로 좌심실 유출로의 VTI와 면적을 이용하여 측정할 수 있으며, 이완기 용적은 이완기에 좌심방에서 승모판륜으로 흐르는 혈류량을 측정해 구할 수 있다. 역류 분획은 판막을 지나는 전체 전방혈류 중 역류량의 백분율을 의미한다.

그림 11.6

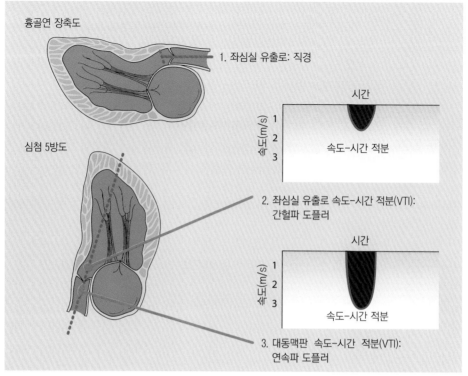

흉골연 장축도

1. 좌심실 유출로: 직경

시간

속도(m/s)

속도-시간 적분

심첨 5방도

2. 좌심실 유출로 속도-시간 적분(VTI):
   간헐파 도플러

시간

속도(m/s)

속도-시간 적분

3. 대동맥판 속도-시간 적분(VTI):
   연속파 도플러

연속성 공식을 위한 측정. 1. 좌심실 유출로 직경을 흉골연 장축도에서 측정(녹색 선). **2.** 간헐파 도플러로 좌심실 유출로의 속도-시간 적분(VTI)을 측정. **3.** 연속파 도플러를 이용해 대동맥판의 VTI를 측정.

역류량(regurgitant volume) = (승모판을 경유해 좌심실로 유입되는 혈류량) − (좌심실의 일회 박출량)

역류 분획(regurgitant fraction) = ([역류량]/[승모판을 경유해 좌심실로 유입되는 혈류량]] × 100

션트가 없다면 심장 내 어느 곳이든 다른 두 지점 간의 혈류를 추정하는 것도 가능하며, 이론적으로 여러 판막의 역류에 동일한 방식을 적용할 수 있다. 실제로 좌심실/우심실의 일회 박출량을 알아내는 데 많이 사용하게 되는데, 이는 승모판이나 삼첨판의 혈류보다 측정치의 신뢰도가 높기 때문이다.

잠재적 한계점

심초음파를 이용한 정량적 기법의 가장 큰 문제는 검사자 오류이다. 직경을 잘못 측정하거나 도플러 커서 정렬을 잘못하거나, 정확한 위치에서 측정하지 못할 때 유의한 오차가 발생한다. 따라서, 검사법에 대한 경험과 연습을 통해 이를 극복할 필요가 있다. 정상인에서 연습하여 본인의 검사법의 정확성을 검증하는 것도 좋은 방법이다. 다른 곳에서 측정한 혈류량이 동일하여야 하고 다른 정량적 심초음파 지표와의 연관성을 확인하는 것도 권할 만하다.

여러 질환이 동반된 경우 계산이 복잡해지거나 부정확해질 수 있다. 보다 믿을만한 역류 평가를 위해서는 심내 션트가 없어야만 한다. 마지막으로 심방세동의 경우 심박동간 변이가 크기 때문에 여러 심장주기(> 5)를 분석하여 평균값을 취해야 한다.

유효 역류판구 면적(effective orifice area, EROA) : 근위부 등속면 면적법 (proximal isovelocity surface area, PISA)

연속성 공식의 원리는 역류가 있는 판막의 정량적 분석을 통해 역류로 인해 생긴 판막 결손의 크기를 추정하는데 활용할 수 있다. 이 개념은 유효 역류판구 면적(EROA)이라 하며 역류의 중증도를 결정한다.

역류가 있는 판구에서 혈류는 협착이 있는 판막과 유사한 흐름을 보인다. 두 경우 모두 초기에 가속이 되어 판구 주변으로 혈류가 수렴하고 판막을 지나는 시점에서 최대 속도에 도달한다. 판구를 지난 직후의 제트가 가장 폭이 좁은데 이를 vena contracta라고 한다. 그 이후에는 제트의 폭이 넓어져 주변 혈액들이 제트 방향을 따라 움직이게 된다.

혈류 수렴은 색도플러에서 판구를 중심으로 반원형의 색으로 나타난다(그림 11.7). 이것은 판막 쪽으로 향하는 혈류의 속도가 가속되어 색도플러로 측정할 수 있는 속도 범위(나이퀴스트 한계 또는 앨리어싱 속도)를 초과하면 컴퓨터로 지정된 혈류의 색이 갑자기 뒤바뀌게 되어 발생한다. 색이 뒤바뀌는 지점과 화면에 나타나는 혈류 수렴 구역의 크기는 앨리어싱 속도를 어떻게 설정했는지에 따라 달라진다. 물론 심초음파는 혈류를 이면성으로 그려내지만 실제 수렴 구역은 앨리어싱 속도로 정해지는 경계를 가진 반구 형태이다. 이 반구의 모든 점들은 동일한 속도를 가지며 이를 근위부 등속면 면적법(PISA)이라고 한다. 갑작스러운 색의 변화를 통해 PISA를 잘 구분할 수 있지만, 이것은 판구로 수렴되는 여러 개의 동심성 등속각(isovelocity shell) 중 하나일 뿐이다. 양파를 반으로 잘랐다고 가정하면 각 층은 하나의 등속각을 의미하며 표면에서 속살로 이어지는 부분이 PISA인 것이다.

연속성 공식은 EROA를 알아내는 데도 활용할 수 있는데, 이는 혈류 수렴 구역이 깔대기 형태이기는 하지만 좌심실 유출로처럼 판구를 향한 기둥과 구멍을 형성할 수 있기 때문이다. 이런 경우 연속성 공식은 다음과 같이 된다.

PISA × 앨리어싱 속도(V_a) = EROA × 최대 속도(V_{max})

PISA = $2\pi r^2$

r은 PISA 등속각의 반경이다(역류판구의 중심에서 앨리어싱 지점까지 측정한다). 따라서,

그림 11.7

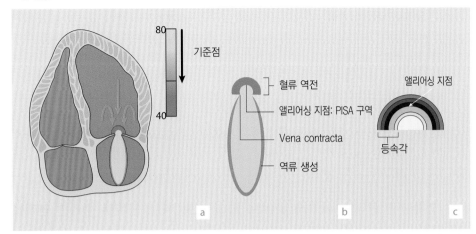

혈류의 역류. (a와 b) 승모판 역류의 색도플러를 심첨 4방도에서 도식화한 것이다. 수축기에 혈류는 승모판(파란 화살표)을 향해 모여 역류판구(regurgitant orifice, 파란 반원)를 향해 집중된다. 역류판구를 향한 혈류의 속도가 증가하면 도플러 신호가 앨리어싱 지점에서 갑자기 노란색으로 변하게 된다. 이것을 반구형의 PISA라고 한다. 역류판구를 막 지나 제트가 좁게 형성된 지점을 vena contracta라 한다. 역류제트는 혈액을 모아 좌심방 쪽으로 거꾸로 보낸다(역류 생성: 오렌지색). 색도플러 설정은 앨리어싱 속도를 40 cm/s로 하고 색 스케일의 기준점을 이동시켜 2색조로 만든다. 이렇게 하면 PISA 구역의 크기와 이 지점에서 색 대비를 최대화할 수 있도록 조정된다. **(c)** 혈류 집중 구역은 여러 개의 동심성 등속각을 형성하며 그 중심에 역류판구가 있다.

$$(2\pi r^2) \times V_a = EROA \times V_{max}$$

$$EROA = [(2\pi r^2) \times V_a]/V_{max}$$

따라서, EROA를 계산하기 위해 3가지를 측정해야 한다.

PISA 반구의 반경(r),

PISA의 앨리어싱 속도(V_a),

판구를 지나는 혈류의 최대 속도(V_{max})

이전에 설명된 대로 연속성 공식은 VTI 측정에 의존하지만 이는 색도플러를 통해 알아낼 수 없으므로 최대 속도가 좋은 대체제가 된다.

마지막으로 역류량을 추정하기 위해 연속파 도플러 스펙트럼의 따라 그리기를 통해 판막을 지나는 혈류의 VTI를 측정해야 한다.

역류량 = $EROA \times VTI_{max}$

PISA의 실제 예시

PISA 분석을 위해 혈류 수렴이 잘 보이는 영상이 필요하며, 다음과 같은 단계를 따르는 것이 권고된다(그림 11.7, 11.8):

1. 수렴 구역이 잘 보이는 단면을 이용한다(예, 승모판 역류제트의 경우 심첨 4방도)(그림 11.8a).
2. 보고자 하는 영역을 확대한다(그림 11.8b).
3. PISA 반구의 크기를 최대화하기 위해 색도플러 스케일을 조절하여 앨리어싱 속도 (Va)가 40 cm/s 부근이 되도록 한다. 그러면 컬러 스펙트럼이 두 색조(two-tone)로 색 대비가 잘 되어 PISA가 잘 보이게 된다. 이렇게 하면 색도플러의 스케일이 비대 칭이 되어 스케일 양끝의 앨리어싱 속도가 다르게 된다. 스케일의 기준점은 역류가 흐르는 방향 쪽으로 옮겨야 한다. 정확히 40 cm/s를 얻기 위해 영상의 깊이(depth) 를 조절해야 할 수도 있다.

그림 11.8

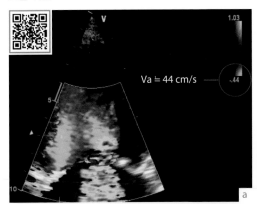

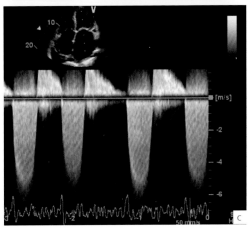

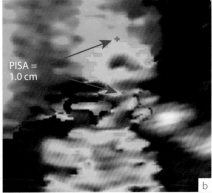

승모판 역류: PISA 계산. (a) 색도플러에서 중심성의 승모판 역류제트가 관찰된다. 색도플러 스케일의 기 준점을 이동시켜 앨리어싱 속도를 44 cm/s로 낮췄다. (b) 색도플러(확대). PISA 반경은 앨리어싱 지점(파란 색/노란색의 경계)부터 승모판구의 중심(승모판구를 보이게 하기 위해 'color suppress' 옵션을 사용)까지 의 길이로 측정한다. (c) 승모판 역류의 vena con-tracta를 연속파 도플러로 기록한 것. 최대 속도 (Vmax) = 6.0 m/s. EROA = $2\pi r^2 \times$ Va/Vmax = 6.284 $\times$ 1.02 $\times$ 44/600 = 0.46 cm². 이 값은 중증 승모판 역 류를 의미한다(> 0.4 cm²).

4. PISA 구역의 반경을 측정한다. PISA 크기가 최대가 되는 수축기 중기의 프레임에서 영상을 멈추고(freeze), 커서를 판구와 수직이 되는 앨리어싱 지점에 위치시킨다. 그 다음에 'color suppress' 옵션을 이용해서 색 혈류만을 제거하여 판막의 이면성 영상이 보이게 한다. 이렇게 하면 판구를 정확히 알 수 있다.

5. 판구의 연속파 도플러를 측정하여 최대 속도(Vmax)를 얻는다.

잠재적 한계점

PISA법은 여러 전제 하에 사용되기 때문에 조건이 맞지 않으면 EROA와 역류량을 추정하는데 오차가 커질 가능성이 있다. 예를 들어 역류판구가 전혀 둥글지 않을 수 있고, 역류제트가 하나가 아닌 여러 개가 있을 수도 있다. 또한 영상의 화질이 좋지 못한 경우 정확한 측정지점을 정하기 어려울 수 있다. PISA의 크기는 수축기의 시점에 따라 다르므로 반경이 가장 큰 시점에 선택해야 하며, 이 시점은 최대 속도가 측정되는 시점과 동일하다. 역류 제트가 편측성(eccentric)인 경우 혈류 수렴 구역이 반구 형태를 이루지 못하고, 도플러 정렬이 잘 맞지 않아 정확한 최대 속도를 얻을 수 없어 문제가 된다. 그럼에도 불구하고 이 기법은 판막 역류를 평가하는데 점점 더 많이 사용되고 있다.

대동맥판

정상 대동맥판

대동맥판은 3개의 반달 모양 첨판을 가지고 있어 혈류를 좌심실에서 대동맥을 향해 한 방향으로 흐르게 한다. 첨판은 얇고 섬유성이며 그 기저부가 대동맥 고리에 붙어 있다. 첨판은 발살바동에서 기원하는 관상동맥과 연관지어 이름을 붙인다(좌, 우, 비관상첨판).

심초음파 소견

정상 대동맥판의 첨판은 얇고(< 2 mm), 약간의 반향성을 띠며 운동성이 있다. 흉골연 장축도에서 보면 하나의 폐쇄선이 보인다(그림 12.1). 판엽은 약 90°로 열려서 수축기 중기에는 첨판 사이에 최소 2 cm 이상 벌어진다. 흉골연 단축도에서 보면 판엽들이 정면으로 마주보는 3개의 첨판이 보여 이완기에는 'Mercedes Benz'의 로고 모양과 같은 형태로 보인다(그림 12.1c). 이 형태는 늑골하부단면도에서도 관찰할 수 있다.

도플러 검사

대동맥판을 지나는 혈류는 심첨 5방도의 색도플러에서 보이는 혈류 방향에 맞춰 연속파 도플러를 시행하여 평가한다. 혈류는 층판류(laminar)이고 빠르게 가속되어 최대 속도는 약 1 m/s(정상 < 1.7 m/s)에 이른다(그림 12.2). 대동맥판 역류는 보이지 않아야 한다.

대동맥판경화증(aortic valve sclerosis)

대동맥판경화는 대동맥판 판엽이 두꺼워지고 석회화되는 퇴행성 변화이다(그림 12.2). 이러한 변화 과정은 국소적일 수도 있고 판막 전체에 일어날 수도 있다. 다만 대동맥판 협착과 달리 혈류의 폐쇄가 없고(최대 속도 < 1.7 m/s), 첨판의 운동성은 정상이므

그림 12.1

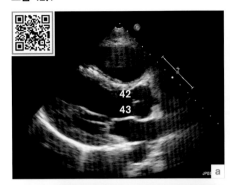
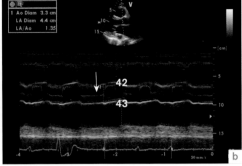
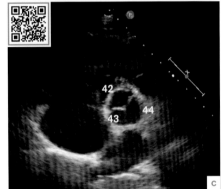

정상 대동맥판. (a) 흉골연 장축도. **(b)** M-모드. **(c)** 흉골연 단축도. 우/비관상 첨판(cusp)이 흉골연 장축도와 M-모드에서 관찰된다. 폐쇄선(closure line)은 대동맥근의 중심에 위치한다(화살표). 흉골연 단축도에서 3개의 첨판이 잘 보인다. (42) 우관상첨판; (43) 비관상첨판; (44) 좌관상첨판.

그림 12.2

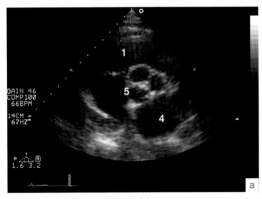
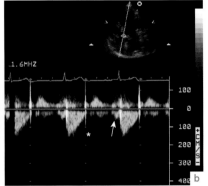

대동맥판경화. (a) 흉골연 단축도. **(b)** 대동맥의 연속파 도플러. 대동맥 첨판들의 끝부분이 두꺼워져 있고 반향성을 띤다(echogenic). 그러나, 대동맥판 주변에 의미있는 혈역학적 압력차는 없다. 연속파 도플러 스펙트럼에서 구출전기 속도(심방 수축과 좌심실의 등용적 수축[화살표])와 대동맥판 폐쇄 징후가 관찰된다. 이것은 정상 소견이다. (1) 우심실; (4) 좌심방; (5) 대동맥판.

로 양성(benign)으로 판단한다. 노인에서 들리는 대동맥 심잡음의 주요한 원인이며 심초음파를 의뢰하는 흔한 이유가 되기도 한다.

대동맥판 협착(aortic valve stenosis, AS)

AS는 첨판의 열림이 감소되어 대동맥판을 지나는 혈류가 폐쇄되는 것이 특징이다. 정상적인 3개 엽을 가진 대동맥판이 퇴행성 석회화되는 것은 정상적인 노화 과정의 일부로 생각할 수 있다: 특히 60세 이상에서 비교적 흔히 발견된다. 이엽성(bicuspid) 대동맥판은 비정상적인 기계적 스트레스와 혈류 이상을 일으키므로 이러한 퇴행성 석회화를 가속화시켜 30~50세에서도 AS가 나타날 수 있다. 류마티스성 대동맥판 질환은 서구에서 흔한 질환은 아니지만 전세계적으로 AS의 가장 흔한 원인이다. 류마티스성 판막 질환은 제13장에서 더 자세히 다루었다.

대동맥판 면적은 정상 성인에서 3~4 cm^{2}이며 체격에 따라 다르다. 판막 면적이 약 70%로 감소하기 전까지 의미 있는 폐쇄는 일어나지 않지만, 진행된 AS는 혈역학적 영향으로 인해 협심증, 심부전, 좌심실 비대, 실신이 나타날 수 있다. 증상을 동반한 중증(symptomatic severe) AS 환자의 경우 대동맥판 치환술을 통해 환자의 예후를 개선시킬 수 있다.

심초음파 소견

이면성 영상에서 AS의 소견은 협착의 정도와 원인에 따라 다르다. 중증 AS의 경우 첨판은 심하게 석회화되고 두꺼워지며 다른 구조에 비해 밝게 보인다. 운동성은 저하되어 거의 움직이지 않고 수축기의 판구 면적은 작거나 거의 알아보기 힘들 정도의 크기이다(그림 12.4). 당연히 협착의 정도가 심하지 않으면 판막 소견의 비정상 정도도 덜하다(그림 12.3).

퇴행성 석회화는 칼슘이 결절 형태로 판막륜 주변에서 시작하여 첨판의 기저부와 체부로 퍼져나가는 형태로 자유연 쪽은 침범하지 않는다. 반대로 류마티스성 퇴행의 경우 교련부(commissure)의 융합(fusion)이 일어나 첨판의 끝(tip)이 두꺼워지고 위축된다(이 경우 대부분 류마티스성 승모판 질환을 동반한다). 그러나, 질병이 진행하면 기저 원인을 구분하는 것이 불가능해진다. 이엽성 판막의 모양에 대해 다음 섹션에서 다루었다.

대동맥판 협착의 평가

AS의 중증도를 평가하는 3가지 방법은 다음과 같다.
1. 대동맥판의 압력차
2. 판막 면적의 추정
3. 판구 면적의 직접 측정(planimetry)

그림 12.3

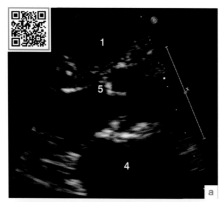

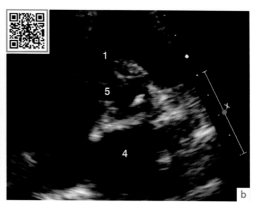

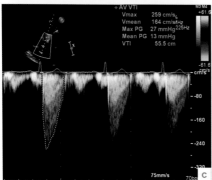

경증 대동맥판 협착. (a) 흉골연 장축도(수축기 중기). **(b)** 흉골연 단축도(수축기 중기). **(c)** 대동맥판의 연속파 도플러. 대동맥판 첨판은 약간 석회화되어 있고 압력차는 27 mmHg이다. 첨판 기저부의 운동성이 일부 제한되어 있다. (1) 우심실; (4) 좌심방); (5) 대동맥판.

대동맥판의 압력차(aortic valve gradient)

단순화된 베르누이 공식(simplified Bernoulli equation)

베르누이 공식의 원리는 제11장에 있다. 대동맥판이 폐쇄되면 좌심실과 대동맥 사이에 압력차가 생겨 대동맥판을 지나는 혈류가 가속된다는 것이 핵심이다. 증가된 속도를 측정하면 다음과 같은 공식을 이용하여 압력차를 추정할 수 있다.

최대 순간 압력차 = 4 × (최대 속도)^2

이 방법은 AS를 평가하는데 일반적으로 사용되고 있다. 이것은 심첨 5방도에서 대동맥을 지나는 혈류에 맞추어 연속파 도플러를 이용해 대동맥의 최대 속도를 잘 얻는 것이 중요하다. 이 단면에서 대동맥으로 나가는 혈류는 탐촉자에서 멀어지므로 도플러로 추적했을 때 기준선 아래쪽에 나타난다(그림 12.3). 커서를 이용해 최대 속도를 측정하면 대부분의 심초음파 기기에서 자동으로 최대 순간 압력차를 계산해 준다. 평균 압력차는 제11장에서 설명한대로 속도의 경계면을 따라 그려(tracing) 측정할 수 있다.

그림 12.4

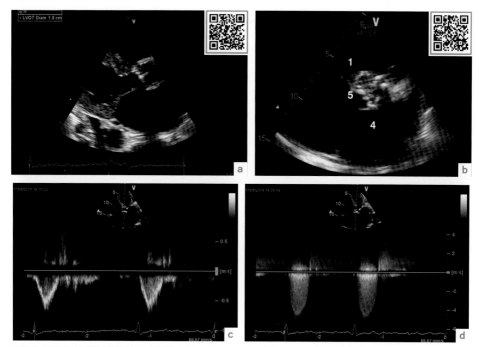

퇴행성 석회화로 인해 이차적으로 발생한 중증 대동맥판 협착. (a) 흉골연 장축도. (b) 흉골연 단축도. (c) 좌심실 유출로의 간헐파 도플러. (d) 대동맥의 연속파 도플러. V_{LVOT} = 0.76 m/s, V_{AV} = 5.34 m/s, VTI_{LVOT} = 18 cm, VTI_{AV} = 139 cm, LVOT 내경 = 19 mm. V, 최대 속도; VTI, 속도-시간 적분; LVOT, 좌심실 유출로; AV, 대동맥판. 퇴행성 석회화로 인해 대동맥판이 거의 움직이지 않는다. 도플러 평가를 통해 중증 대동맥판 협착을 확인하였다. 대동맥판 최대 압력차 = 114 mmHg. 평균 압력차 = 74 mmHg. 대동맥판 면적 = 0.4 cm(최대 속도와 VTI 방법 모두를 이용). 속도비 = 0.14. (1) 우심실; (4) 좌심방; (5) 대동맥판.

주의사항

혈류 방향과 도플러 커서 정렬을 잘 일치시키지 않아 최대 속도를 과소평가하는 경우가 흔하다. 도플러의 경계선이 온전치 않거나 신호가 약하게 잡힌 경우에 의심해야 한다. 심방세동을 동반한 경우 최대 속도는 편차가 심하므로 3~5개 심장주기의 평균값으로 측정해야 한다.

다용도 탐촉자가 일반적으로 충분한 정보를 제공할 수 있지만, 일부 심초음파 기기에는 도플러 전용 탐촉자(Pedoff probe)가 설치되어 있으며, 이것은 보다 정확한 연속파 도플러 정보를 제공한다(그림 12.5). 이것을 심첨부와 우흉골연단면도(오른쪽으로 환자를 수직으로 눕힌 상태에서 2번째 흉골 사이 공간으로 관찰) 영상에서 이용할 수 있다.

도플러를 측정하는 방법만이 압력차를 추정할 수 있지만 그것이 틀릴 수도 있다는 점을 받아들이는 것이 중요하다. 실제로 단순화된 베르누이 공식은 좌심실의 기능이 정상일 때만 적용할 수 있고 좌심실 유출로를 지나는 혈류속도가 약 1 m/s여야 한다. 최대

그림 12.5

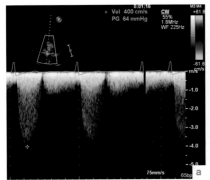
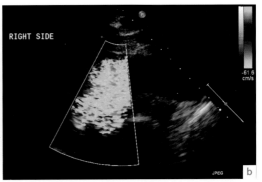
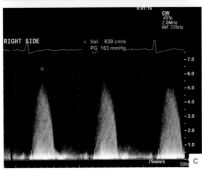

우흉골연단면도에서 대동맥판 압력차 평가. (a) 심첨부에서 다용도 탐촉자를 이용해 기록한 최대 압력차는 64 mmHg. **(b)** 상행대동맥의 우흉골연단면도에서 높은 속도의 혈류 제트가 관찰된다. **(c)** 동일한 환자에서 독립형 도플러 전용 탐촉자를 이용해 우흉골연단면도에서 기록한 최대 압력차는 163 mmHg.

속도는 좌심실이 과활동성을 보일 경우 증가할 수 있고(예, 중증의 대동맥판 역류, 심실기외수축 이후), 감소할 수도 있다(예, 중증의 좌심실기능이상). 편심성의 승모판 및 삼첨판 역류를 피해 대동맥판 신호와 혼돈하지 않도록 해야 한다. 마지막으로 연속파 도플러는 폐쇄의 부위를 정확히 알 수 없기 때문에 대동맥판 하부와 상부에 공존하는 폐쇄가 압력차에 기여할 수 있음을 기억해야 한다.

대동맥판 면적의 추정

연속성 공식(continuity equation)

연속성 공식의 이론적 배경은 제11장에 있다. 대동맥판 면적을 평가하는 방법은 일상적으로 시행되는데 좌심실 유출로의 혈류 측정하는 데도 사용할 수 있고, 특히 좌심실의 일회 박출량이 비정상적으로 낮거나 높을 때 유용하다.

대동맥판 면적을 계산하기 위해 좌심실 유출로의 간헐파 도플러와 대동맥판의 연속파 도플러를 통해 속도-시간 적분(velocity time integral, VTI)을 측정해야 한다. 좌심실 유출로의 직경은 흉골연 장축도에서 이면성으로 측정한다. 직경이 아닌 반경이 이용된다는 점을 잊지 말아야 한다. 자세한 방법은 그림 11.6과 12.4에 도식화되어 있다. 대부분의 심초음파 소프트웨어는 대동맥판 면적을 여러 지표를 이용해 자동으로 계산해 준다.

$$Area_{AV} = (Area_{LVOT} \times VTI_{LVOT}) / VTI_{AV}$$

$$Area_{AV} = (\pi r_{LVOT}^2 \times VTI_{LVOT}) / VTI_{AV}$$

Area, 면적; AV, 대동맥판; LVOT, 좌심실 유출로; VTI, 속도-시간 적분; r, 반경

혈액은 일정한 속도로 분출되지 않기 때문에 VTI를 이용하는 것이 더 낫지만 최대 속도를 사용하는 것도 괜찮은 방법이다.

주의사항

대동맥판 면적은 추정치이며 좌심실 유출로의 직경이 정확히 측정되었는지에 따라 매우 크게 달라진다. 하나의 선을 측정한 자료로부터 면적을 계산하다 보면 작은 측정 오차가 커지게 된다. 좌심실 유출로를 정확하게 측정하기 어렵다면 간단하게 대동맥판과 좌심실 유출로의 최대 속도 비를 이용할 수도 있다(표 12.1, 그림 12.4). 이것은 좌심실 유출로의 혈류를 큰 오차의 위험 없이 반영할 수 있게 해 준다. 이 비가 < 0.25라면 중증 대동맥판 협착을 시사한다.

심박출량이 매우 낮은 상태에서는 연속성 공식은 판막 면적을 과소평가하여 압력차가 낮음에도(< 30 mmHg) 중증 대동맥판 협착(판막 면적 < 1 cm²)으로 나타날 수 있다. 이 상황에서 이것이 정말로 심부전을 일으키고 대동맥판 치환술을 필요로 할 수도 있는 중증 대동맥판 협착인지(저압력차 대동맥판 협착), 경증~중등도 대동맥판 협착이 있는 판막과 무관한 심근병증인지 정확히 말하기 어려울 수가 있다. 이런 경우 도부타민(dobutamine) 부하 심초음파를 이용하면 심박출량을 증가시켰을 때 판막의 지표들이 어떻게 달라지는지를 보면 평가하는데 도움이 된다. 최대 속도(0.6m/s)와 최대 압력차(20 mmHg)가 증가하였음에도 불구하고 판막 면적이 거의 변하지 않았다면(< 20%) 대동맥판 협착은 중증이다. 반대로 최대 속도와 압력차의 증가폭은 적으면서 판막 면적이 많이

표 12.1 대동맥판 협착의 중증도

지표	경증	중등도	중증
판막 면적	> 1.5	1.5–1.0	< 1.0*
최대 속도	2.6–2.9	3.0–4.0	> 4.0
속도비	> 0.5	0.25–0.50	< 0.25
최대 압력차	16–36	37–64	> 64
평균 압력차	< 20	20–40	> 40

* 일부에서는 하한선을 0.75 cm²로 하고 있다.

그림 12.6

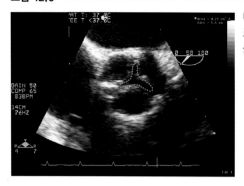

대동맥판 면적의 직접 측정(planimetry). 경식도 심초음파로 대동맥판 레벨에서 직접 측정한 면적은 0.77 cm^{2}으로 중증 대동맥판 협착을 시사한다.

넓어졌다면(> 25%), 협착은 심하지 않은 것이다.

대동맥판의 직접 측정(planimetry)

대동맥판 면적을 직접 측정하는 것은 대동맥판 첨판의 끝(tip)이 잘 보이는 단면이 있으면 시행할 수 있다. 정확히 끝에 맞추어 측정하지 않으면 판막 면적을 과대평가할 수 있다.

실제로 삼차원 심초음파 또는 경식도 심초음파를 필요로 하는 경우가 많다(그림 12.6). 대동맥판구 면적은 수축기에 측정한다. 석회화가 심한 경우 판구를 가려 측정이 부정확해진다.

좌심실의 평가

좌심실의 내경, 질량, 수축기능과 이완기능에 대한 평가가 동시에 진행해야 한다. 대동맥판 협착은 좌심실의 압력 부하를 일으켜 좌심실 비대와 이완기능 장애를 유발한다. 따라서, 좌심실 비대가 없다면 중증 대동맥판 협착의 진단에 대해 다시 한번 의심해야 한다. 수축기능이상과 좌심실의 확장은 대동맥판 협착의 경과 중 후기에 주로 나타나므로, 판막 질환의 정도보다 좌심실 기능장애가 너무 심하다면 심근병증이 동반되어 있음을 시사한다. 일반적으로 좌심실 비대와 기능장애는 판막 치환술 이후에 개선되지만 중증의 좌심실 재형성(left ventricular remodeling)은 완전히 회복되지 않을 수도 있다.

대동맥판 협착의 수술

대동맥판 치환술은 호흡장애, 협심증, 설명되지 않는 실신 등의 증상이 있으면서 심초음파 기준으로 중증의 대동맥판 협착이 있는 경우 고려할 수 있다. 무증상의 환자의 경우 증상이 생길 때까지 수술을 시행하지 않는 경우가 일반적이지만 좌심실 수축기능이상이 진행되거나 중증의 좌심실 비대의 증거가 심초음파에서 발견되는 경우에는 고려할 수 있다. 상대적으로 대동맥판 협착의 중증도가 낮지만 다른 이유로 인해 심장수술을 시행받는 환자(예, 관상동맥우회술)의 경우 동시에 대동맥판 치환술을 고려할 수 있는데 이것은 이후에 재수술하는 것을 피하기 위해서이다.

대동맥판 역류(aortic valve regurgitation, AR)

대동맥판 역류는 이완기에 대동맥판을 지나는 반대 방향 혈류를 의미하며, 대동맥판 또는 대동맥근(aortic root)의 구조적 문제가 있음을 시사한다.

대동맥판 역류의 진단

대동맥판 역류는 심첨 5방도, 심방 3방도, 흉골연 장축도, 흉골연 단축도의 색도플러를 통해 눈으로 쉽게 볼 수 있다. 제트의 수, 발생 위치, 대동맥판 역류의 중증도와 형태에 대해서도 빠르게 알아낼 수 있다. 따라서, 색도플러를 이용하는 것이 대동맥판 역류의 발견과 평가에 있어 1차적인 기법이라 할 수 있다. 대동맥판 역류가 발견되면 역류의 중증도와 기저 원인, 2가지를 생각해야 한다.

만성 대동맥판 역류의 중증도 평가

대동맥판 역류의 중증도는 역류판구의 크기와 역류되는 혈류량에 의해 결정된다. 이것은 심초음파를 통해 직접 측정할 수 없으므로 도플러 기법을 이용해 간접적으로 평가해야 한다. 일부 지표들이 다른 것들에 비해 상대적으로 유용하지만 1가지 측정값에만 온전히 의존할 수는 없으므로 여러 가지 값들을 얻어야 한다. 그림 12.7에 대동맥판 역류를 평가하는 단계적 접근법이 제시되어 있으며, 표 12.2에 일반적으로 사용되는 지표들의 수치가 나와 있다.

특이적 측정

Vena contracta

Vena contracta는 판구를 지난 역류제트가 가장 좁아지는 부분을 의미한다(그림 12.8). 이것은 심초음파 기기의 설정과 혈역학적 변수와 무관하며, 이로 인해 대동맥판 역류의 중증도를 측정하는 대략적인 값이 된다. 측정할 때는 흉골연 장축도의 대동맥판 레벨을 확대하고 나이퀴스트 한계(Nyquist limit)를 50~60 cm/s로 설정하는 표준화된 방식을 따

그림 12.7

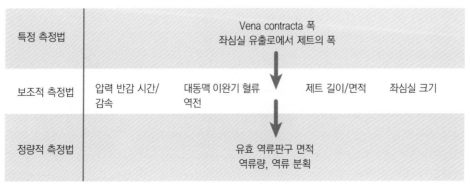

특정 측정법	Vena contracta 폭 좌심실 유출로에서 제트의 폭		
보조적 측정법	압력 반감 시간/ 감속	대동맥 이완기 혈류 역전	제트 길이/면적　　　좌심실 크기
정량적 측정법	유효 역류판구 면적 역류량, 역류 분획		

대동맥판 역류를 평가하는 단계적 접근.

표 12.2 만성 대동맥판 역류의 중증도

지표	경증	중등도	중증
Vena contracta (cm)*	< 0.3		> 0.6
좌심실 유출로의 제트 폭	< 25%		> 65%
압력 반감 시간(ms)	> 500		< 200
감속도(m/s²)	< 2		> 3
대동맥 혈류역전	거의 없음		이완기 전체
좌심실 직경	정상		확장
유효 역류판구 면적(EROA)	< 0.1		≥ 0.3
역류 분획(RF, %)	< 30		≥ 50
역류량(RV, mL/beat)	< 30		≥ 60

* 앨리어싱 속도는 50~60 cm/s로 설정.

그림 12.8

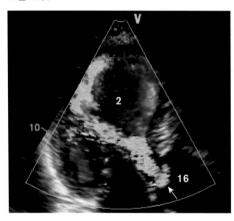

대동맥판 역류의 평가. 색도플러. 제트의 3가지 지표를 알아낼 수 있다. **(1)** 혈류 수렴 구역(flow convergence zone): 빨간색/노란색으로 보인다(흰색 화살표). **(2)** Vena contracta: 제트가 판막을 지날때 가장 좁아지는 지점(녹색 화살표 사이). **(3)** 꼬리(tail): 이것을 좌심실 유출로의 대부분을 채울 정도로 넓어지며 좌심실 내강의 깊은 곳까지 뻗어나간다. (2) 좌심실; (16) 대동맥근.

라야 한다. 중증 대동맥판 역류에서 vena contracta는 > 0.6 cm이며, 경도에서는 < 0.3 cm이다. 이 값들은 비교적 근접해 있어서 작은 측정 오류만으로도 쉽게 중증도를 잘못 분류할 수 있다.

좌심실 유출로의 제트의 폭(jet width in the LVOT)

좌심실 유출로의 역류제트 폭을 측정하는 것도 역류의 중증도의 믿을 만한 지표다. 좌심실 유출로와 제트의 폭을 가장 정확히 측정하기 위해 흉골연 장축도에서 색도플러와 M-모드를 이용한다(그림 12.9). 제트의 가장 넓은 부분을 측정해야 한다. 제트의 폭이 좌심실 유출로 직경의 60%보다 크면 중증 역류를 시사하며 25%보다 작으면 경증 대동맥판 역류라 할 수 있다. 제트가 편심성이면 측정이 어렵다.

그림 12.9

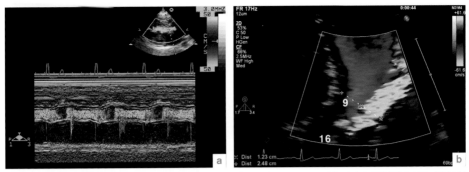

좌심실 유출로의 제트 폭. (a) 좌심실 유출로(흉골연 장축도)의 색 혈류 M-모드. **(b)** 직접 측정(심첨 5방도). (9) 좌심실 유출로; (16) 대동맥근.

그림 12.10

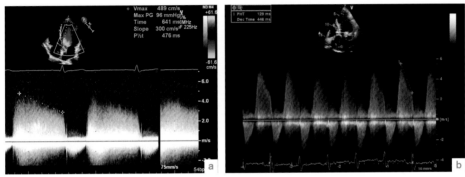

도플러를 이용한 대동맥판 역류의 평가. 심첨 5방도의 연속파 도플러이다. **(a)** 경증~중등도의 대동맥판 역류. 압력 반감 시간은 476 ms. **(b)** 중증 대동맥판 역류. 압력 반감 시간은 129 ms.

보조적 측정

제트의 면적/길이

전통적으로 제트 길이와 면적은 중증도를 평가하는 데 사용되어 왔다. 역류제트가 좌심실 첨부까지 닿으면 유의미할 수 있다. 불행하게도 그러한 분석은 게인/앨리어싱 세팅, Coanda 효과, 정상적인 승모판 혈류 유입의 혼합으로 인해 교란될 수 있다. 따라서, 이 방법에 의존해서는 안 된다.

압력 반감 시간 및 감속률

스펙트럴 도플러는 역류제트와 관련된 속도 변화를 평가하여 역류의 중증도에 대한 정보를 추론하게 해 준다. 역류량이 많으면 심실압과 대동맥압이 빠르게 같아지면서 혈액의 역류량이 급격히 감소한다. 속도의 빠른 감소는 연속파 도플러를 사용하여 압력 반감 시간 또는 감속률을 측정해 정량화할 수 있다(그림 12.10). 도플러 커서는 색도플러에서 역류제트의 vena contracta와 잘 정렬이 되도록 해야 한다. 압력 반감 시간은 압력이 최고치의 절반으로 떨어질 때까지 걸리는 시간이다. 압력보다는 속도를 측정하므로 이 값을 도플러 스펙트럼으로 바로 알 수는 없다. 이 값은 표 12.2에 있다.

또한 역류되는 혈류량은 전방 혈류에 비해 역류성 도플러 신호의 강도로부터 반정량적으로 평가할 수 있다.

하행대동맥의 이완기 혈류 역전(descending aortic diastolic flow reversal)

많은 양의 혈류가 대동맥에서 좌심실로 흐르면 대동맥의 더 먼 쪽에서도 이러한 혈류 역전을 감지할 수 있다. 이것은 늑골하부단면도에서 하행대동맥의 간헐파 도플러를 이용해 검사할 수 있다(그림 12.11). 혈류 역전이 이완기 내내 지속된다면 양이 상당한 것이다.

정량적 측정

정량적 기법을 통해 역류되는 혈류량이나 분획을 추정할 수 있다. 대동맥판 역류는 좌심실의 이완기 용적을 증가시켜 우심실과 비교했을 때 일회 박출량이 증가하게 된다. 이 둘의 차이가 역류량이고 좌심실의 일회 박출량과 비교하여 분획으로 나타낼 수 있다(역류 분획). 좌심실과 우심실의 일회 박출량의 측정법은 제11장에서 설명하였다. 이런 방법을 이용한 분석을 실제로 하기 위해 경험이 필요하기 때문에 일상적으로 시행하지는 않는다.

(역류량) = (좌심실 일회 박출량) − (우심실 일회 박출량)

(역류 분획) = (역류량) / (좌심실 일회 박출량)

그림 12.11

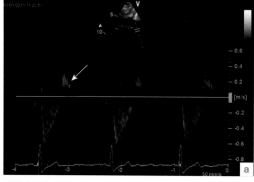
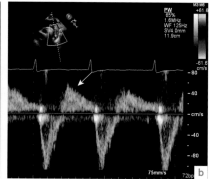

하행대동맥의 혈류역전. 하행대동맥의 간헐파 도플러이다. 대동맥판 역류로 인해 이완기에 혈류역전이 일어난다(화살표). **(a)** 늑골하부단면도. 경증~중등도의 대동맥판 역류: 미미한 이완기 혈류역전. **(b)** 흉골상부단면도. 중증 대동맥판 역류: 이완기 전반에 걸쳐 혈류역전(holodiastolic reversal flow).

유효 역류판구 면적(effective regurgitant orifice area, EROA)

PISA (proximal isovelocity surface area)의 개념은 제11장에서 설명하였다. 눈에 띌 정도의 혈류 수렴이 보인다면 대동맥판 역류가 중증일 가능성이 있다(그림 12.8). 유효 역류판구 면적은 이완기 초기의 PISA 반경의 크기, 앨리어싱 속도, 역류의 최대 속도를 통해 추정할 수 있다(제11장 참고). EROA $\geq 0.3\ cm^2$이면 중증이다.

만성 대동맥판 역류에서 좌심실의 평가

만성 중증 대동맥판 역류는 좌심실에 용적 과부하의 부담을 준다. 보통 초기에 전반적인 좌심실 확장과 심비대가 보상적으로 생기면서 결과적으로 좌심실 수축기능 장애를 초래한다. 비록 좌심실기능이상의 다른 원인이 공존할 수 있더라도 이러한 소견들은 중증 역류를 뒷받침하므로 반드시 확인해야 한다. 반대로 좌심실 확장이 없다면 대동맥판 역류는 중증이 아닐 가능성이 높다. 무증상인 중증 대동맥판 역류 환자 중 대동맥판 치환술이 도움이 되는 환자들을 찾기 위해 좌심실 박출률과 M-모드의 좌심실 측정치들을 반드시 확인해야 한다.

급성 대동맥판 역류의 평가

만성 대동맥판 역류의 경우 보상 기전에 의해 증가된 좌심실의 혈류에 적응하게 되어 좌심실의 용적이 커지며 수축기능과 이완기말 압력은 비교적 정상으로 유지한다. 반대로 급성 대동맥판 역류의 경우 적응할 시간이 없어 이완기말 좌심실 압력이 매우 상승하게 된다. 이로 인해 좌심실의 크기가 정상으로 보일 수 있고, 혈역학적으로는 심해 보이지만, 대동맥판 역류의 중증도 구분 기준으로는 심해 보이지 않을 수 있다. 이런 상황에서는 상대적으로 vena contracta 폭과 정량적인 심초음파 측정치들의 신뢰도가 더 높다.

대동맥판 역류의 원인

대동맥판 역류의 흔한 원인은 대동맥판 첨판이 접합(coaptation)되는 과정에 문제를 일으키는 것과 판막 자체의 손상을 일으키는 것으로 나눌 수 있다. 이면성 심초음파를 통해 대동맥판의 형태를 보아서 원인을 알 수 있는 경우가 종종 있다. 예를 들면 대동맥근 확장(그림 19.4), 대동맥 박리, 이엽성 대동맥판(그림 12.12), 판막의 석회화/운동성 제한, 연가양(펄럭거리는, flail) 첨판, 증식물(vegetation) 등이 있다(그림 15.5).

대동맥판 역류의 수술

급성 중증 대동맥판 역류에서는 의학적으로 초기에 안정화된 이후에 응급으로 대동맥판 치환술을 필요로 한다.

만성 중증 대동맥판 역류에서 대동맥판 치환술을 하는 시기는 환자의 증상과 좌심실의 재형성 증거에 따라 다르다. 중증의 좌심실 기능장애/확장이 있는 경우 비가역적이며, 이 경우 대동맥판 치환술을 하더라도 환자는 크게 좋아지지 않을 수 있다. 따라서, 수술은 증상이 있는 환자에서 좌심실의 기능이 많이 감소되지 않은(박출률 > 25%) 경우나 너무

표 12.3 대동맥판 역류의 원인

병인	심초음파 소견
첨판의 변형	
퇴행성 석회화	석회화, 첨판의 운동성 저하
심내막염	증식물(vegetation), 천공, 연가양(flail) 첨판, 농양
류마티스성 심질환	석회화, 첨판의 운동성 저하, 교련부(commissure)가 두꺼워짐
급성 류마티스 열	두꺼워지고 운동성이 저하된 첨판
선천성 기형	이엽(bicuspid), 사엽(quadricuspid), 탈출(prolapse)
심실중격결손	대동맥근의 displacement
발살바동의 파열	발살바동의 확장, 대동맥판 역류가 우심실로 역류
대동맥근 확장	
대동맥근 동맥류	대동맥근 확장 : 원인이 될 만한 질환의 증거. 예, Marfan 증후군, 대동맥 축착, 고혈압
대동맥 박리	박리편(dissection flap), 위강(false lumen), 심낭 삼출, 동맥류

확장되지 않은(좌심실 수축기말 내경 5.5 cm 이하, 이완기말 내경 7.5 cm 이하) 경우에 고려한다. 무증상의 만성 중증 대동맥판 역류 환자에서 현재 지침으로는 좌심실 재형성의 증거가 있기 전까지는 수술을 권고하지 않는다(예, 수축기말 좌심실 내경 ≤ 5.0 cm, 좌심실 박출률 ≥ 50%).

대동맥판 협착과 마찬가지로 대동맥판 역류가 중등도 이상이면서 다른 이유로(예, 관상동맥우회술) 심장수술의 적응증이 되는 경우에 대동맥판 치환술을 하기도 한다.

선천 이상

이엽성 대동맥판(bicuspid aortic valve)

이엽성 대동맥판은 출생 시에 발견되지 않은 상태로 지내다가 성인이 되어서 판막의 기능부전이나 심잡음으로 처음 진단되는 경우가 많다. 처음에는 첨판이 잘 움직이는 것처럼 보일 수 있지만 혈류는 와류 형태이고 조기에 퇴화될 수 있다. 이로 인해 판막이 좁아지고 역류되며 이 둘 모두가 나타나기도 한다. 또한 대동맥근 확장이나 대동맥 축착과 연관된 경우가 많으므로 이엽성 대동맥판 환자에서는 이를 적극적으로 배제해야 한다.

그림 12.12

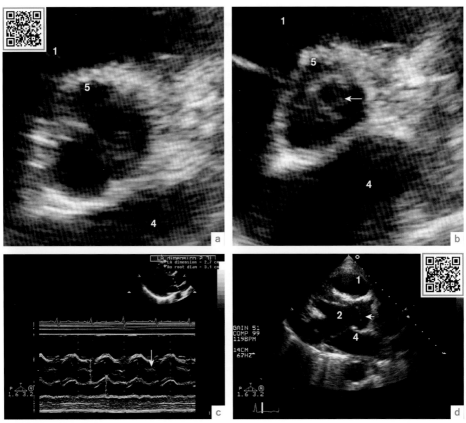

이엽성 대동맥판의 예. (a와 b) 대동맥판 레벨의 흉골연 단축도. 10시부터 4시 방향으로 하나의 폐쇄선이 보인다. 앞쪽 첨판 일부가 탈출(화살표)되어 대동맥판 역류를 일으킨다. **(c)** 흉골연 장축도의 M-모드: 한쪽으로 치우친 폐쇄선이 보인다. **(d)** 흉골연 단축도: 수축기에 특징적으로 첨판이 돔 형태가 된다(화살표 머리). (1) 우심실; (2) 좌심실; (4) 좌심방; (5) 이엽성 대동맥판.

판막의 기능부전이 계속 진행되기 때문에 평생 추적 관찰을 필요로 한다.

흉골연 단축도에서 2개의 첨판만 관찰되는 것으로 진단할 수 있으며(그림 12.12a), 형태가 애매할 수도 있다. 첨판은 종종 그 크기가 다르며 흉골연 단축도의 M-모드에서 폐쇄선이 한쪽에 치우쳐 있기도 한다(그림 12.12c). 또 다른 형태적 특징으로는 수축기에 돔 형태가 되는 것인데 첨판이 융합되어 있기 때문에 이렇게 보이며 첨판의 체부는 운동성이 유지되어 있으면서 혈류의 압력으로 인해 휘어져 보인다(그림 12.12d).

때로는 구조적으로는 3개의 첨판이지만, 이중 2개의 첨판이 선천적으로 융합되어 솔기(raphe)를 만들기도 하며 기능적으로 이엽이 되는 경우도 있다(그림 12.13).

그림 12.13

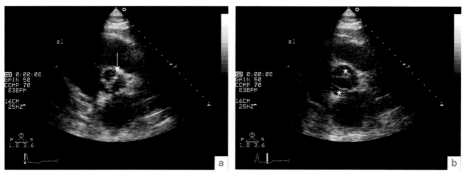

융합(fusion)된 대동맥판 솔기(raphe). 흉골연 단축도. **(a)** 이완기. **(b)** 수축기. 우관상첨판과 좌관상첨판 사이의 솔기는 융합되어(화살표) 판막은 기능적으로 이엽(bicuspid)이다. 이것은 2개의 첨판이 잘 보이는 수축기에 확인할 수 있다(*).

그림 12.14

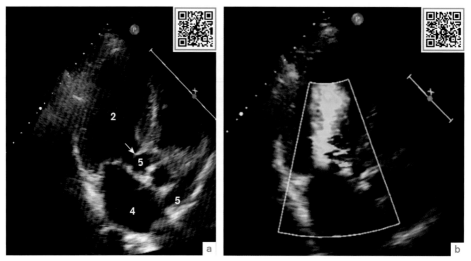

대동맥판 하부 협착. 심첨 3방도. **(a)** 좌심실 유출로에 뚜렷한 근육성 능선(muscular ridge)이 관찰된다. 대동맥판도 문제가 있으며, 대동맥근이 확장되어 있다. **(b)** 대동맥판 역류도 관찰된다. (2) 좌심실; (4) 좌심방; (5) 대동맥 및 대동맥판.

사엽성 대동맥판(quadricuspid aortic valve)

드물게 대동맥판이 4개의 분리된 첨판을 가지고 있을 수 있으며 나이가 들면 대동맥판 역류와 연관되기도 한다. 또한 다른 선천 기형과의 연관 가능성이 있다.

대동맥판 하부 협착(subvalvular aortic stenosis)

다양한 선천성 이상이 좌심실 유출로의 협착과 폐색을 유발할 수 있다. 주로 섬유성/근육성 능선이나 막의 형태가 중격과 승모판륜 사이에 위치하여 국소적인 폐쇄를 일으킨다(그림 12.14). 대동맥판 자체가 선천적으로 비정상적일 수 있으며 막을 지나는 와류가 판막을 손상시켜 대동맥판 역류를 만들 수도 있다.

대동맥판 상부 협착(supravalvular aortic stenosis)

상행대동맥이 선천적으로 좁아져 생길 수 있으며 Williams 증후군에서 종종 발견된다(그림 12.15). 가장 흔하게는 동관접합부(sinotubular junction)나 관상동 위쪽에 생긴다. 대동맥의 전반적인 발달미숙으로 인해 생기는 경우도 있으나 상대적으로 흔하지 않다.

그림 12.15

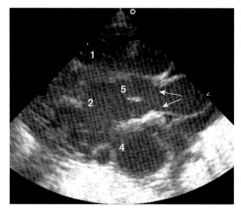

대동맥판 상부 협착. 흉골연 장축도. 상행대동맥의 동관접합부가 눈에 띄게 좁아져 있다(화살표). (1) 우심실; (2) 좌심실; (4) 좌심방; (5) 대동맥판.

결과 보고

대동맥판 협착의 결과 보고
  요약
    – 원인
    – 중증도
  정성적 자료
    – 판막의 형태: 이엽, 삼엽 등
    – 석회화: 정도, 분포
    – 첨판의 열림: 제한 정도

(계속)

결과 보고 *계속*

정량적 자료
- 최대 속도
- 최대 순간 압력차
- 평균 압력차
- 계산된 대동맥판 면적
- 직접 측정법(planimetry)에 의한 판막 면적(경식도 심초음파)

기타
- 좌심실 질량
- 좌심실 수축/이완기능
- 기타 판막 질환
- 대동맥판 하부/상부 폐쇄의 증거
- 대동맥근의 구조

결과 보고

대동맥판 역류의 결과 보고

요약
- 원인
- 중증도

정성적 자료
- 판막의 형태: 이엽, 삼엽 등
- 대동맥근의 구조
- 석회화: 정도, 분포
- 첨판의 형태, 증식물의 증거 등
- 하행대동맥의 혈류 역전

정량적 자료
- Vena contracta 폭
- 제트 폭: 좌심실 유출로와의 비(ratio)
- 압력 반감 시간, 감속도
- 유효 역류판구 면적
- 역류 분획/용적

기타
- 좌심실 직경
- 좌심실 기능
- 기타 판막 질환
- 대동맥근 직경

승모판

정상 승모판

승모판은 2개의 판엽(전엽, 후엽)과 승모판 하부 구조물(건삭, 유두근)로 이루어진 복합체다. 판엽은 반달 모양이며 둘 중에 전엽이 더 크다. 각 판엽은 3개의 소엽(scallop) 또는 분획(segment)으로 구분할 수 있다(그림 13.1a). 각 판엽은 섬유질의 승모판륜에 부착되어 있어 다른 판막처럼 연속성을 유지하며 잘 움직인다. 승모판 하부 구조물은 판엽의 탈출을 막아주는 보조적 역할을 한다. 건삭은 각 판엽과 유두근(후내부 및 전측부)에 붙어있는 섬유질의 끈이다. 유두근은 좌심실의 자유벽에서 기원하며 수축기의 높은 심실 압력을 견뎌낸다. 승모판의 기능은 모든 부분의 구조가 온전해야 적절히 유지될 수 있다.

심초음파 소견

승모판 전체를 한번에 볼 수 있는 심초음파 단면은 없기 때문에 전체의 형태를 구성하기 위해 가능한 많은 단면을 검사해야 한다. 흉골연 단축도에서는 판막을 정면으로 관찰할 수 있어 판엽의 각 분획을 구분할 수 있다(그림 13.1a). 초음파 빔은 판막의 끝(tip)쪽으로 정렬되어야 판구의 형태와 판엽이 머리쪽으로 움직이는 것을 잘 볼 수 있다. 빔을 심첨부 방향으로 이동시키면 건삭과 유두근을 볼 수 있다(그림 13.1b). 흉골연 장축도와 심첨부 단면도에서는 승모판의 전엽과 후엽이 좌심실 쪽으로 튀어나와 보이며 승모판 하부 구조물이 보일 때도 있다(그림 13.1c). 심첨 4방도, 2방도, 3방도로 돌리면 각 판엽의 다른 분획을 면밀히 살펴볼 수 있다(그림 13.1d-f). 다양한 단면을 조합하면 대부분의 소엽을 각각 관찰할 수 있다.

승모판엽은 얇고(4 mm를 넘지 않음), 운동성이 있어야 하며, 석회화되어 있지 않아야 한다. 판엽은 이완기에 이상성(biphasic)

그림 13.1

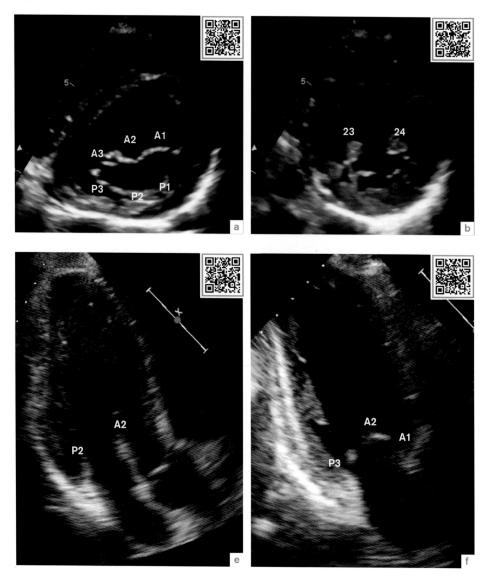

으로 좌심실 쪽으로 넓게 열린다. 첫 단계는 이완기가 시작될 때이며, 그 이후에 판엽이 움찔하며 일부 움츠러든다. 이완기말에 심방이 수축하는데, 이때 판엽이 다시 벌어졌다가 수축기가 시작되면 완전히 닫힌다. 이 과정은 승모판이 느린 장면으로 기록된 것을 돌려보면 파악할 수 있다. 흉골연 장축도(판엽의 끝에 커서를 위치시킴)에서 M-모드로 보면 이 양상을 도식화할 수 있다(그림 13.1g).

승모판륜의 직경은 심첨 4방도에서 이완기말에 측정해야 하며 3.4 cm보다 작아야 한다.

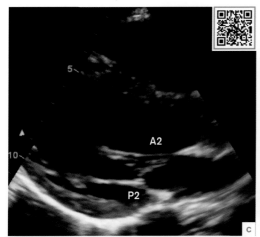

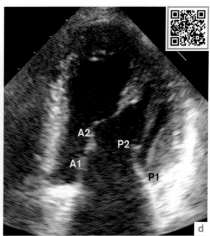

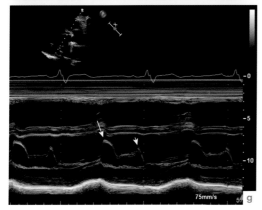

승모판. (a) 흉골연 단축도의 승모판 레벨. 승모판의 소엽들이 외측에서 내측으로 순서대로 번호가 지정되어 있다. 전엽은 A1-A3, 후엽은 P1-P3이다. **(b)** 흉골연 단축도의 유두근 높이. **(c)** 흉골연 장축도. **(d)** 심첨 4방도. **(e)** 심첨 3방도. **(f)** 심첨 2방도. **(g)** 흉골연 장축도의 M-모드에서 승모판엽이 이완기 초기(화살표)와 후기(화살촉)에 이상성(biphasic) 움직임을 보이고 있다. (23) 후내부 유두근; (24) 전측부 유두근.

도플러 검사

승모판을 지나는 혈류는 일상적으로 심첨 4방도에서 샘플 용적(sample volume)을 승모판엽의 끝에 위치시켜 간헐파 도플러(pulsed wave, PW)로 정보를 얻는다. 동성 리듬일 때 정상 이완기 혈류는 조기의 E파와 후기의 A파로 이루어진 이상성(biphasic)을 보인다(그림 13.2). 최대 속도의 정상치는 표 13.1에 나와 있다. 샘플 용적을 부정확하게 위치시키면 E파와 A파의 최대 속도의 절대값이 변할 수 있으나 그 비(ratio)에는 일반적으로 영향이 없다. 승모판을 지나는 혈류의 양상은 승모판 기능, 좌심방 압력, 좌심실 이완기능에 대한 정보를 제공한다(제5장 참고). 아주 미미한 양의 승모판 역류가 색도플러나 스펙트럴 도플러에서 보이는 경우가 종종 있다.

폐정맥이 좌심실로 흘러 들어오는 혈류의 양상은 승모판 질환이 있을 때 영향을 받으므로 일상적으로 검사하게 된다. 이것은 뒤쪽에서 더 자세히 설명한다.

그림 13.2

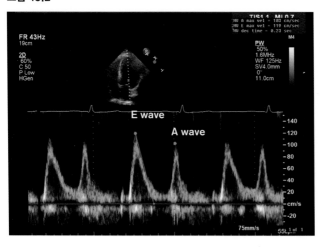

승모판의 간헐파 도플러. 샘플 용적은 승모판엽의 끝(tip)에 위치시킨다. E 파와 A파의 최대 속도, E파의 감속 시간을 기록한다.

표 13.1 승모판 혈류의 참고치

	< 50세	> 50세
E파 최대 속도(cm/s)	72 ± 14	62 ± 14
A파 최대 속도(cm/s)	40 ± 10	59 ± 14
E:A 비	1.9 ± 0.6	1.1 ± 0.3
감속 시간(ms)	179 ± 20	210 ± 36

* 수치는 '평균 ± 표준편차'이다.

승모판 질환

다른 판막과 마찬가지로 승모판은 다양한 병인에 의해 변할 수 있다. 이 장에서는 상대적으로 승모판에 특이적으로 영향을 주는 질환에 대해 더 자세히 다룰 것이다. 심내막염(제15장), 허혈성/기능적 승모판 역류(제8장), 심근병증(제9장)에 대한 단원들도 참고하기 바란다.

승모판륜 석회화(mitral annular calcification)

이것은 퇴행성 과정으로 우연히 발견되는 경우가 많다. 이것은 고령에서 많으며 신기능장애가 있는 환자에서 흔하다. 승모판륜은 석회화되어 판엽까지 확대되기도 한다(그림 13.3). 이것은 류마티스성 판막 질환과 유사하게 승모판륜과 판엽의 반향을 증가시킨다. 석회화 과정은 국소적일 수도 있고 미만성일 수도 있다. 대부분의 경우 기능적인 영향은

그림 13.3

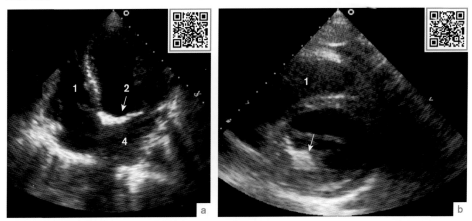

승모판륜 석회화. (a) 심첨 4방도. 심한 승모판륜 석회화가 승모판륜의 앞부분에 있으면서 승모판엽까지 확대되어 있다. 매우 밝은 색의 칼슘 침착이 보인다. **(b)** 흉골연 단축도. 결절형의 승모판륜 석회화가 승모판륜의 뒷부분에 있다. (1) 우심실; (2) 좌심실; (4) 좌심방.

없지만 석회화가 매우 광범위할 경우 판엽의 운동성을 제한하여 역류를 일으킬 수 있고 매우 드물게는 협착을 유발할 수 있다.

류마티스성 승모판 질환(rheumatic mitral valve disease, RMVD)

류마티스 열은 A군 연쇄상구균(group A streptococcus)의 상기도감염에 의해 유발되는 염증질환이다. 서구에서는 흔치 않은 질환이지만 개발도상국에서는 중요한 의료 문제이다.

이 질환은 두 단계로 구분할 수 있다. 급성기에 전신의 염증이 판막, 심내막, 심근, 심막 등의 다양한 장기에 영향을 미친다. 어느 판막이든 영향을 받을 수 있지만 류마티스성 손상을 잘 받는 곳은 승모판과 대동맥판이다. 급성기에 승모판엽과 건삭에 염증이 생겨 두꺼워지고 때로는 판막에 결절이 생기거나 건삭이 늘어날 수도 있고 드물게는 파열될 수 있다.

10년 이상의 시간이 지나 만성/재발성 염증으로 인해 중증의 판막 손상이 생길 수 있다. 특징적으로 판엽 사이의 교련부의 융합(fusion)이 생기며 건삭이 짧아져 판막이 완전히 열리지 못하지만 판엽 자체의 운동성은 유지된다. 경흉부 심초음파로 보면 융합된 승모판 전엽이 '하키채' 모양으로 보이고 이완기 때 좌심방의 압력이 상승하여 나머지 판엽이 좌심실 쪽으로 부풀어 오른다(그림 13.4). 결국 석회화가 발생하고 판엽과 건삭이 두꺼워지고 운동성이 떨어지며 반향성이 증가한다(그림 13.5). 이 과정에서 판막의 협착이나 역류 또는 이 둘 모두가 생긴다. 류마티스성 승모판 협착의 평가에 대해 이 장의 뒤쪽에서 다룰 것이다.

그림 13.4

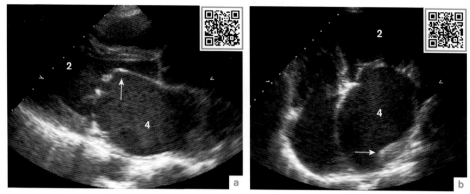

류마티스성 승모판 질환. (a) 흉골연 장축도. 판엽의 끝이 두꺼워지고 운동성이 제한되면서 전형적인 하키채 모양의 승모판 전엽(화살표)이 보인다. 석회화는 거의 없다. 자발에코음영(spontaneous echo contrast)이 좌심방에 보인다. **(b)** 심첨 4방도. 좌심방이 매우 확장되어 있고 혈전이 관찰된다(화살표). (2) 좌심실; (4) 좌심방.

그림 13.5

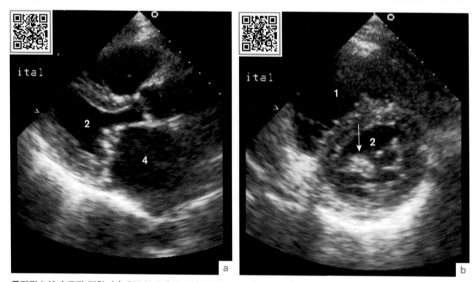

류마티스성 승모판 질환. (a) 흉골연 장축도. 판엽의 끝과 건삭(chordae)에 중증의 석회화가 관찰된다. **(b)** 흉골연 단축도. 여기에서 내측 교련부의 중증의 석회화가 잘 관찰된다(화살표). (1) 우심실; (2) 좌심실; (4) 좌심방.

승모판 탈출(mitral valve prolapse, MVP)

이것은 승모판엽의 점액종성 변성(myxomatous degeneration)이 특징으로 판엽이 두꺼워지고 느슨해져 덜렁거리는 것이 특징이다. 승모판륜 면으로부터 판엽이 수축기에 탈출하면 판막이 적절히 닫히지 못하여 역류가 생긴다. 때로는 MVP가 Ehlers−Danlos 증후군 또는 골형성부전증(osteogenesis imperfecta) 같은 결체조직 질환(collagen disorder)이나 Marfan 증후군 같은 기저질환의 표현형 중 하나일 수 있다.

MVP의 신단을 위한 심초음파 기준은

1. 흉골연 장축도에서 수축기에 하나 또는 양 판엽이 승모판륜 면의 뒤쪽으로 전위(displacement, 그림 13.6)
2. 심첨 4방도에서 마주보는 판엽의 일부가 승모판륜 면의 뒤쪽으로 이동(그림 13.7)

기본 영상(tissue harmonics를 사용하지 않은)에서 판엽의 두께가 5 mm를 넘으면 MVP의 보조적 증거가 된다(그림 13.6, 13.7). 승모판 후엽(특히 P2 분절)이 주로 영향을 받는다. 하나의 판엽만 탈출하는 경우 역류제트는 편심성(eccentric)이 되어 정상 판엽 쪽을 향하게 된다(그림 13.7). 양쪽 판엽이 동일하게 탈출한 경우 제트는 중앙을 향한다. 추가 소견으로 승모판륜의 확장, 건삭의 덜렁거림이나 파열, 소엽의 펄럭임(flail)이 있다(그림 13.8).

MVP 환자는 추후 승모판 수술이 필요할 수 있으므로 추적 심초음파 검사를 통해 판막 기능장애의 중증도를 확인해야 한다. 승모판 전체를 교체하지 않고 탈출한 판막만을 교정(승모판 성형술)하는 경우가 증가하고 있는데 이런 수술은 승모판 치환술보다 상대적으로 조기에 고려할 수 있다. 성형술에 적합한지를 평가하기 위해 경식도 심초음파가 가장 적절하다.

그림 13.6

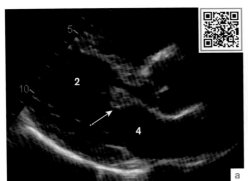
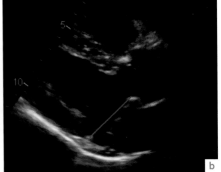
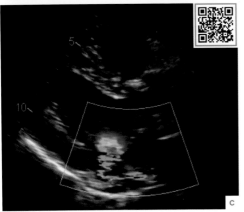

승모판 탈출. 흉골연 장축도. **(a)** 이완기말. **(b)** 수축기말. **(c)** 수축 초기. 승모판 전엽이 매우 두꺼워져 있고, 살집처럼 보인다(화살표). 수축기에 승모판륜 면(빨간 선) 뒤쪽으로 탈출하는 것이 보인다. 매우 편심성이고 뒤쪽으로 향하는 승모판 역류가 관찰된다. (2) 좌심실; (4) 좌심방.

그림 13.7

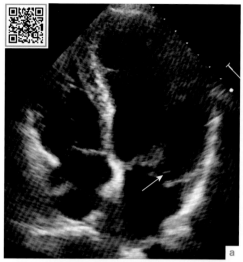

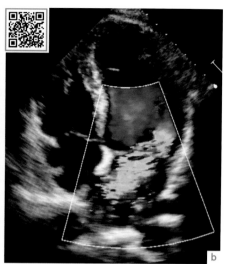

중증 승모판 탈출. (a와 b) 심첨 4방도. **(c)** 흉골연 단축도. **(a)** 승모판 후엽이 심하게 탈출되어 큰 역류판구를 형성하였다(화살표). **(b)** 중증의 편심성 승모판 역류가 있어 제트가 앞쪽을 향하고 있다. **(c)** 탈출하는 P2 분절(화살표)과 승모판구(*)가 보인다. **(25)** 승모판 전엽.

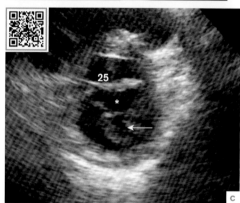

승모판 역류(mitral regurgitation, MR)의 중증도 평가

MR은 좌심실이 수축할 때 승모판에서 혈류가 좌심방으로 역류되는 상황이다. 판막 이상이 없는 건강한 일반인에서 적은 양의 역류는 흔히 관찰되며, 이는 생리적인 것으로 간주한다.

발견

MR은 색도플러를 통해 쉽게 발견할 수 있으며, 심첨부 단면에서 가장 잘 보이는데, 역류 혈류는 탐촉자에서 멀어지는 방향이므로 파란 색을 띤다. MR의 증거는 스펙트럼 도플러로도 찾을 수 있다. MR이 발견되면 3가지 중요한 질문—중증인지, 원인이 무엇인지, 심장의 비대상(decompenastion) 증거가 있는지—에 대한 답을 찾아야 한다.

그림 13.8

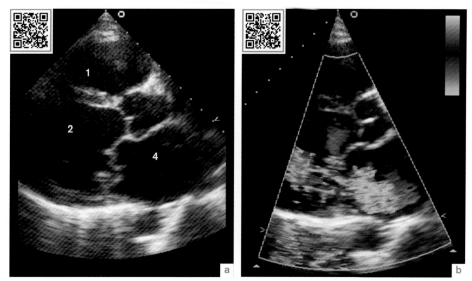

건삭 파열로 인해 이차적으로 발생한 연가양(flail, 펄럭거림) 승모판. 흉골연 장축도. **(a)** 두 승모판엽이 탈출하여 접합(coaptation)되지 못하고 있다. 판엽의 끝(tip)이 마구 움직이고 있으며 건삭의 일부가 판엽과 독립적으로 움직이고 있다. 보상적으로 빈맥이 발생하였다. **(b)** 승모판 역류. (1) 우심실; (2) 좌심실; (4) 좌심방.

승모판 역류가 얼마나 심한가?

　MR의 중증도는 간단히 말하면 좌심방으로 역류되어 들어가는 혈류량으로 결정한다. 제11장에서 설명했듯이 심초음파 기법으로 이것을 직접 측정할 수 없기 때문에 대신 다양한 다른 지표를 측정해야 한다. MR의 중증도를 판단할 때 하나의 지표만으로 결정할 수 없으므로 다양한 지표를 고려해 평가하는 것이 필요하다.

　다양한 기법들이 사용될 수 있는데 가장 신뢰도가 높은 특정 지표에 집중해야 하며 상대적으로 신뢰도가 낮은 지표는 보조적인 증거로 삼는다. 단계적인 접근법은 그림 13.9에 있으며 표 13.2에 각 지표들의 참고치가 있다.

특정 측정법

구조적 징후

　특정 상황에서 승모판의 구조가 중증 역류의 가능성을 경고하기도 한다. 예를 들어 판엽의 펄럭거림(flail)이나 유두근의 파열은 급성 중증 MR을 유발한다.

　판엽의 펄럭거림은 일반적으로 MVP나 심내막염의 합병증으로 인해 판엽 자체의 퇴행이나 건삭의 파열로 인해 발생한다(그림 13.8). 눈에 보이는 형태는 원인에 따라 다른데 판엽의 움직임이 이상한 경우도 있고 판엽이 수축기에 좌심방 쪽으로 완전히 탈출하였다가 이완기 때 펄럭이면서 좌심실로 되돌아가기도 한다. 건삭의 파열이 보이기도 하는데 판엽에 붙어있지만 증식물(vegetation)처럼 독립적인 움직임을 보인다거나 좌심실에서 자유롭게 떠다니는 것을 볼 수 있다. 그러나, 각 판엽에 많은 건삭이 붙어있기 때문에

그림 13.9

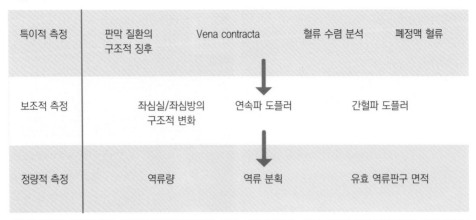

승모판 역류의 단계적 접근. 특이적 지표에 집중해야 하며, 보조적 지표는 의사 결정에 있어 상대적으로 중요도가 낮다. 검사자가 경험이 있으면 정량적인 측정을 통해 추가적인 감별점을 찾아낼 수 있다.

표 13.2 승모판 역류의 중증도 분류

지표	경증	중증
특이적		
Vena contracta 폭	< 3 mm	> 7 mm
PISA lite 반경[*](cm)		> 1.0
폐정맥 혈류	정상	수축기 혈류역전
보조적		
좌심실 확장	없음	대부분
폐동맥 고혈압	없음	종종
연속파 도플러	진하지 않음	진함, 삼각형
간헐파 도플러	E < A일 수 있음	절대 E < A이지 않음
정량적		
역류판구 면적(cm²)	< 0.2	> 0.4
역류량(mL/beat)	< 30	> 60
역류 분획(%)	< 30	> 50

PISA, proximal isovelocity surface area.
*앨리어싱 속도는 40 cm/s로 설정.

판엽의 한 부분만 펄럭거리고 나머지는 정상에 가까운 경우가 많다. 그렇기 때문에 중요한 구조적인 힌트를 놓치지 않기 위해 다양한 각두에서 판막의 모든 분획을 평가하는 것이 더욱 중요하다.

유두근 파열은 심근경색증 이후에 발생하는 경우가 가장 흔하지만(그림 8.6) 심내막염의 합병증으로 생기기도 한다. 다시 한번 강조하지만 부분 파열의 경우 잘 안보일 수도 있기 때문에 판막 전체를 꼼꼼히 검사해야 한다.

Vena contracta 폭

Vena contracta는 색도플러에서 보이는 역류제트가 가장 좁아지는 지점(역류판구를 지난 직후)이다(그림 13.10). Vena contracta 폭은 역류판구의 폭과 연관되기 때문에 역류의 중증도와도 관련이 있다. 제트의 길이/면적과 마찬가지로 이 값은 게인(gain) 설정의 영향을 받지 않지만 각 심장주기마다 다를 수 있으므로 가장 클 때 측정해야 한다. 일반적으로 흉골연 장축도에서 가장 잘 측정할 수 있으며 심첨 2방도에서 측정하면 MR의 중증도를 과대평가하는 경향이 있다. 영상은 측정오차를 최소화하기 위해 가능하면 확대한다.

경도의 MR에서 vena contracta의 폭은 3 mm 미만이지만 중증 MR에서는 7 mm 이상이다.

PISA lite

PISA (proximal isovelocity surface area)는 역류제트에 의한 혈류 수렴 구역을 이용해 유효 역류판구 면적(effective regurgitant orifice are, EROA)을 추정하는데 사용되는 지표이며 제11장에서 이미 설명하였다. PISA lite는 이 계산법을 MR에서 단순화한 것으로 다

그림 13.10

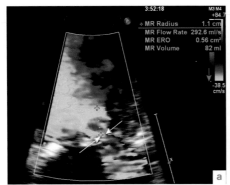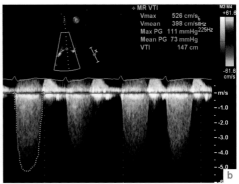

PISA lite와 vena contracta의 평가. (a) 색도플러: 반경과 vena contracta 폭의 측정. **(b)** 스펙트럴 도플러: 속도-시간 적분의 측정.

PISA: 색 스케일의 기준선을 아래쪽으로 조정하여(녹색 화살표), 앨리어싱 속도를 약 40 cm/s에 설정한다. 이렇게 하면 파란색에서 노란색으로 갑자기 변하는 지점이 만들어져 PISA 반경을 그림처럼 측정할 수 있다. 이 설정에서 PISA lite를 적용할 수 있다: 반경이 > 1.0 cm이면 중증 승모판 역류를 의미한다. EROA를 계산하면 0.56 cm²이다.

역류량: 승모판 역류의 속도-시간 적분과 EROA를 측정하여 추정할 수 있다.

Vena contracta: 화살표로 표시되어 있으며, 판구를 지나는 제트이다.

른 판막에 적용할 수는 없다.

이 공식은 MR 제트 최대 속도(Vmax)가 약 5 m/s라는 가정을 전제로 하며 대부분의 경우 좌심실의 압력이 좌심방의 압력보다 매우 크기 때문에(100 mmHg 압력차 = 5 m/s 속도) 적절한 방법이다. 색도플러의 앨리어싱 속도(Va)를 40 cm/s으로 설정하면 PISA 공식을 다음과 같이 단순화할 수 있다.

$$EROA = \frac{2\pi r^2 \times V_a}{V_{max}}$$

$$EROA = \frac{2 \times 3.142 \times r^2 \times 40}{500}$$

$$EROA = \frac{r^2}{2}$$

위 방식에 따르면 앨리어싱 속도가 40 cm/s일 때 PISA 경계의 반경을 측정하는 것만으로 간단하게 EROA를 추정할 수 있다. 실제로는 중증 MR (EROA > 0.4 cm²)이면 PISA lite의 반경이 1.0 cm 이상이므로 훨씬 더 활용하기 좋다.

PISA lite를 실제로 적용하기 위해 혈류 수렴 구역이 확대된 좋은 영상이 필요하다. 앨리어싱 속도는 40 cm/s로 조정하여 PISA에서 색 대조가 잘 되도록 해야 한다. 그러기 위해 심첨 4방도에서 기준선을 아래쪽(역류제트의 방향)으로 옮겨 아래쪽 범위의 앨리어싱 속도를 약 40 cm/s가 되도록 하면 파란색-노란색을 잘 구분할 수 있게 된다. 그리고 나서 PISA 경계의 반경을 역류판구와 앨리어싱의 색 경계 사이로 측정한다. 반경이 1.0 cm 이상이면 MR은 중증이다(그림 13.10).

폐정맥 혈류(pulmonary vein flow)

좌심방으로 들어오는 폐정맥 혈류는 정상적으로 수축기와 이완기 모두에서 이루어지며 수축기에 더 우세(dominant)하다. 중증 MR이 있으면 좌심방 압력이 올라가기 때문에 좌심방으로 들어오는 전방혈류가 미미해지거나 심지어 수축기에 역전되기도 한다(그림 13.11). 색도플러로 볼 때 역류제트가 폐정맥까지 확장되는 경우도 있는데 이것은 실제로 혈류 역전이 있음을 시사한다.

폐정맥 혈류를 평가하기 위해 양호한 화질의 심첨 4방도 영상을 얻어야 한다. 게인(gain)이 높은 색도플러를 이용하여 우하 또는 우상 폐정맥(심방중격 부근에 위치)을 관찰한다. 간헐파 도플러의 샘플 용적을 정맥의 1 cm 이내에 놓고 영상의 깊이와 스케일을 조절하여 앨리어싱이 생기지 않도록 한다. 이 테크닉을 정확히 수행하고 해석하려면 많은 연습을 필요로 한다.

보조적 측정법

구조적 징후

만성 중증 MR에서 심박출량(cardiac output)이 유지되기 위해 일회 박출량(stroke

그림 13.11

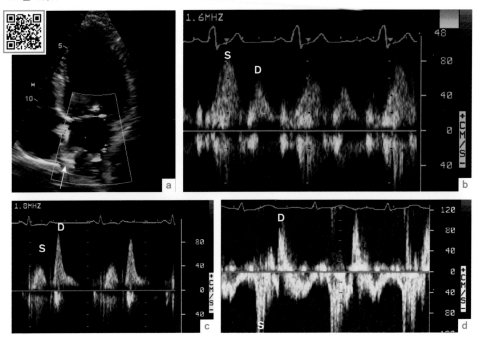

폐정맥 혈류. (a) 심첨 4방도: 간헐파의 샘플 용적을 색도플러의 도움을 받아 우하 폐정맥에 위치시킨다(화살표). **(b)** 정상 폐정맥 혈류. 수축기파(S)는 이완기파(D)보다 크다. **(c)** 수축기 전방 혈류가 약해졌다(S < D). **(d)** 수축기 혈류 역전.

volume)이이 증가되어야 하며, 그러기 위해 수개월에서 수년의 시간 동안 좌심실이 확장되고 수축능(contractility)이 증가하기도 한다. 이런 보상 기전은 영원히 유지될 수 없으므로 결국 비가역적인 좌심실의 확장과 부전이 발생한다.

중증 MR의 경우 다량의 혈액이 압력이 낮고 유순도(compliance)가 좋은 좌심방으로 분출되기 때문에 좌심실의 기능이 괜찮은 것처럼 보일 수 있다. 따라서, 좌심실 박출률이 과대 측정되므로 확연한 MR이 있는 경우 정상 박출률이 최소 60% 이상이어야 함을 고려해야 한다.

높은 압력의 역류제트가 좌심방으로 새면 좌심방 압력이 상승하게 되고 폐정맥에도 압력을 가해 결국에는 폐동맥에도 영향을 준다. 이로 인해 좌심방 확장, 폐고혈압, 우심부전, 삼첨판 역류를 유발할 수 있다. 설명 가능한 다른 원인이 발견되지 않는다면 이러한 소견은 MR의 중증도를 판정하는 데 근거들이 될 수 있다.

MR 제트의 연속파 도플러

도플러 신호는 시간에 따른 적혈구의 흐름을 그림으로 보여준다. 그림의 형태는 혈류의 양상에 따라 다른데 비정상인 판막을 통과하는 역류는 층판류(laminar)인 경우보다 와류(turbulent)인 경우가 많아 혈구들이 각기 다른 속도와 방향으로 움직이게 되고 도플러 신호로 가득 차게 된다. 역류가 중증인 경우 제트에 더 많은 적혈구들이 있기 때문에 도플러 신호가 더 밀도있게 보인다. 이것은 심첨부 단면도에서 색도플러로 보이는 MR 제트의 vena contracta에 커서를 위치시킨 후에 연속파 도플러를 통해 알 수 있다(그림 13.12). 역류제트 스펙트럼의 밀도를 이완기 때 전방혈류와 비교할 수도 있다. 중등도 이상의 MR에서는 수축기 전체 동안 지속되므로 역류의 지속기간을 보면 중증도를 파악하는데 도움이 된다. 중증 MR에서 도플러 스펙트럼은 삼각형 형태(전형적인 둥근 형태가 아니라 조기에 수축기 최대 속도에 도달)으로 보일 수도 있다(그림 13.12).

이 방식의 큰 단점은 굉장히 주관적이라는 것이다. 또한 MR 제트와 도플러 커서를 잘 정렬하지 못하면 중증도를 과소평가할 수 있는데, 특히 여러 개의 제트가 있거나 편심성인 경우가 문제가 된다.

간헐파 도플러

승모판을 지나는 전방혈류를 간헐파 도플러(샘플 용적을 승모판엽의 끝에 위치시킴)를 이용해 평가해야 한다. 중증 MR(승모판 협착이 없는 경우)에서 좌심방 압력이 상승해 있기 때문에 좌심실의 조기 충만이 우세하여 E파 최대 속도가 A파에 비해 매우 높다(E > 120 cm/s). 반대로 A파가 우세하면 MR은 심하지 않다고 할 수 있다.

그림 13.12

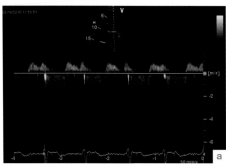
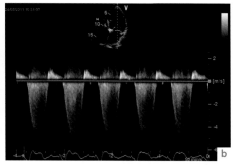
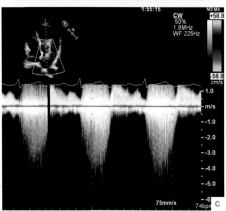

연속파 도플러를 이용한 승모판 역류의 평가. (a) 경증 승모판 역류. **(b)** 중등도 승모판 역류. **(c)** 중증 승모판 역류.

기타 측정
제트 면적/길이

넓은 제트가 좌심방의 먼 곳까지 뻗치면 많은 양의 역류가 있음을 의심할 수 있다. 그러나, 제트의 폭/면적/길이는 게인(gain) 설정에 의존적이기 때문에 부정확한 것으로 여겨진다. 그리고 좌심방 벽을 치는 편심성 제트의 경우 약 40% 정도 과소평가될 수 있는데, 이는 혈류가 물리적으로 제한을 받고 주변 혈압을 끌어들이는데(recruit) 제한이 있기 때문이다. 이것을 Coanda 효과라 한다.

MR 중증도의 정량적 추정

역류량과 역류 분획(regurgitant volume and regurgitant fraction)

역류량과 역류 분획을 추정하기 위한 정량적인 기법은 양쪽 심실의 일회 박출량을 통해 알아낸다. 자세한 방법은 제11장에 있다.

역류량이 60 mL 이상이거나 역류 분획이 좌심실 유입 용적의 50%가 넘는 경우 중증으로 분류한다.

PISA

PISA를 이용해 EROA를 계산하는 법은 제11장에 있다. EROA가 $0.4 \; cm^2$ 이상인 경우 중증 MR을 시사하며 $0.2 \; cm^2$ 미만이면 경증이다.

급성 MR

급성 중증 MR은 그 기전을 잘 알아야 하며, 만성 MR과는 심초음파 소견이 확연히 다르다. 급성 MR은 연가양(flail, 펄럭거림) 판엽, 건삭이나 유두근의 파열, 승모판 탈출, 심내막염, 심근경색증과 같은 상황에서 발생한다.

갑작스럽게 승모판이 기능을 하지 못하면 급성 폐부종, 심인성 쇼크가 생기는데 이는 좌심실에서 박출된 혈류의 많은 부분이 좌심방으로 가기 때문이다. 이때 좌심방의 팽창성이 낮고 보상적으로 확대되기 위한 시간이 충분하지 않았기 때문에 좌심방 압력은 매우 상승하게 된다. 좌심실의 크기는 대부분 정상이고 좌심실의 기능은 매우 활발하다.

이런 상황에서 MR의 중증도를 평가하는 기초적인 기준들의 신뢰도는 떨어지며 중증도를 과소평가하기 쉽다(그림 8.6). 따라서, vena contracta의 폭이나 PISA와 같은 특이적인 방법들을 사용해야 한다. 또한 승모판의 구조적인 문제가 확실하다면(예, 연가양 판엽) 중증 MR의 가능성을 항상 염두에 두어야 한다.

원인은 무엇인가?

MR은 승모판 구조의 어떤 부분의 문제로도 생길 수 있다. 기본적으로 판엽, 유두근, 건삭, 승모판륜 각각 또는 여러 곳의 구조에 영향을 주는 기전에 따라 분류한다. 가능한 원인들이 표 13.3에 있다.

근본 원인을 밝혀내기 전까지는 MR의 진단은 완전한 것이 아니다. 그것이 추가적인 치료방침(예, 승모판 치환술이나 성형술에 적합한지), 항생제 치료 여부, 심부전 치료 등을 결정하는데 있어 중요한 핵심이기 때문이다.

눈에 보이는 승모판의 형태가 근본 원인에 대한 중요한 힌트가 된다. 판막의 비후, 석회화, 증식물, 펄럭거리는(flail) 분획, 건삭의 파열, 유두근의 기능이상이나 파열, 판막륜의 확장의 증거를 찾아내야 한다. 판막이 구조적으로 정상이면서 좌심실의 확장이나 기

표 13.3 승모판 역류의 원인과 기전

원인	기전
기능성	판막륜의 확장, 심부전으로 인한 유두근의 전위(displacement)
허혈성 심질환	유두근 파열
	유두근 기능이상
	판막륜의 확장, 심부전으로 인한 유두근의 전위
승모판 탈출	늘어진(floppy) 판엽
	연가양(flail, 펄럭거림) 판엽
	건삭 파열
류마티스성	판엽의 섬유화/석회화
	건삭의 섬유화/석회화
감염성 심내막염	판엽의 파괴
	건삭의 파열
폐쇄성 비대심근병증	승모판의 수축기 전방 운동
	유두근 이상
기타	
아밀로이드증	판엽/건삭의 두꺼워짐
심내막심근섬유증	판엽/건삭의 두꺼워짐
전신홍반루푸스	판엽/건삭의 두꺼워짐
비세균성 혈전성 심내막염(marantic endocarditis)	판엽/건삭의 두꺼워짐
선천성	
승모판 열개(cleft leaflet)	판엽의 결함
심내막융기 결손(endocardial cushion defect)	판엽의 결함
양판구성 승모판(double orifice mitral valve)	판엽의 결함
낙하산형 승모판(parachute mitral valve)	유두근 이상

능부전이 있으면 기능적(functional) 역류가 원인이 된다.

MR의 수술적 치료

심초음파를 처음 배우는 사람에게 승모판 수술의 필요성을 결정하는데 참여하라고 하지는 않겠지만 분류 기준을 파악하는 것은 중요하다. 그래야 보고서를 정확하고 명료하게 작성할 수 있다.

일반적으로 혈역학적 허탈(compromise)을 동반한 급성 중증 MR의 경우 응급수술을 통해 판막을 성형하거나 교체한다. 경흉부 심초음파는 질환을 발견하고 원인을 파악하는 데 핵심적인 역할을 하며, 수술을 보조하기 위해 필요하다.

만성 중증 MR의 경우 수술은 기능적 MR과 같은 이차적인 원인보다는 승모판 탈출이나 류마티스성 승모판 질환과 같은 원발성 승모판 질환이 있는 경우에 고려한다. 일반적으로 승모판 복구술(repair)이 가능한 경우 치환술(replacement)보다 그 결과가 좋다. 수술을 너무 늦게 하는 경우 좌심실기능부전은 비가역적이므로, 좌심실기능부전이나 폐고혈압이 생기기 전에 시행하는 것이 좋다. 이처럼 수술을 하는 최적의 시기는 증상, 성형술 가능 여부, 심장의 비대상(decompensation) 여부에 따라 종합적으로 고려하여 결정한다.

수술은 증상이 있는 중증 MR이면서 좌심실의 기능이 보존되어 있는 경우에 적응이 된다. 좌심실기능이 심하게 떨어져 있거나 좌심실이 확장된 경우(박출률 < 30%이고, 수축기 좌심실 직경 > 55 mm)에는 각 증례별로 수술의 이득을 고려해야 하지만 수술에 적합하지 않은 경우가 많다.

무증상인 중증 MR 환자에서는 좌심실 직경의 보상적 변화가 진행되었는지 수술 전에 살펴야 하며 성형술에 적합한지, 이미 비대상성이지는 않은지도(박출률 < 60%, 수축기 좌심실 내경 > 45 mm, 수축기 폐동맥 압력 > 50 mmHg) 확인한다.

수술 전에 MR의 중증도를 최종확인하기 위해 경식도 심초음파를 확인하는 것은 이제 흔한 방식이 되었다. 이 검사를 통해 승모판의 각 부분의 자세한 영상을 볼 수 있고 승모판 탈출의 경우 성형술과 치환술 중 어느 쪽에 적합한지를 평가하는 것도 가능하다.

승모판 협착(mitral stenosis, MS)

성인의 정상 승모판 면적(mitral valve area, MVA)은 평균 4~6 cm^{2}이며, 2.0 cm^2 미만이면 협착을 시사한다. 판구 면적이 < 1 cm^{2}로 줄어들면 중증 협착이다. 류마티스성 승모판 질환이 원인의 대부분을 차지하며 승모판륜 석회화, 전신홍반루푸스, 카르시노이드(carcinoid), 선천성 승모판 협착, 아밀로이드증, 당지질(glycolipid) 대사질환에서도 생길 수 있으나 상대적으로 흔하지 않다. 모든 경우에 승모판엽은 두꺼워지고 운동성이 없어지며 좌심방과 좌심실 사이의 혈류를 막는다.

만성 류마티스성 승모판 협착의 자연 경과와 심초음파 소견에 대해 앞에서 설명하였다(그림 13.4, 13.5).

MS의 중증도 평가

MS의 중증도는 승모판 면적의 감소 정도를 의미하며, 이는 3가지 방법으로 추정할 수 있다. 일반적으로 최소한 1가지 이상의 방법을 통해 확진해야 한다.

직접 측정(planimetry)

이것은 흉골연 단축도에서 보이는 승모판 영상 중 판엽의 끝에서 커서로 직접 판구를 그리는 방법이다(그림 13.13). 측정은 이완기 초기에 판막이 가장 크게 열렸을 때 시행한다. 정확한 측정을 위해 탐촉자는 판엽 끝의 면에 정확히 위치해야 한다. 판엽 끝에 석회화가 있거나 이전에 승모판 수술을 하여 정확하게 정렬이 되지 않으면 측정값이 부정확해진다. 이 경우 기존의 이면성 심초음파보다 삼차원 심초음파가 유리하다. MS의 중증도를 분류하는 값들은 표 13.4에 있다.

압력 반감 시간(pressure half-time)

MS는 이완기 초기에 좌심방과 좌심실 사이에 압력차를 만든다. 협착이 심해지면 압력차가 계속 유지되고 경증인 경우 압력차는 상대적으로 빨리 줄어든다. 혈류속도는 압력

그림 13.13

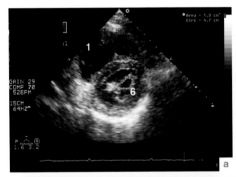
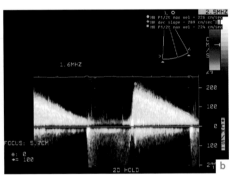
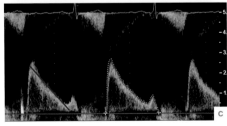

승모판 협착의 중증도 평가.
직접 측정. (a) 승모판구는 흉골연 단축도의 승모판 끝(tip) 레벨에서 보인다. 판구의 둘레를 따라 그려(tracing) 면적을 추정할 수 있다.
압력 반감 시간. (b) 간헐파 도플러를 이용하여 승모판엽의 끝에서 승모판 유입혈류의 정보를 얻는다. **(c)** 만약 도플러가 스키 슬로프 형태(초기에 가파른 감속을 보이다가 느려지는)로 보인다면 압력 반감 시간은 그림처럼 측정할 수 있다(빨간 선).
평균 압력차. (c) 간헐파 도플러로 유입혈류를 따라 그려 속도-시간 적분을 구하면 평균 압력차는 자동으로 계산된다.

표 13.4 승모판 협착의 중증도 분류

지표	경증	중등도	중증
승모판 면적(cm²)	1.6~2.0	1.0~1.5	< 1.0
압력 반감 시간(ms)	71~139	140~219	≥ 220
평균 압력차(mmHg)	< 5	6~10	> 10

차를 반영하므로(제11장 참고) 승모판을 지나는 혈류 감속의 정도는 승모판 면적(mitral valve area, MVA)에 대한 정보를 제공한다. 승모판 면적을 추정하기 위해 압력차를 측정하는 대신 연속파 도플러를 이용하여 압력이 50%로 감소하는데 걸리는 시간을 측정한다. 다음 공식을 이용하면 믿을만한 승모판 면적을 추정할 수 있다.

$$승모판\ 면적(cm^2) = \frac{220}{압력\ 반감\ 시간(ms)}$$

위 공식에 따라 압력 반감 시간이 > 220 ms이면 중증 협착, 140~220 ms이면 중등도 협착, 71~139 ms이면 경도 협착을 시사한다(표 13.4).

압력 반감 시간을 측정하기 위해 심첨 4방도에서 간헐파 도플러를 승모판엽의 끝에 위치시킨다(그림 13.13). 일소 속도(sweep speed)를 100 mm/s로 설정했을 때 감속 경사가 잘 보이므로 가장 정확하게 측정할 수 있다. E파의 최고치부터 0이 될 때까지 경사를 추적하는데 많은 심초음파 기기가 압력 반감 시간을 이용하여 승모판 면적을 자동으로 계산해 준다.

단, 이 검사에는 잠재적 한계점이 있음을 알아야 한다. 도플러 스펙트럼의 경계가 명확하지 않거나 감속이 직신이 아닐 경우 어디에서 측정해야 할지 판단하기 어려울 수 있다. 가능하면 E파의 감속이 직선인 심장주기를 선택하거나 경사가 가장 급한 곳 직후에 측정한다(그림 13.13c). 간헐파의 샘플 용적이 대동맥판 역류제트와 우연히 섞이지 않도록 승모판 유입신호만 얻을 수 있는 위치에 오도록 해야 한다.

이 방법은 심박수가 100회/분을 넘는 경우 A파가 감속 경사를 완전히 가릴 수도 있어 정확도가 떨어진다. 물론 심방세동이 있는 경우 3~5 심장주기를 측정하여 평균을 내야 한다.

평균 압력차(mean pressure gradient)

간헐파 도플러를 이용하면 도플러 스펙트럼을 따라 그려 좁아진 승모판의 평균 압력차를 추정하는 것이 가능하다(그림 13.13c). 중증 협착에서는 압력차가 > 10 mmHg, 중등도 협착에서는 6~10 mmHg, 경도 협착에서는 < 5 mmHg이다(표 13.4).

MS의 합병증

협착의 중증도를 평가하는 것 외에 합병증이 있는지도 살펴야 한다. 특히 확인해야 할 것은 다음과 같다.

1. 좌심방 직경
2. 좌심방귀(left atrial appendage)의 혈전이나 자발에코음영(spontaneous echo contrast, 그림 13.4)
3. 폐동맥 압력(삼첨판 역류 최대 속도)
4. 우심실기능
5. 기타 류마티스성 판막 질환의 증거

MS의 수술

증상이 있으면서 승모판 면적이 < 1.5 cm²인 경우 승모판의 경피적 또는 수술적 치료의 적응이 될 수 있다. 경피적 풍선성형술(percutaneous balloon valvuloplasty)을 시행하기 위해 판막의 석회화가 거의 없고 경도 이하의 승모판 역류이면서 경식도 심초음파에서 좌심방 혈전이 없어야 한다. 비슷한 증례에서 수술적 판막절개술(valvotomy)을 시행하는 경우도 있다. 판막의 퇴행성 변화가 심한 경우에는 판막 치환술만이 가능한 치료법이다.

결과 보고

승모판 역류의 결과 보고

요약
- 중증도
- 기저 병인(예, 승모판 탈출)
- 기전(예, P2 분절의 동요)

정성적 자료
- 판엽의 운동성(예, 정상, 탈출, 제한)
- 판엽의 두께와 석회화
- 판엽의 구조(예, 동요, 증식물, 천공)
- 승모판 하부 구조물과 판막륜(예, 비후, 파열)
- 제트의 성격(중심성, 편심성, 벽을 타고 흐름, 도달 범위)

정량적 자료
- Vena contracta
- PISA lite 반경
- 유효 역류판구 면적(effective regurgitant orifice area, EROA)
- 역류 분획/용적

기타
- 좌심실 직경, 박출률
- 우심실 직경, 기능
- 좌심방 크기
- 폐동맥 압력
- 기타 판막의 병변 여부

결과 보고

승모판 협착의 결과 보고
  요약
    – 기저 원인
    – 중증도
  정성적 자료
    – 판막의 구조
    – 판엽의 기능: 운동성
    – 승모판 하부 구조물과 기능
    – 석회화(정도, 분포)
  정량적 자료
    – 압력 반감 시간
    – 평균 압력차
    – 직접 측정한 판구 면적
  기타
    – 폐동맥 압력
    – 좌심방 직경
    – 기타 판막 질환

우측 심장의 판막

정상 삼첨판과 폐동맥판

삼첨판과 폐동맥판은 승모판과 대동맥판의 구조, 기능, 생리가 유사하다. 따라서, 앞 장에서 언급된 판막 평가를 위한 기본 원칙들 중 많은 부분을 우측 심장의 판막에도 적용할 수 있다.

삼첨판은 우심방과 우심실 사이에 위치하고 있으며 우심실의 수축기에 우심방으로 혈액이 역류하는 것을 막는다. 승모판과는 크게 3가지 차이점이 있다. 첫째, 가장 큰 차이점으로 첨판이 세 개로 이루어져 있다. 둘째, 판막이 심첨부 쪽으로 약간 치우쳐 있다. 마지막으로 유두근이 자유벽이 아닌 심실중격에도 붙어 있다.

폐동맥판은 우심실 유출로(right ventricular outflow tract, RVOT)와 주폐동맥 사이에 위치해 있다. 판막에 3개의 섬유성 소엽이 있어 우심실로 혈액이 역류되지 않도록 한다.

심초음파 소견

삼첨판은 흉골연 장축도에서 다리 쪽으로 기울이거나(우심실유입단면도) 흉골연 단축도의 대동맥 레벨, 심첨 4방도, 흉골하부단면도에서 잘 관찰할 수 있다(그림 14.1). 첨판은 얇고 잘 움직이며 석회화되어 있지 않아야 한다. 전엽(anterior), 후엽(posterior), 중격엽(septal)으로 구성되어 있으며, 이 가운데 중격엽이 가장 작고 움직임이 적다. 첨판은 잘 보이지만 삼첨판 하부 구조물이 선명하게 보이지 않는 경우가 종종 있다. 삼첨판륜의 직경은 심첨 4방도에서 평가하며 성인에서 < 3.8 cm이다.

폐동맥판은 경흉부 심초음파에서 잘 보이지 않지만 흉골연 장축도에서 머리 쪽으로 기울이거나 흉골연 단축도, 늑골하부단면도의 대동맥 레벨에서 그나마 잘 보인다(그림 14.1b와 c). 폐동맥판

그림 14.1

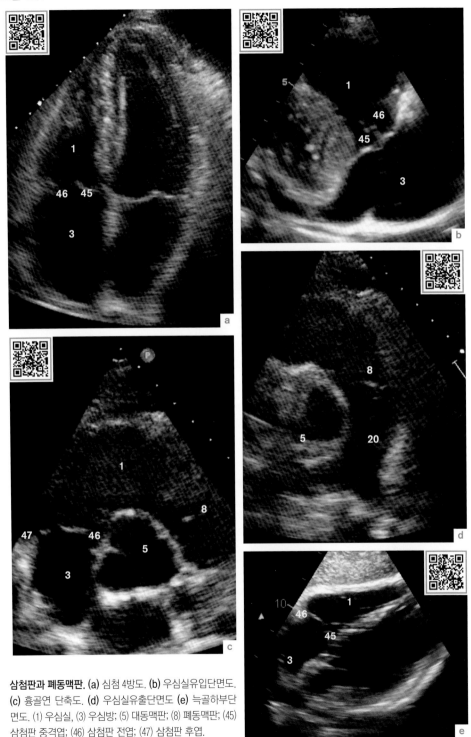

삼첨판과 폐동맥판. (a) 심첨 4방도. **(b)** 우심실유입단면도.
(c) 흉골연 단축도. **(d)** 우심실유출단면도 **(e)** 늑골하부단
면도. (1) 우심실, (3) 우심방; (5) 대동맥판; (8) 폐동맥판; (45)
삼첨판 중격엽; (46) 삼첨판 전엽; (47) 삼첨판 후엽.

은 대동맥판과 평행하게 앞쪽에 위치한다. 첨판의 두께는 2 mm 미만이어야 하며 석회화 되어 있지 않아야 한다. 일부 단면에서는 폐동맥과 그 분지들이 관찰되기도 한다.

도플러 검사

삼첨판을 지나는 혈류는 승모판 혈류와 유사하며 심첨 4방도에서 간헐파 도플러를 삼첨판의 끝(tip)에 위치시켜 평가한다. 이완기 초기의 수동적 혈류와 후기의 우심방 수축으로 인한 혈류가 삼첨판을 지난다. 삼첨판 혈류의 정상값은 나이에 따라 다르며 승모판 혈류의 값보다 약 20~30% 낮다(부록 1). 호흡에 따른 E파의 최대 속도 변이 정도는 정상에서 최대 40%까지 나타날 수 있다. 일상적으로 우심실의 이완기 충만까 지 자세히 분석하는 경우는 드물지만, 특히 심장눌림증(pericardial tamponade)이 의심 되는 경우 등에는 잘 살펴봐야 한다.

삼첨판에서 초점을 두는 부분은 삼첨판 역류의 여부와 정량화를 통한 폐동맥 압력 추정치 측정이다. 삼첨판 역류는 색도플러나 스펙트럴 도플러를 통해 대부분 발견할 수 있다(그림 14.2a).

폐동맥판을 지나는 혈류는 흉골연 단축도나 우심실유출단면도에서 간헐파/연속파 도

그림 14.2

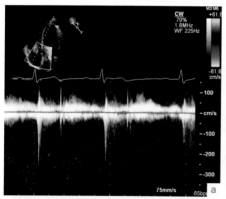

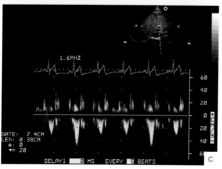

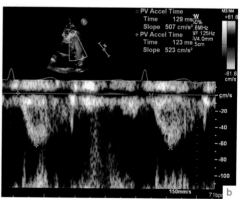

스펙트럴 도플러. (a) 삼첨판을 지나는 연속파 도플러: 선 형태로 판막의 열림과 닫힘이 보인다. **(b)** 폐동맥판을 지나 는 연속파 도플러: 전방혈류는 대부분 층판류(laminar)이며 최대 속도는 약 0.7 m/s이다. 폐동맥 가속 시간을 측정하였 다. **(c)** 간정맥의 간헐파 도플러: '수축기 전방 혈류가 이완 기 혈류보다 크다. 호흡에 따른 혈류속도의 변이가 눈에 띈 다.

플러를 이용해 평가한다. 정상 최대 속도는 0.6~0.9 m/s이다(그림 14.2b). 경미한 폐동맥판 역류는 정상인에서도 자주 보일 수 있다. 폐동맥의 가속 시간(acceleration time)을 이용하면 폐동맥 압력을 추정할 수 있다(아래 참고).

대정맥을 통해 우심방으로 유입되는 혈류는 우측 심장의 질환이 있는 경우 영향을 받기 때문에 우측 심장기능 평가에 있어 중요한 정보를 제공한다. 하지만 대정맥의 혈류를 경흉부 심초음파로 평가할 수 없으므로, 간정맥 혈류가 중요한 간접 지표가 된다. 간정맥은 늑골하부단면도에서 간헐파 도플러를 이용하여 샘플 용적을 간정맥의 1 cm 이내에 위치시켜 평가할 수 있다(그림 14.2c). 정상 간정맥 혈류는 복잡한데 수축기에 전방혈류가 우세하지만 이완기에는 낮은 속도로 혈류 역전이 발생한다(그림 14.2c).

우측 심장의 혈류는 호흡에 크게 영향을 받으며 흡기 시에 모든 속도가 증가한다.

삼첨판 역류(tricuspid regurgitation, TR)

경도의 삼첨판 역류는 정상인에서도 흔히 발견되지만, 중등도/중증 역류의 경우 유의한 병적 상태이므로 간과해서는 안된다. 삼첨판 역류가 보이면 중증도 평가와 함께 기저 원인을 찾도록 노력해야 한다.

중증도의 평가

다른 판막 질환과 마찬가지로 TR의 중증도는 다양한 영상 기법을 해석하고 통합하여 결정한다. 이는 일차적인 판막 병변 여부와 우측 심장의 기능부전으로 인한 이차적인 변화 여부(예, 우심실/우심방 확장)를 이면성 영상으로 살펴보는 것부터 출발한다. 그 다음으로 색도플러와 스펙트럴 도플러를 이용하여 역류제트의 특징을 파악하고 하대정맥 혈류에 미치는 영향을 평가한다. 이 기법은 기본적으로 MR의 평가와 일맥상통한다.

이면성 영상

삼첨판의 형태는 기저 원인을 알아내는 데 중요한 단서가 되며(표 14.1), 기능부전의 정도에 대해서도 일부 도움이 된다.

검사자는 첨판이 얇고 잘 움직이는지, 정상적으로 닫히는지를 평가해야 한다. 판엽 움직임이 제한되거나 닫히지 않거나 비후, 증식물, 삼첨판 탈출, 형태 이상, 판막륜 확장 등의 이상이 발견되면 의미 있는 TR이 있을 가능성이 높다.

색도플러

모든 역류제트에서 색도플러는 시간에 따른 혈류속도를 보여주며, 이를 통해 역류의 중증도를 예측할 수 있다. 그러나, 역류제트를 일으키는 심실의 압력이 제트의 형태에 영향을 주기 때문에 조심스럽게 접근해야 한다. 폐고혈압이 있으면 우심실 수축기압이 높아져 압력이 낮을 때보다 TR이 더 눈에 띄게 된다. 또한 게인(gain) 설정과 앨리어싱 속도에 따라서 다르게 보일 수도 있다. 따라서, 단순하게 제트 길이나 면적을 색도플러를 통해 측정하는 것은 권고되지 않는다.

표 14.1 삼첨판 역류의 원인

원인	판막의 형태
원발성	
카르시노이드 증후군	판엽의 비후와 움직임 제한
엡스타인 기형	판엽이 심첨부로 전위되고 형태 이상
심내막염	증식물
심내막심근섬유증	판엽과 심내막의 비후 및 움직임 제한
탈출(prolapse)	판엽의 비후 및 분절의 탈출. 승모판 탈출과 연관되기도 함
심박동기 전극	장기간 삽입된 심박동기 전극
류마티스성	판엽, 건삭, 판막륜의 비후, 석회화, 움직임 제한
심실중격결손	막주위형 심실중격결손 + 중격엽의 판막류로 인한 폐쇄부전
이차성	
기능성	정상 구조의 판막이면서 다른 원인으로 인한 우심실의 확장

PISA 반경과 vena contracta를 측정하는 것은 TR의 중증도를 알아내는데 중요하다(그림 14.3). 측정 방법은 다른 판막과 완전히 동일하다. 기억해 두면 가장 유용한 값은 중증 TR에서 앨리어싱 속도가 40 cm/s일 때 PISA 반경이 > 9 mm이고, vena contracta 폭이 ≥ 7 mm이라는 것이다. 이것은 MR을 평가할 때 PISA lite를 이용하는 것과 유사하다.

스펙트럴 도플러

연속파 도플러를 역류제트의 속도가 빠른 vena contracta가 있는 곳에 정렬시키면 중증도의 반정량적인 추정이 가능해진다. 역류의 스펙트럼의 밀도를 전방혈류와 비교할 수 있다. 경증 TR에서 역류의 경계는 온전하지 않고 밀도가 높지도 않다. 중증도가 심해지면 전방혈류와 비교했을 때 스펙트럼의 밀도가 증가하기 시작한다(그림 14.3). 또한 수축기 후기에 우심방과 우심실의 압력이 같아지면서 속도가 감소하는데 최대 속도를 꼭지점으로 하는 삼각형 형태에 가깝게 나타난다.

그림 14.3

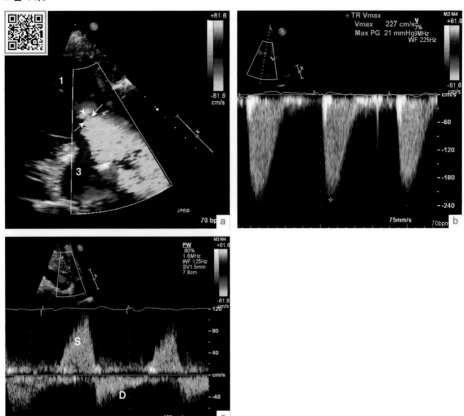

삼첨판 역류의 중증도 평가. (a) 흉골연 단축도. 이 환자는 양방(dual-chamber) 인공 심박동기를 갖고 있어 우심방과 우심실에 전극이 있다. 색도플러에서 크고 넓은 삼첨판 역류제트가 관찰된다. 화살표는 vena contracta를 가리키고 있다. PISA 구역은 색이 갑자기 파란색에서 노란색으로 바뀌는 지점이다(화살촉). PISA에서 판구까지의 반경과 제트의 최대 속도(227 cm/s)를 측정하여 EROA를 계산할 수 있다. **(b)** 삼첨판의 연속파 도플러. 밀도가 높은 삼각형 형태의 역류제트의 스펙트럼이 보이며 중증 역류에 합당하다. 우심실과 우심방 사이의 압력차는 21 mmHg이다. **(c)** 간정맥의 간헐파 도플러: 수축기 혈류역전(S)과 이완기에 우세한 전방 혈류(D)가 보이며 이는 중증 삼첨판 역류를 시사한다. (1) 우심실; (3) 우심방.

이차적인 변화

원발성 판막 질환에 의한 TR의 경우 용적 과다로 인한 우심실 확장이 동반되어 있다면 TR의 중증도가 유의함을 시사하는 소견이다.

역류량이 상당한 경우 우심방 압력은 상승하고 심방과 하대정맥, 간정맥이 확장된다. 큰 정맥으로부터 우심방으로 들어오는 혈류는 수축기에 우세한데 TR로 인해 간정맥의 수축기 전방혈류가 둔화되거나 심한 경우 수축기 혈류 역전이 일어나기도 한다(그림 14.3c).

그림 14.4

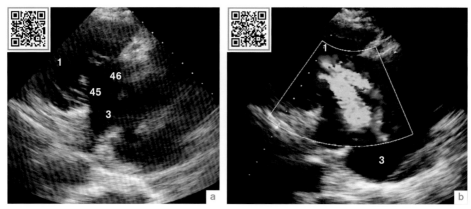

기능성 삼첨판 역류. (a) 우심실과 삼첨판륜의 확장으로 인해 판엽이 접합(coaptation)이 되지 않는다. **(b)** 삼첨판 역류제트가 두 군데 관찰된다. (1) 우심실; (3) 우심방; (45) 삼첨판 중격엽; (46) 삼첨판 전엽.

원인은 무엇인가?

가장 흔한 원인은 압력 또는 용적 과부하로 인해 우심실이 확장되어 생기는 이차적(기능적) 역류가 가장 흔하다. 삼첨판은 구조적으로는 정상이지만 삼첨판륜이 늘어나면서 판엽이 제대로 닫히지 않게 된다(그림 14.4).

판막 자체의 구조적 문제로 인한 원발성 역류의 경우는 엡스타인 기형, 류마티스성 판막 질환, 카르시노이드 증후군, 심내막염 등으로 인해 발생할 수 있지만 상대적으로 드물다. 류마티스성 TR은 주로 좌측 판막 질환(예, 승모판 협착)과 동반되어 나타나고 교련부의 융합과 판엽/건삭의 비후/석회화/당겨짐이 관찰된다. 삼첨판의 심내막염은 특히 정맥으로 약물을 남용하는 사람에게 많이 발생한다. 막주위형 심실중격결손(perimembranous VSD)은 삼첨판의 중격엽에 의해 폐쇄될 수 있는데, 이 결과로 TR이 생길 수도 있다(그림 20.7).

삼첨판 협착(tricuspid stenosis, TS)

TS는 매우 드문 질환이다. 선천적일 수 있지만 카르시노이드 증후군, 뢰플러 심내막 심근섬유증(Loeffler's endomyocardial fibrosis)의 류마티스성 퇴행에서 생기기도 한다. 과거에는 특정 식욕억제제가 원인이 되기도 했다. 모든 경우에 판막이 두꺼워지고 움직임이 제한되며 삼첨판 하부 구조물을 침범하는 경우도 종종 있다(그림 14.5). 협착과 역류가 혼재되어 있는 경우도 많이 있다.

판막을 평가하는 기본 원칙은 승모판 협착과 같지만 판구 면적의 직접 측정(planimetry)은 시행하지 않는다. 간헐파 도플러로 삼첨판을 지나는 유입 혈류의 정보를 얻어 다음을 측정한다.

그림 14.5

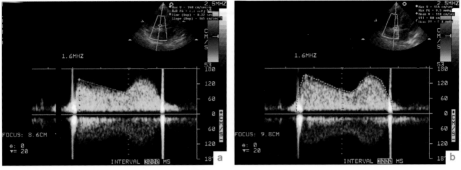

삼첨판 협착의 평가. (a) 압력 반감 시간의 측정. (b) 삼첨판의 평균 압력차 측정.

1. 압력 반감 시간(그림 14.5a): 삼첨판 전후의 압력차가 최고에서 그 절반으로 감소하는데 걸리는 시간이다. 초기 이완기 혈류의 감속도 같이 측정한다. 압력 반감 시간 > 190 ms이면 중증 협착을 의미한다(판막 면적 < 1.0 cm^2).
2. 평균 압력차(그림 14.5b): 전방혈류의 도플러 스펙트럼을 따라 그려 판막 앞뒤의 평균 압력을 구한다: 경도는 < 2 mmHg, 중등도는 2~5 mmHg, 중증은 > 5 mmHg이다.

순수한 TS에서 우심실은 대부분 정상 구조와 기능을 보인다. TS에 의한 이차적인 변화로 우심방 확장, 하대정맥의 울혈, 폐정맥 수축기 전방혈류의 감소가 있다.

폐동맥판 협착(pulmonary stenosis, PS)

PS는 선천적일 수 있는데 단독으로 발생하는 경우도 있고 다른 선천성 심장 이상과 동반되기도 한다. 특히 Noonan 증후군과 연관되어 있는데 판막의 형태 이상으로 인해 판막의 비정상적인 비후가 생긴다. 후천적인 PS의 경우 류마티스성 심장질환과 카르시노이드 증후군으로 인해 이차적으로 발생하지만 빈도는 드물다.

특정 선천성 심질환(예, 팔로 네징후 – tetralogy of Fallot)에서 섬유근성 협착에 의한 폐동맥판 상부 혹은 하부 협착을 동반할 수 있으며, 폐동맥판 협착의 도플러 초음파 소견과 유사하므로 감별에 주의가 필요하다.

폐동맥판 협착의 평가

압력차

폐동맥판의 압력차를 베르누이 공식을 이용해 평가하는 것은 대동맥판과 동일하게 적용할 수 있다. 연속파 도플러를 폐동맥판 혈류에 정렬하는데 일반적으로 흉골연 단축도를 이용한다(그림 14.6). 최대 속도를 측정하면 압력차 = 4V^{2}이 된다.

그림 14.6

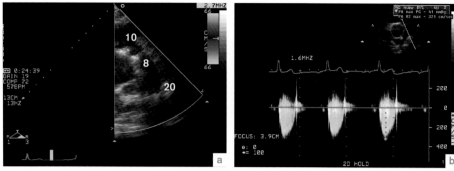

폐동맥판 협착. 어린 환자가 ROSS procedure(대동맥판의 이상이 있을 때 자신의 대동맥판과 폐동맥판을 서로 맞바꾸어 이식하는 수술 – 역자 주)를 시행받아 폐동맥판을 자가이식하였다. **(b)** 연속파 도플러에서 폐동맥판 협착과 역류가 보인다. 순간 최대 압력차는 41 mmHg로 경증 협착에 해당한다.
(8) 폐동맥판; (10) 우심실 유출로; (20) 폐동맥.

PS의 중증도를 구분하면 경증 < 50 mmHg, 중등도 50~80 mmHg, 중증 > 80 mmHg이다.

연속성 공식

폐동맥판 면적은 연속성 공식을 이용(제12장 참고)해 계산할 수 있다.

$$\text{폐동맥판 면적} = \frac{\text{area}_{RVOT} \times VTI_{RVOT}}{VTI_{PV}}$$

우심실 유출로(RVOT)의 면적(area$_{RVOT}$)은 폐동맥판 아래쪽의 RVOT에서 계산할 수 있고 RVOT의 속도–시간 적분(VTI$_{RVOT}$)는 간헐파 도플러를 이용해 RVOT를 지나는 혈류에서 얻을 수 있고 폐동맥판(PV)의 VTI (VTI$_{PV}$)는 연속파 도플러로 폐동맥판을 지나는 혈류에서 얻을 수 있다. VTI 대신 최대 속도를 사용할 수도 있다. 폐동맥판 면적에 따른 PS의 중증도는 경증 1~2 cm^2, 중등도 0.5~1.0 cm^2, 중증 < 0.5 cm^{2}이다.

폐동맥판 역류(pulmonary regurgitation, PR)

PR은 선천적으로 폐동맥판이 없거나 형성이상이 있는 경우에 생긴다. 후천적으로는 류마티스성 판막 질환, 카르시노이드 증후군, 감염성 심내막염, Marfan 증후군과 폐고혈압으로 인해 이차적으로 폐동맥륜이 확장되어서 생긴다.

폐동맥판 역류의 평가

PR은 흉골연 단축도에서 색도플러를 이용해 발견할 수 있다(그림 14.7a). 이후 스펙트럴 도플러를 역류제트에 정렬한다(그림 14.7b). PR의 중증도를 평가하는 기본 원칙은

그림 14.7

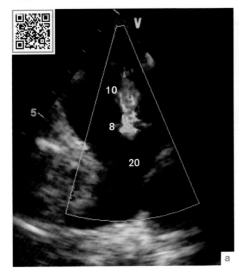

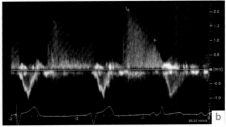

폐동맥판 역류. (a) 흉골연 단축도의 색도플러. 중심성의 좁은 폐동맥판 역류제트가 보인다. **(b)** 압력 반감 시간을 측정하기 위해 연속파 도플러의 커서를 역류제트에 위치시킨다. (8) 폐동맥판; (10) 우심실 유출로; (20) 폐동맥.

AR과 유사하다. 다른 판막 질환과 마찬가지로 여러 지표를 고려해야 한다.

판막의 형태

판엽에 중증 이상(예, 교합의 실패, 비후, 파괴)의 증거가 있으면 폐동맥판 역류가 유의미할 수 있다. 또한 폐동맥판륜이 늘어났는지도 확인해야 한다.

색도플러

의미 있는 PR의 경우 우심실 유출로(RVOT) 직경에 비해 역류제트의 폭이 넓다. 통용되는 명확한 기준(cut-off) 값은 없다. 제트의 길이가 20 mm를 넘거나 제트 면적이 > 1.5 cm²이면 중증 역류를 시사한다(그림 14.7).

연속파 도플러

폐동맥 전방혈류와 비슷한 밀도의 역류 신호가 있다면 의미 있는 PR이 있다고 볼 수 있다. 역류제트의 압력 반감 시간을 측정해야 하며 경증이면 > 100 ms, 중등도와 중증에서는 < 100 ms이다.

정량적 기법

제11장에서 설명한대로 역류 분획을 계산할 수 있으며 경증은 < 40%, 중등도는 40~60%, 중증에서는 > 60%이다.

이차적인 변화

중등도 이상의 만성 PR은 우심실 용적 과부하, 확장, 비후를 일으킨다.

우측 판막 질환

삼첨판과 폐동맥판은 심내막염이나 류마티스성 판막 질환과 같은, 다른 판막에 영향을 주는 병적 변화에 민감하다. 한편으로는 특정 판막에 특이적인 상황도 있으므로 잘 판단해야 한다.

삼첨판 탈출

삼첨판의 탈출은 승모판 탈출과 자주 동반되어 나타난다(제13장 참고). 이 상태는 심첨 4방도에서 판막이 비후되고 판엽이 삼첨판륜면의 근위부 쪽으로 전위되는(승모판과 유사한) 기준으로 찾아낸다(그림 14.8).

카르시노이드 증후군(carcinoid syndrome)

카르시노이드 심장질환은 다양한 판막의 섬유화가 특징인데, 특히 삼첨판과 폐동맥판을 침범한다. 판엽은 두꺼워지고 운동성이 저하되어 중증의 역류를 일으키고 때로는 협착증을 유발한다(그림 14.9). 이 질병은 위장관에서 발생한 카르시노이드 종양이 배출하

그림 14.8

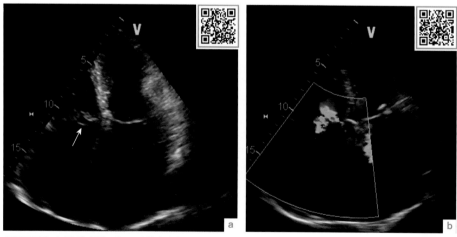

삼첨판 탈출. (a와 b) 심첨 4방도. 삼첨판의 후엽이 탈출하여 경증의 삼첨판 역류를 유발하였다.

그림 14.9

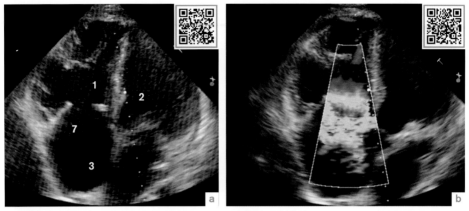

카르시노이드. **(a와 b)** 심첨 4방도. 삼첨판엽이 두꺼워지고 수축기 중기에 뻣뻣하게 열려 삼첨판 협착과 역류를 동시에 일으켰다. 중증의 우심실 확장도 동반되어 있다. (1) 우심실; (2) 좌심실; (3) 우심방; (7) 삼첨판.

는 세로토닌 과다로 인해 생긴다. 카르시노이드 종양이 폐에 있다면 좌측 판막 질환이 생길 수도 있다. 특정 약제(예전에 사용되던 식욕억제제)가 유사한 판막 이상을 유발할 수 있음이 알려져 있다.

엡스타인 기형(Ebstein's anomaly)

이것은 삼첨판의 선천성 이상으로 삼첨판의 중격엽이 심첨부로 전위된다(승모판에 비해 8 mm이상). 다른 판막의 전위가 동반될 수도 있다. 판엽은 구조적으로 비정상이며 TR이 생기고 결국 우심실과 우심방의 확장을 가져온다(그림 14.10). 이 이상은 선천적이지만 성인에서 우심부전의 형태로 처음 발견되는 경우도 있다. 또한 우측 방실 부전도로(right-sided accessory atrioventricular conduction pathway)가 있는 조기흥분증후군(Wolff-Parkinson-White)과 관련이 있는 경우가 있다.

우측 심장의 압력 평가

우측 심장기능의 혈역학적 정보로서 폐동맥, 우심실, 우심방의 압력은 삼첨판과 폐동맥판의 도플러 검사를 통해 비교적 쉽게 추정할 수 있다. 우측 심장 판막에 중증의 기능 장애가 있다면 이런 추정치들에 내재된 가정들이 유효하지 않을 수도 있으므로 주의해야 한다.

우심방 압력(right atrial pressure)

우심방 압력은 정맥의 충만, 우심실기능, 우측 심장의 판막 질환의 중증도를 반영하는

그림 14.10

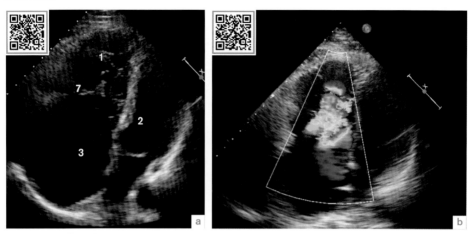

엡스타인 기형. (a와 b) 심첨 4방도. 삼첨판이 심첨부 쪽에 치우쳐 있어 비정상적인 형태로 보인다. 중증 삼첨판 역류가 보인다. (1) 우심실; (2) 좌심실; (3) 우심방; (7) 삼첨판.

그림 14.11

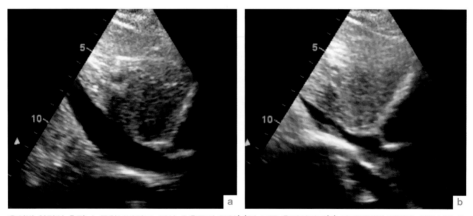

우심방 압력의 추정. 늑골하부단면도. 정상 호흡주기 동안**(a)**과 코를 훌쩍이면서**(b)** 하대정맥의 직경과 허탈성을 측정한다. 이 증례의 우심방 압력은 5~10 mmHg이다.

혈역학적으로 중요한 지표이다. 이는 늑골하부단면도에서 하대정맥의 직경과 허탈성(collapsibility)을 측정하여 평가할 수 있다(그림 14.11). 우심방 압력이 정상이면 간내 하대정맥의 직경은 정상(< 2.5 cm)이고, 흡기 시 허탈된다(collapse). 코를 훌쩍이는 짧은 흡기가 허

표 14.2 하대정맥의 직경과 허탈성에 따른 우심방 압력의 평가

하대정맥 직경(cm)	허탈성(collapsibility)	평균 우심방 압력(mmHg)
< 1.5	완전히 허탈됨	0~5
1.5~2.5	> 50%	5~10
1.5~2.5	< 50%	10~15
> 2.5	< 50%	15~20
> 2.5	전혀 허탈되지 않음	> 20

탈성을 확인하는 데 가장 좋은 검사법이다(그림 14.11). 하대정맥의 확장과 허탈성의 감소는 우심방이 상승했음을 보여주는 지표이다(표 14.2).

우심실 수축기압(right ventricular systolic pressure, RVSP)

RVSP는 TR이 있는 경우에만 추정할 수 있다. 이는 제트가 만들어내는 속도가 압력차를 반영한다는 원리를 이용한 베르누이 공식을 통해 추정하기 때문이다(그림 14.12). TR의 최대 속도는 우심실 자체의 최고 압력이 아니라 우심실과 우심방 사이의 최대 압력차를 반영한다. 따라서,

RVSP = (TR 제트로 구한 압력차) + (우심방 압력)

가 된다. TR은 흔히 볼 수 있지만 제트가 미미할 경우 정확히 최대 속도를 측정하는 것이 어려울 수 있다.

폐동맥 수축기압(pulmonary artery systolic pressure, PASP)

PASP는 2가지 방법으로 추정할 수 있다. 첫 번째는 폐동맥 수축기압과 우심실 압력이 수축기에 같아진다는 점을 이용한다. 이것은 우심실과 폐동맥에 폐쇄가 없다는 가정을 전제로 한다(예, PS).

PASP = RVSP = (TR 제트로 구한 압력차) + (우심방 압력)

폐동맥 압력의 대략적인 참고범위는 표 14.3에 나와 있다. 실제로 범위를 구분하는 정확한 기준(cut-off) 값이 합의되지 않았으며, 노인에서 종종 폐동맥 압력이 특별한 병적 상태가 아니어도 증가할 수 있다는 것이 잘 알려져 있다.

두 번째 방법은 폐동맥 가속 시간을 측정하는 것이며 눈에 보이는 TR이 없는 환자에서 유용하다. 이것은 폐동맥 혈류의 시작점에서 최대 속도에 도달하는 데까지 걸리는 시

그림 14.12

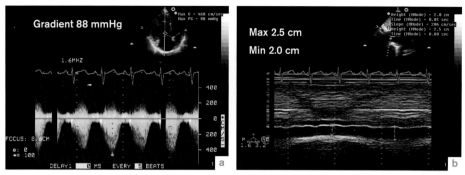

폐동맥 수축기압의 측정. (a) 삼첨판 역류제트의 연속파 도플러. (b) 하대정맥의 M-모드. 폐동맥 수축기압은 삼첨판 사이의 압력차(88 mmHg)와 우심방 압력(10~15 mmHg)의 합이다.

표 14.3 폐동맥 수축기압의 구분

중증도	압력(mmHg)
정상	< 35
경증	< 45
중등도	< 60
중증	≥ 60

간을 측정하며(그림 14.2b) > 140 ms는 정상 폐동맥 압력을, < 90 ms는 폐동맥 수축기압이 70 mmHg를 넘음을 시사한다.

폐동맥 이완기압(pulmonary artery diastolic pressure)

폐동맥 이완기압의 평가는 PR이 있을 때만 가능하다. 우심실과 폐동맥 사이의 역류 속도는 이완기 때 압력차에 의존적이다. 압력차는 PR의 이완기말 속도를 이용해 베르누이 공식으로 계산할 수 있다. 정확한 폐동맥 이완기압을 계산하기 위해서는 이완기말 우심실 압력(압력차에 영향을 주기 때문)도 필요하지만 심초음파로 직접 측정할 수 없으므로, 이완기말 우심실 압력은 TS가 없다면 우심방 압력과 같다고 간주할 수 있다. 따라서,

이완기말 폐동맥 압력 = $4V^2$ + (우심방 압력)

이 된다. 이때 V는 PR 제트의 이완기말 속도이다(그림 14.13).

그림 14.13

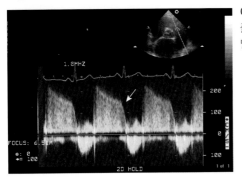

이완기말 폐동맥 압력의 측정. 폐동맥판 역류에 연속파 도플러를 정렬한다. 이완기말 속도(화살표)를 이용해 이완기말 폐동맥 압력 계산할 수 있다.

결과 보고

삼첨판 역류의 보고

요약
- 중증도
- 기저 진단/기전

정성적 자료
- 판엽의 구조(예, 정상, 탈출, 비후, 석회화, 증식물, 천공)
- 판엽의 운동성(예, 동요, 움직임의 제한)
- 삼첨판 하부 구조물과 판막륜의 구조(예, 비후, 파열)
- 제트의 특성: 개수, 중심성/편심성, 벽에 충돌 여부, 범위
- 연속파 도플러 특성

정량적 자료
- Vena contracta 폭
- PISA 반경(앨리어싱 속도는 40 cm/s로 설정)
- 유효 역류판구 면적(EROA)
- 역류 분획/용적

기타
- 폐동맥 압력
- 우심실 직경, 기능
- 우심방 직경
- 하대정맥 직경과 허탈성(collapsibility)
- 간정맥 혈류 양상

결과 보고

삼첨판 협착의 보고
  요약
    − 중증도
    − 기저 진단
  정성적 자료
    − 판엽의 구조(예, 비후, 석회화)
    − 판엽의 기능(예, 움직임 제한)
    − 삼첨판 하부 구조물의 형태와 기능
    − 압력 반감 시간
    − 평균 압력차
  정량적 자료
    − 압력 반감 시간
    − 평균 압력차
  기타
    − 관련 판막 질환(예, 삼첨판 역류)
    − 우심실 직경
    − 우심방 직경
    − 하대정맥 직경
    − 간정맥 혈류 양상

결과 보고

폐동맥판 역류의 보고
  요약
    − 중증도
    − 기저 진단/기전
  정성적 자료
    − 폐동맥판의 구조(예, 정상, 비후, 석회화, 증식물, 천공, 잘 안 닫힘, 판막륜 확장)
    − 폐동맥판의 기능
    − 제트의 특성: 개수, 중심성/편심성, 벽에 충돌 여부, 역류의 범위
    − 연속파 도플러 특성
  정량적 자료
    − 제트 길이/면적
    − (제트의 폭)/(우심실 유출로의 폭)
    − 압력 반감 시간
    − 역류 분획/용적
  기타
    − 폐동맥 압력
    − 폐동맥 직경
    − 우심방, 우심실, 하대정맥, 폐동맥의 직경
    − 우심실기능
    − 폐정맥 혈류 양상
    − 관련 판막 질환

결과 보고

폐동맥판 협착의 결과 보고

요약

– 중증도

– 기저 진단

정성적 자료

– 판막의 구조

– 석회화: 중증도, 분포

– 소엽의 열림: 제한의 정도

정량적 자료

– 최대 속도

– 최대 압력차

– 평균 압력차

– 판막 면적 추정치

기타

– 우심실 직경

– 우심실 비대 여부

– 폐동맥 직경

– 관련 판막 질환

– 폐동맥판 하부/상부 협착의 증거

CHAPTER 15

감염성 심내막염

감염성 심내막염(infective endocarditis, IE)은 주로 심장의 판막이나 심내막에 생기는 세균 감염증이다. 이것은 빠른 진단과 즉각적이고 적절한 항생제 치료가 필요하며, 간혹 판막 치환술이 필요할 정도의 심각한 상태를 초래하기도 한다. 대부분의 증례에서 감염에 취약한 기존의 구조적 이상을 동반한다. 심장 내 인공구조물(예, 중심정맥도관, 심박조율기 전극, 인공판막)이 있다면 감염에 취약할 수 있다.

진단

증식물(vegetation)은 감염성 심내막염의 특징적 소견으로 판막 또는 심내막의 기타 부분에 붙어있는 섬유소(fibrin)의 감염 덩어리이다. 전형적으로 판막과 독립적으로 움직이며, 덩어리는 목을 통해 연결되어 붙어있다(pedunculated mass)(그림 15.1). 증식물의 진자운동(oscillating movement)을 더 세밀하게 평가하기 위해서는 동영상을 천천히 돌려보아야 한다. 이 장에 있는 온라인 영상을 잘 살펴보자.

적절한 임상소견이 있다면 증식물이 심내막염의 주요 증거가 된다. 다만, 보이는 증식물이 없다고 해서 감염성 심내막염의 진단을 완전히 배제하기는 어렵다. 경흉부 심초음파로 직경 2 mm 미만의 증식물은 대부분 발견하기 어렵고, 전형적인 증식물이 항상 관찰되는 것도 아니다. 특히 인공판막이 있는 환자의 경우 경흉부 심초음파만으로는 적절히 관찰되지 않는 경우가 많다. 또한 무경성 종괴(sessile mass)의 경우 감염에 의한 판막 기능이상이나 판막 파괴를 일으켜 판막이 전반적으로 두꺼워진 것처럼 나타나기도 한다(그림 15.1c와 d). 성공적인 치료에도 증식물이 항상 줄어드는 것은 아니며, 증식물이 있더라도 단순히 이전에 감염성 심내막염이 있었음을 의미할 수도 있다.

그림 15.1

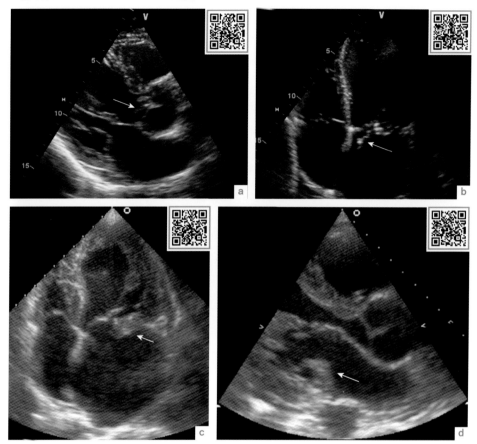

증식물의 예. (a) 작은 유경성 증식물(화살표)이 승모판과 대동맥판에 붙어 있다. **(b)** 승모판 전엽의 큰 유경성 증식물. **(c)** 승모판 전엽의 무경성 증식물(화살표). **(d)** 포도상구균 심내막염 증례에서 나타난 승모판 후엽의 비후. 판엽이 현저히 비정상이며, 수일 후 큰 증식물이 생성되었다.

따라서, 감염성 심내막염의 진단은 순전히 증식물의 확인에만 전적으로 의존할 수 없으며 혈액배양에서 전형적인 미생물의 분리 동정 등 전반적인 임상소견에 기초해야 한다. 감염성 심내막염이 강력히 의심된다면 경흉부 심초음파만으로는 결론을 내리기 어려운 경우가 많으므로 경식도 심초음파를 함께 시행해야 한다.

감염이 가장 흔한 부위는 대동맥판과 승모판이다. 여러 판막을 침범하는 것은 흔하지 않지만 일단 감염성 심내막염이 진단되면 모든 판막을 철저히 검사해야 한다. 선천성 심장질환의 경우에는 션트(shunt)와 인공 전도로(artificial conduit)에 감염이 될 수도 있다. 일부 의료기관에서는 모든 감염성 심내막염 환자에서 병변의 범위를 확인하고 의심하지 못했던 합병증을 배제하기 위해 치료 과정 초기부터 경식도 심초음파를 시행한다.

감염성 심내막염 외에도 판막 종괴를 일으킬 수 있는 다양한 질환들이 있다(표 15.1). 감

표 15.1 판막 종괴의 감별 진단

감별진단	특징
급성 감염성 심내막염	판막이 파괴됨. 혈액배양검사 양성
치료된 감염성 심내막염	감염성 심내막염의 병력. 판막의 석회화
비감염성 혈전성 심내막염	악성질환/면역질환이 있음
Libman–Sacks 심내막염	전신홍반루푸스가 있음. 대체로 무경성
류마티스성 판막염	판막 끝이 두꺼워짐. 급성 류마티스 열의 임상적 특징
건삭 파열	기저에 승모판 탈출이 있음
탄력섬유종	대부분 대동맥판 혹은 승모판에. 고사리잎 모양(frond–like appearance)에 목이 있음(그림 18.7). 다른 판막은 정상. 색전증 위험이 높음
Lambl's excrescence	대동맥판 혹은 승모판의 접합 부위에 퇴행성 병변. 2 mm 미만의 크기(경흉부 심초음파에서는 잘 관찰되지 않음). 판막 기능이상은 없음
심방 점액종	판막에는 매우 드묾. 보통 심방중격에 붙어 있음(그림 18.1).
혈전	보통 벽재성(그림 18.6)

별진단의 범위는 매우 넓고, 일반적 소견만을 토대로 병변을 구별하는 것은 불가능하다. 오히려 다른 추가적인 임상적 정보들이 감별진단의 단서가 될 수 있다.

합병증

농양 형성(abscess formation)

농양은 판막의 감염이 판막 주변부 구조물과 심근으로 퍼져서 고름이 모이게 되어 형성된다. 이것은 대개 판막 주변부가 두꺼워진 영역에 고반향성을 보이거나, 무반향성 공동(echolucent cavity)처럼 보인다. 이것을 인지하는 것이 중요하고, 항생제 치료가 실패할 가능성이 높기 때문에 대개 판막 치환술이 필요하다. 가장 흔한 부위는 대동맥근(그림 15.2)과 승모판륜이다. 완전방실차단과 누관 형성과 같은 기타 합병증을 일으킬 수 있다.

판막 파괴(valve destruction)

감염성 심내막염은 판엽 파괴 혹은 건삭 파열에 의해 천공(그림 15.3) 혹은 연가양 판엽(flail leaflet, 판엽이 펄럭거림) 및 판막 기능이상을 유발할 수 있다. 이 경우 항상 역류

그림 15.2

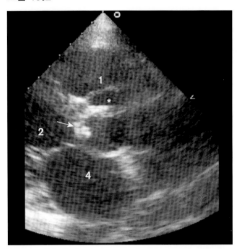

대동맥근 농양. 흉골연 장축도. 대동맥판의 비관상동 첨판 (화살표)과 대동맥근 주변 조직이 비정상적으로 두꺼워져 있다. 대동맥근과 우심실 사이의 무반향성(echolucent) 부위는 농양(*)을 나타낸다. (1) 우심실; (2) 좌심실; (4) 좌심방.

그림 15.3

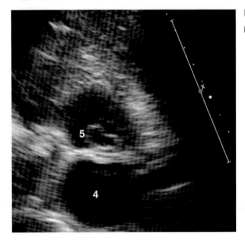

대동맥판 천공. 확대된 흉골연 단축도. (4) 좌심방; (5) 대동맥판.

를 동반하므로 파국적인 상황이 될 수 있다.

전파(seeding)

때때로 역류제트(regurgitant jet)에 의해 다른 판막 또는 심내막으로 퍼져서 이차성 병변이 생기기도 한다(그림 15.4).

색전성 합병증(embolic complications)

증식물의 크기가 큰 경우(> 10 mm) 색전증의 위험성은 더 높다(그림 15.5). 따라서, 증식물의 크기를 여러 영상에서 측정해야 한다.

그림 15.4

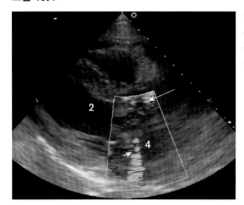

이차성 심내막염 병변. 흉골연 장축도. 중증의 대동맥판 역류를 동반한 대동맥판 심내막염(화살표). 역류제트가 승모판 전엽에 부딪쳐 판엽에 천공이 생기고 이차적인 승모판 역류제트(화살표 머리)를 일으킨다. (2) 좌심실; (4) 좌심방.

그림 15.5

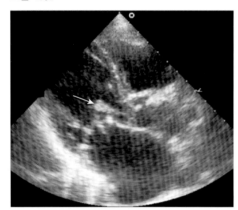

큰 증식물. 대동맥판의 2 cm 길이의 증식물.

인공판막 파열(prosthetic valve dehiscence)

인공판막의 감염은 인공판막의 골격부를 판막륜에 고정시키는 봉합사와 조직의 파괴를 유발할 수 있다. 이것은 판막의 흔들림 또는 주위 조직과 독립적으로 심하게 움직이는 판막의 파열(dehiscence)로 알려져 있으며, 단순한 판막 주변부 누출(paraprosthetic leak)로 오인할 수 있다. 이 상황은 만성적일 수 있고 감염이 없을 때도 생길 수 있지만 새로운 판막 파열을 발견하는 경우 감염성 심내막염을 의심할 수 있어야 한다. 인공 판륜환(annuloplasty ring)이나 심박동기 전극과 같은 이식된 구조물들도 감염될 수 있다(그림 15.6).

그림 15.6

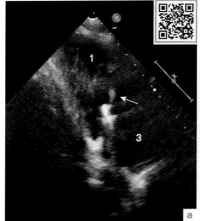

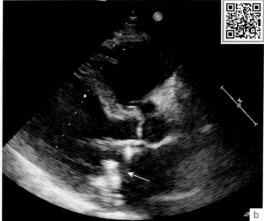

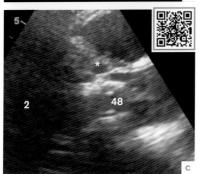

심장 내 인공 구조물에 발생한 심내막염. (a) 감염된 우심실 내 심박동기 전극(화살표). **(b)** 승모판 복구술 후 감염된 승모판 판륜환(annuloplasty ring). **(c)** 대동맥근 농양(*)을 동반한 치환된 대동맥 생체인공판막의 증식물(화살표). (1) 우심실; (2) 좌심실; (3) 우심방; (48) 대동맥근.

감염에 취약한 상태의 발견

　포도상구균(*Staphylococcus aureus*)처럼 감염력이 매우 강력한 균을 제외하면 완전히 정상인 판막이 감염되는 경우는 드물다. 심내막염의 위험은 기존 구조물의 이상여부에 달려 있으며, 심내막염의 과거력, 인공판막, 교정되지 않은 청색성 선천성 심장질환이 있는 환자에서 가장 위험이 높다. 이처럼 감염에 취약한 상태에서 균혈증이 생기기 쉬운 시술(예, 치과 치료) 시 항생제 예방요법의 적절성에 대한 다양한 가이드라인들이 나와 있다.

결과 보고

심내막염의 가능성이 있을 때 보고

요약

- 가능한 진단
- 이환된 판막
- 합병증
- 경식도 심초음파 등의 추가 검사 필요 여부

정성적 자료

- 이환된 판막
- 판엽/첨판의 이환 여부
- 판엽의 완전성 여부: 양호함, 역류, 천공, 연가양 판막, 파열
- 농양
- 판막 외 구조의 이환 여부

정량적 자료

- 증식물의 직경

기타

- 역류의 중증도 평가

CHAPTER
16

인공판막

인공판막의 종류(types of prosthetic valve)

인공판막은 어렵다고 생각할 수 있지만 크게 기계판막과 조직판막의 2가지 종류로 나누며 시작할 수 있다(그림 16.1). 심초음파 검사자는 다양한 인공판막의 종류와 기능을 평가하는 원칙에 대해 알 필요가 있다.

기계판막(mechanical valve)

기계판막은 금속 테두리를 뼈대로 하며 금속이 아닌 부분을 포함하고 있기도 한다. 판막의 디자인은 지속적으로 발전하고 변화해 왔지만 기본적인 구조는 동일하다. 직물로 된 봉합고리(sewing ring)가 있어 외과 의사가 판막을 조직에 꿰맬 수 있게 하고, 판막의 틀과 교합기(occluder)는 혈류를 한 방향으로만 흐르도록 한다. 기계판막들 간에 가장 큰 차이는 이 교합기의 작용기전이다. 1960년대에 디자인된 초기 모델은 새장 속 공모양(ball and cage. 예, Starr-Edwards)의 형태였으며 아직 이 삽입물을 갖고 있는 환자들도 더러 있다. 이 형태는 단일첨판이 기울어져 움직이며 열고 닫히는 경사디스크형(single tilting disc. 예, Björk-Shiley)과 두 첨판이 기울어져 움직이며 열고 닫히는 이엽성 기계판막(bileaflet tilting disc)(그림 16.1-16.3)으로 대체되었다. 이엽성 기계판막 형태가 혈역학적으로 가장 바람직하며 현재 가장 많이 사용되고 있다.

생체인공판막(bioprosthetic valve)

이 판막에 사용되는 조직은 다양한 곳에서 얻는다. 사람의 시신(동종이식편, allograft)이나 돼지(이종이식편, xenograft)의 정상적인 판막을 떼어내 사용하기도 한다. 판막은 심낭조직(예, 소)을 이용하여 다양한 형태의 뼈대(예, Carpentier-Edwards, Ionescu, Wessex)에 얹기도 한다. 일반적으로 생체인공판막은 심초음파로

그림 16.1

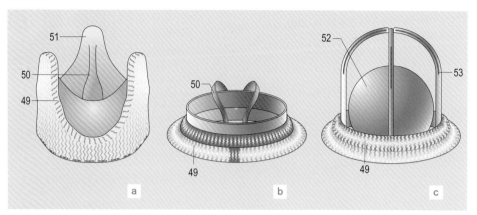

인공판막의 종류. (a) 인공뼈대가 있는(stented) 생체인공판막(St. Jude, 소의 심낭 조직 사용). **(b)** 이엽성 기계판막(Sorin). **(c)** 새장 속 공모양 인공판막(Starr-Edward). (49) 봉합고리(sewing ring); (50) 첨판; (51) 인공뼈대(stent); (52) 공(ball); (53) 새장(cage).

그림 16.2

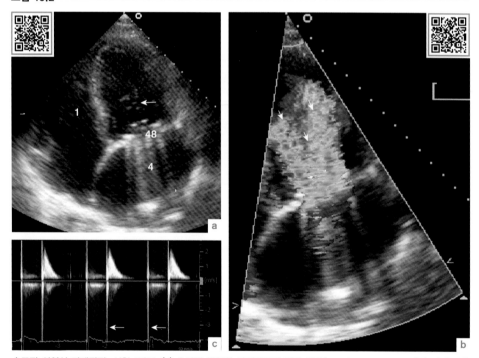

승모판 이엽성 기계판막. 심첨 4방도. **(a)** 승모판 이엽성 기계판막의 반향 허상(reverberation artefact)에 의해 넓은 그림자를 좌심방에 만들어 다른 구조를 완전히 가린다. 그리고 좌심실에 생리식염수 기포도 관찰된다(화살표). **(b)** 인공판막의 형태 때문에 3개의 전방 혈류 제트가 보인다(화살표). **(c)** 연속파 도플러: 인공판막을 지나는 혈류는 자가판막과 동일한 방식으로 평가한다(예, 압력 반감 시간, 평균 압력차). 판막이 열리고 닫힐 때 허상이 만들어지는 점에 주목한다(화살표). (1) 우심실; (4) 좌심방; (48) 승모판 이엽성 기계판막.

그림 16.3

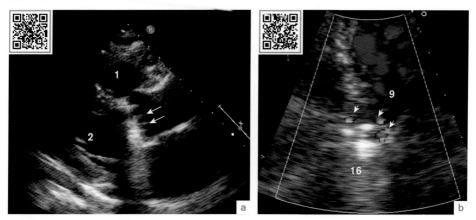

대동맥판 이엽성 기계판막. (a) 흉골연 장축도. 2개의 기계 첨판이 잘 보인다(화살표). (b) 심첨 5방도의 색도플러(확대). 이완기 때 3개의 제트가 보인다(화살표). 이것은 사용된 판막의 종류를 고려했을 때 정상 소견이다. (1) 우심실; (2) 좌심실; (9) 좌심실 유출로; (16) 대동맥.

그 종류를 구분하기 어렵다. 대부분의 생체인공판막은 인공뼈대와 봉합고리를 가지고 있어(stented bioprosthesis) 음영 반사가 보이지만(그림 16.8), 일부 뼈대가 없는(stentless) 판막의 경우 음영 반사가 관찰되지 않는다.

정상 기능

형태

　인공판막의 기능을 평가하는 것은 판막의 형태에서부터 시작한다. 기계판막과 인공뼈대가 있는 생체인공판막(stented bioprosthesis)은 음영 반사가 매우 많아 판박과 그 주변의 구조가 완전히 가려지는 경우가 종종 있다. 실제로도 음향 음영(소리그림자, acoustic shadowing)과 반향 허상(reverberation artefact)이 판막의 평가를 어렵게 한다(그림 16.2).

　서로 다른 기계판막의 디자인은 특징적인 외형을 나타내지만 이것으로 항상 완전히 식별이 가능하지는 않다.

　자연판막의 외과적 복구술(surgical repair)은 특히 승모판 탈출에서 매우 흔히 시행되며, 승모판륜을 지지하기 위해 종종 플라스틱 고리를 이식하기도 한다(그림 16.4).

　인공판막을 볼 때 처음 할 일은 판막의 종류를 파악하고, 판막의 위치가 적절한지를 알아내는 것이다. 그 다음에 움직이는 부분(판엽, 디스크, 공)을 관찰하여 움직임이 지연되거나 제한되거나 기타 비정상적인 모습을 띄지 않는지 확인한다. 마지막으로 판막 주변부 조직의 증식으로 형성되는 판누스(pannus), 혈전, 증식물과 같이 판막에 붙어있는 비정상적인 구조의 유무를 파악해야 한다. 작은 실 형태의 구조가 간혹 인공판막에서 보이는데 이는 수술 봉합사가 봉합링에서 돌출된 것으로 정상으로 간주한다. 하지만 혈전과 증식물을 감별하는 것은 쉽지 않다. 마지막으로 작은 기포가 보일 수 있는데, 이것은

그림 16.4

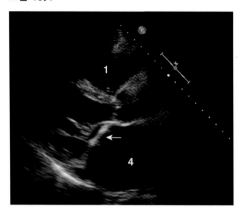

승모판륜 링. 흉골연 장축도. 이 환자는 승모판성형술을 받 았는데 판륜환(annuloplasty ring, 화살표)을 삽입하여 판 막륜이 확장된 것을 교정하였다.
(1) 우심실; (4) 좌심방.

판막의 금속 부분 근처에서 생긴 와류(turbulence)에 의해 생긴 미세공동(microcavitation) 이며 정상 소견으로 간주한다(그림 16.2). 이것들은 완전히 정상이다.

기능

인공판막은 도플러 기법을 모두 동원하여 자가판막과 동일한 방식으로 평가해야 한다. 현실적으로 인공판막은 정상적인 자가판막의 기능과 완전히 동일하지 못하기 때문에 혈류 평가 시 대부분 약간의 협착이 생기는 경향이 있다. 인공판막의 기능 평가 시 자연판막을 평가할 때 적용하는 원리를 똑같이 활용하여 연속파 도플러로 평가해야 한다. 각 판막의 종 류와 크기에 따른 참고치(정상 범위)가 제시되고 있지만, 협착 여부를 볼 때 일반적으로 가 장 중요한 원칙은 자연판막의 기준에서 경도 이상이라면 문제가 있다는 것이다. 예외적으 로 Starr-Edwards 판막같이 오래된 형태의 경우 중등도 협착까지도 정상 범위로 본다. 인공 판막의 판구는 복잡하기 때문에 여러 개의 제트가 생길 수 있어(그림 16.2) 정확한 압력차 와 판막 면적을 정확히 추정하는 것은 어려울 수 있다. 이엽성 기계판막의 압력차는 기술적 으로 과대평가되는 경우가 대부분인데, 이는 가운데 판구를 지나는 압력차가 판막 틀과 디 스크 사이에 있는 2개의 측부 판구보다 낮기 때문이다. 판막 역류가 보이는 경우도 흔한데 (특히 이엽성 기계판막), 이는 판막 혈전의 위험을 줄이기 위해 소량의 'washout jet'이 생기 도록 설계되었기 때문이다(그림 16.3b).

인공판막 기능이상

판막 주변부 누출(paravalvular leakage)

판막 안쪽을 직접 통과하지 않고 틀 주변으로 역류되는 것은 비정상적인 소견이다(그 림 16.5). 이것은 봉합고리와 주위 조직이 떨어졌다는 것을 의미한다. 그 원인으로 감염, 너덜너덜한 판막 주위 조직 또는 봉합이 잘 되지 않은 경우 등이 있다. 역류의 중증도나 판막 위치의 안정성, 기저 원인에 따라 잘 보이는 정도가 다를 수 있다. 경도나 중등도의 판막 주변부 누출은 감염이 없거나 더 악화되지 않으면 큰 문제없이 견디는 경우도 있

그림 16.5

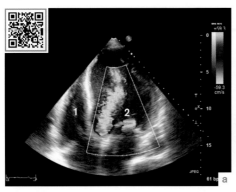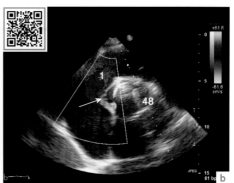

판막 주변부 역류. (a) 심청 5방도의 색도플러. 중증 판막 역류가 보인다. **(b)** 흉골연 단축도의 색지도도 Starr-Ed-wards(새장 속 공모양) 판막이 대동맥에 삽입되어 있다. 역류제트가 인공판막 밖에서부터 시작되고 있다(화살표). (1) 우심실; (2) 좌심실; (48) 대동맥판 기계판막.

그림 16.6

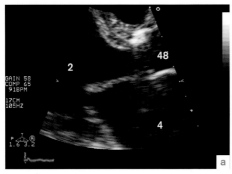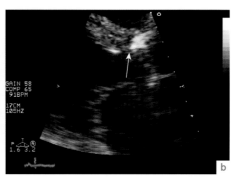

인공판막 분리. 흉골연 장축도(확대). 인공 대동맥판과 판막 주변부 조직이 여러 심장주기에서 떨어져 보인다(화살표). 이런 흔들림(rocking motion)은 첨부된 동영상 파일에서 잘 볼 수 있다.
(2) 좌심실; (48) 인공 대동맥판.

다. 그러나, 점점 악화된다면 재수술이 필요할 수도 있다.

경흉부 심초음파 또는 경식도 심초음파 모두에서 반향 허상으로 인해 정확한 역류제트의 위치와 성격을 파악하기 힘든 경우도 있다.

파열(dehiscence)

봉합 파열은 심각한 상황이어서 결국은 삽입물을 교체해야 한다. 이는 인공삽입물의 흔들림(rocking motion)이나 불안정성을 통해 알아낼 수 있다(그림 16.6). 이 상태는 판막 주변부 역류와 연관되기도 하고, 봉합 부위가 약해지게 하는 감염이나 혈역학적 자극에 의해서도 생길 수 있다.

판누스(pannus)

이는 인공판막 주변으로 혹은 판막 안쪽으로 자라들어온 섬유성 조직을 의미한다. 이 합병증은 수년에 걸쳐 진행되어 판엽의 협착과 폐쇄, 역류를 일으킨다.

혈전증(thrombus)

모든 기계판막은 혈전을 유발할 수 있다. 특히 오래 전에 사용되는 형태이거나 삼첨판과 승모판처럼 혈류속도가 상대적으로 느린 인공판막에서 더 흔하다. 혈전으로 인해 급성 판막폐쇄나 협착, 역류, 색전이 생길 수 있다. 혈전은 판엽에서 직접 발견할 수도 있고 판엽의 운동성이 감소한 것을 통해 간접적으로 추정할 수도 있다.

심내막염(endocarditis)

인공판막을 가진 환자의 경우 심내막염은 항상 의심해야 하는 질환이다. 이는 증식물의 형태로 주로 나타나는데(그림 15.6), 판막의 기능이상(역류, 협착), 판막 주변부 농양, 판막 주변부 누출 또는 분리를 유발한다. 경흉부 심초음파의 경우 인공판막을 적절히 평가하기 어려울 수 있으므로 인공판막 심내막염이 의심되는 경우라면 경식도 심초음파를 시행해야 한다.

경피적 판막 치료

최근에 경피적으로 판막 질환을 치료하는 기술이 발전하면서 개흉 판막 치환술을 받을 수 없었던 환자에서 치료가 가능해졌으며, 이들 환자 군에서 주로 시행되고 있다. 시술 빈도가 늘면서 이러한 인공삽입물을 가진 환자의 심초음파 추적관찰의 필요성도 증가하였다.

대동맥판 협착 환자를 경피적으로 치료하기 위해서는 특별히 설계된 생체인공판막이 사용된다(transcatheter aortic valve implantation, TAVI, 그림 16.7). 이전에 선천성 심질환

그림 16.7

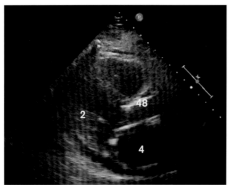

인공 대동맥판 삽입. 흉골연 장축도. 이 환자는 경피적으로 인공 대동맥판을 삽입하였다. 금속 판막 테두리가 좌심실 유출로 쪽으로 튀어나온 것이 잘 보인다.

(2) 좌심실; (4) 좌심방; (48) 인공 대동맥판.

그림 16.8

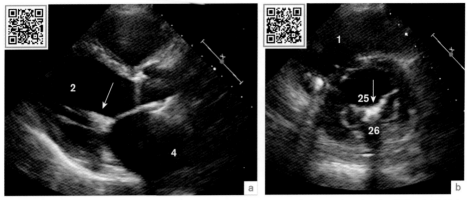

MitraClip. **(a)** 흉골연 장축도. **(b)** 흉골연 단축도. 클립(화살표)이 승모판 끝(tip)에 붙어 중심부위 닫힘을 개선하였다. 이 시술의 결과로 흉골연 단축도에서 볼 때 2개의 판구가 형성된다. 참고로 이 환자는 인공뼈대(stent)가 있는 인공 대동맥판도 갖고 있다. (1) 우심실; (2) 좌심실; (4) 좌심방; (25) 승모판 전엽; (26) 승모판 후엽.

으로 수술적 교정을 받았던 환자에서 생긴 폐동맥판 역류를 경피적으로 폐동맥판을 삽입하여 치료하는 것도 가능하다.

　승모판 역류도 경우에 따라 MitraClip으로 불리는 기구를 사용하여 경피적으로 치료할 수 있는데 이 기구는 판엽의 끝(tip)을 묶어 접합을 개선한다(그림 16.8).

결과 보고

인공판막의 결과 보고
요약
- 인공판막의 종류
- 정상 또는 비정상 기능
- 기능이상의 중증도
- 추가적인 검사 추천

정성적 자료
- 판막의 위치
- 안정성
- 역류: 판막, 판막 주변부, 중심성, 편심성, washout
- 협착 또는 비정상적인 판엽의 움직임
- 비정상 종괴(예: 증식물, 혈전, 판누스, 봉합사)

정량적 자료
- 최대 속도, 평균 압력차
- 역류의 중증도를 나타내는 지표

심낭 질환

개요

심낭은 심장을 감싸고 있는 탄력성의 섬유조직이다. 거친 섬유질의 외층이 존재하며 2개의 얇은 내층이 있어 윤활낭(lubricating-sac)을 형성한다. 심초음파는 심낭 질환과 이로 인한 심기능의 변화를 발견하는데 매우 중요하다.

심초음파 소견

심낭은 대부분의 단면에서 밝은 반향성의 구조로 쉽게 구분할 수 있다. 정상적으로 주변의 심근과 거의 붙어 보인다(그림 17.1). 간혹 심외 지방이 있어 심근과 심낭을 구분할 수 있다. 지방은 알갱이나 반점의 형태로 보이는데(그림 17.2), 노인에서 상대적으로 흔하고 비만하거나 당뇨병이 있는 환자에서 자주 보인다.

심낭염, 심낭 삼출, 심장눌림증

심낭염(pericarditis)은 다양한 원인에 의해 심낭염이 생길 수 있으며 심낭 삼출을 자주 동반한다(표 17.1). 선진국에서 심낭 삼출은 대부분은 양성(benign)이고 저절로 낫는 바이러스 감염에 의한 것이다. 심낭 삼출이 항상 보일만큼 생성되는 것은 아니기 때문에 다른 임상양상이 부합함에도 불구하고 삼출이 없다고 해서 심낭염이 아니라고 할 수는 없다.

심낭 삼출(pericardial effusion)은 심장 주위 낭에 체액이 축적되는 비정상 상태다(그림 17.3). 이것은 심낭과 심근 사이에 반향이 없는 어두운 공간의 형태로 보이며, 늑골하부단면도에서 가장 잘 보이는 경우가 많다. 심초음파 소견만으로 심낭 삼출의 원인을 알

그림 17.1

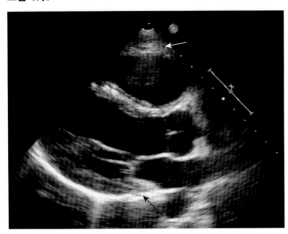

정상 심낭. 흉골연 장축도. 정상 심장은 초음파에서 밝게 보인다(화살표).

그림 17.2

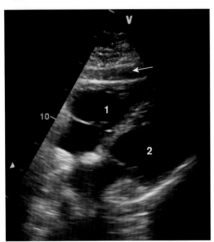

심외 지방(epicardial fat). 늑골하부단면도. 전형적인 반점 형태(speckle appearance)의 지방이 보인다(화살표).
(1) 우심실; (2) 좌심실.

그림 17.3

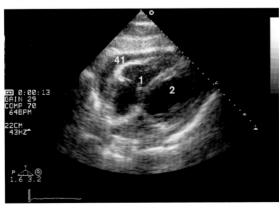

심낭 삼출. 늑골하부단면도. 소량의 심낭 삼출이 우심실 자유벽 주위에서 관찰된다.
(1) 우심실; (2) 좌심실;
(41) 심낭 삼출.

표 17.1 심낭 삼출의 원인

		흔한 원인	덜 흔한 원인
감염성	바이러스		결핵
			세균
			진균
악성	폐, 유방, 림프종		
염증성	Dressler 증후군		루푸스
	심장 수술 후		류마티스관절염 경피증(scleroderma)
			사르코이도증
기타	심부전		요독증
			대동맥 박리
			외상
			갑상선기능저하증

그림 17.4

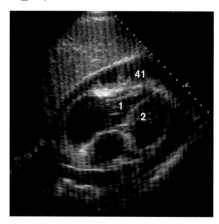

심낭의 섬유소 끈(fibrin strand). 늑골하부단면도. 심낭 삼출 내부에 섬유소 끈이 진하게 보인다. 관찰된다.
(1) 우심실; (2) 좌심실; (41) 심낭 삼출.

아내는 것은 대부분 불가능하다. 섬유소 끈(fibrin strand)이 보이면 염증 혹은 감염성 원인임을 시사할 수 있지만, 이것만으로 확진할 수는 없다(그림 17.4).

감별진단

심낭 삼출은 좌측 흉수와 심외 지방과 구분해야 한다. 일반적으로 심낭 삼출은 심방 주변에 있어 심장과 하행대동맥을 떨어뜨려 놓지만, 흉수는 그렇지 않다(그림 17.5a). 그

그림 17.5

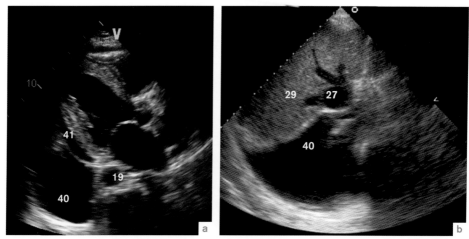

흉수. (a) 흉골연 장축도. 소량의 심낭 삼출과 많은 양의 흉수가 관찰된다. 두 액체를 구분하려면 하행대동맥을 기준으로 상대적인 위치를 보아 판단한다. **(b)** 늑골하부단면도. 우측에 흉수가 보인다.

(19) 하행대동맥; (27) 하대정맥; (29) 간; (40) 흉수; (41) 심낭 삼출.

러나, 항상 이렇게 간단하지만은 않으며 두 종류의 삼출이 공존하기도 한다. 우측의 흉수는 늑골하부단면도에서 보면 간 주변에 반향이 없는 구역으로 나타나므로 쉽게 구분할 수 있다(그림 17.5b).

심낭 삼출의 평가

심낭 삼출은 꽤 흔한 소견이지만 삼출이 생리적으로 의미가 있는지를 반드시 판단해야 한다. 그러기 위해 삼출액의 깊이/용적, 국소화(localization), 심장눌림증(cardiac tamponade)의 징후 등에 대해 평가해야 한다.

깊이

심장을 둘러싼 삼출은 가장 깊은 곳을 이완기에 측정한다. 이것은 삼출액의 용적을 대략적으로 알려준다. < 1 cm이면 소량(< 100 mL), < 2 cm이면 중등도(< 500 mL), > 2 cm이면 대량(> 500 mL)이다.

국소화

일반적으로 심낭 삼출은 심낭 공간 전체에 퍼져 있다(그림 17.6). 단, 심낭 공간에 유착이 있다면 삼출액이 특정 영역에만 제한될 수도 있다(그림 17.7). 특히 심장 수술 이후에 이런 경우가 흔하다. 따라서, 다양한 심초음파 단면을 얻어야 삼출액이 국소화되어 있는지 알 수 있다.

그림 17.6

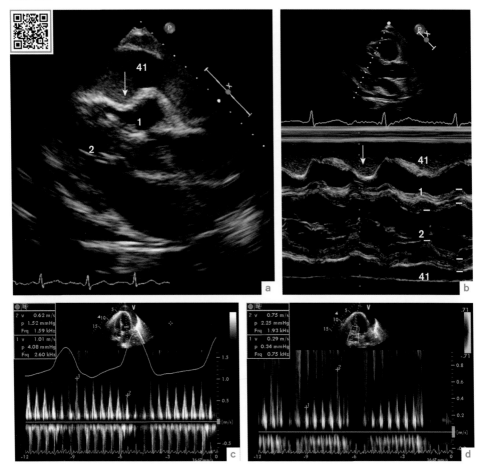

심장눌림증. (a) 흉골연 장축도. 많은 양의 심낭 삼출이 있으면서 우심실이 이완기에 눌려서 쪼그라든다(화살표). **(b)** 흉골연 장축도의 M-모드를 통해 우심실이 쪼그라드는 것을 확인한다. **(c)** 승모판 유입혈류의 연속파 도플러: 초기 유입 최대 속도가 호기 시 눈에 띄게 증가하며, 흡기 시에 감소한다. **(d)** 삼첨판 유입혈류의 연속파 도플러: 승모판과는 반대 양상이 호흡주기에서 관찰된다. (1) 우심실; (2) 좌심실; (41) 심낭 삼출.

심장눌림증(cardiac tamponade)

심장눌림증은 심장이 심장 주변의 체액으로 인해 눌릴 때 일어난다. 이 경우 심낭 내 압력은 삼출의 양과 관계없이 심강의 이완기압보다 높아진다. 치료하지 않고 내버려두면 심정지가 발생할 수 있는 응급상황이다.

보통 많은 양의 심낭 삼출이 서서히 생기면서 보상적으로 섬유성 심낭이 늘어나다가

그림 17.7

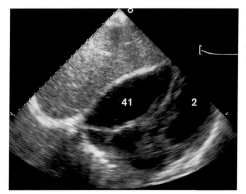

국소화된(loculated) 심낭 삼출. 늑골하부단면도. 이 환자는 관상동맥우회술을 받은 이후에 우심실을 압박하는 국소화된 심낭 삼출이 생겼다.
(2) 좌심실; (41) 심낭 삼출.

심낭 내 압력의 급격한 증가 없이는 넘쳐나는 체액을 수용할 수 없게 된다. 심낭이 더 이상 늘어나지 못하는 상태에서 삼출액이 더 늘어나면 압력이 증가하여 결국 심장눌림증이 발생하게 된다. 비교적 덜 흔하지만, 소량의 심낭 삼출이 빠르게 축적되어(예, 심실파열) 심낭 내 압력이 갑자기 상승하여 심장눌림증이 급격하게 발생하기도 한다.

심장눌림증은 초기에 압력이 가장 낮은 심방을 압박한다. 심낭 내 압력이 더 증가하면 우심실이 눌리게 되어 심박출량이 심각하게 감소한다. 특히 흡기 시에는 심박출량 감소기 더 심해진다. 생리적으로 호흡주기에 따라 흡기 시 흉강 내압이 낮아지면 우심실의 충만이 늘어나게 되며, 정상인에서 심장 충만량 변동의 폭은 미미하다. 그러나, 심장눌림증의 경우 양쪽 심실이 상호 독립적으로 되며 우심실이 충만되면서 좌심실 충만을 방해하게 된다. 따라서, 흡기 시에는 좌심실, 호기 시에는 우심실의 박출량이 감소한다.

심장눌림증의 심초음파 소견

심초음파로 심장눌림증을 진단하기 위해서는 심낭 삼출과 이로 인한 심장 충만량 혹은 일회 박출량이 호흡주기에 따른 변동이 과도하다는 증거를 찾아야 한다(그림 17.6). 가장 초기에 나타나는 징후는 심방이 눌려 찌그러지는 것이지만 심장눌림증에 아주 특이적이지는 않다. 우심실이 찌그러지는 것은 보다 의미 있는 징후이지만 흉골연 단축도의 우심실유출단면도에서 보면 과도하게 진단할 위험이 있다.

호흡주기에 따른 심장 충만량의 과도한 변동은 승모판과 삼첨판의 유입 혈류에 간헐파 도플러를 이용하여 찾아낼 수 있다. 승모판을 통과하는 조기 수동적 충만(E파 최대 속도)이 흡기 시 25% 이상 감소하면 호흡에 따른 변동이 유의함을 시사한다. 또한 삼첨판의 E파 속도가 흡기 시 40% 이상 증가하는 것도 의미가 있다. 유사한 변화 양상이 양측 심실의 유출로를 지나는 혈류에서도 나타날 수 있다.

심장의 충만이 제대로 이루어지지 않으면 하대정맥이 확장되고 수축기 전방혈류가 우

그림 17.8

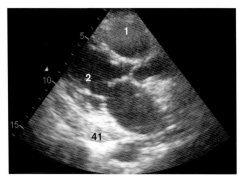

심낭 삼출액의 배액관 위치 확인. 심낭 천자를 시행하는 동안 공기가 잘 혼합된 생리식염수를 배액관으로 주입하여 심낭 공간이 생리식염수 기포로 조영되는지를 본다. 이를 통해 배액관이 적절한 위치에 있는지 확인할 수 있다. (1) 우심실; (2) 좌심실; (41) 생리식염수 기포로 조영된 심낭 공간.

세하면서 호기 시 간정맥으로 역류가 보일 수 있다(아래 '협착심낭염' 참고).

심초음파 소견은 다양한 상황에서 비전형적이거나 달라질 수 있다. 예를 들어 소량의 삼출액이 국소화된 경우에는 호흡에 따라 도플러 지표가 유의미한 정도로 변화하지 않을 수 있다. 양압환기를 시행 중인 환자에서도 이러한 전형적인 도플러 소견이 보이지 않는다. 기저 폐질환이나 판막/심근질환과 같이 이완기말 심장 내 압력이 증가된 경우, 혈역학적으로 영향을 미치려면 더 높은 심낭 내 압력이 요구되므로 심장눌림증의 시점이 늦어질 수 있다. 동일한 관점에서 체액 감소 상태의 환자(예, 탈수)에서는 더 낮은 심낭 내 압력만으로도 심장눌림증이 생길 수 있다. 마지막으로 심낭이 두꺼워져 있는 경우 삼출-협착생리(effusive-constrictive physiology)를 보이기도 한다(이후 내용 참고).

심초음파의 추가적인 장점은 경피적으로 심낭 배액관 삽입(심낭 천자, pericardiocentesis)을 할 때 어느 방향으로 접근할지를 결정할 때(늑골하부단면도를 보면서 검상돌기 아래 쪽을 찌를지, 심첨부 단면도를 보면서 흉곽 전면을 찌를지) 도움을 준다는 점이다. 일반적으로 깊이가 2 cm 이상일 때 안전하게 배액관을 삽입할 수 있다고 본다. 심초음파는 심낭 천자 도중에 배액관의 위치를 확인하는 데도 유용한데, 공기가 잘 혼합된 생리식염수(agitated saline)를 배액관으로 주사하여 심낭 공간이 생리식염수 기포로 조영되는지를 확인할 수도 있다(그림 17.8).

협착심낭염(constrictive pericarditis)

건강한 심낭은 얇고(< 4 mm) 약간의 탄력이 있다. 심낭 협착(pericardial constriction)은 섬유화나 석회화로 인해 심낭이 딱딱해져서 발생한다. 다양한 심낭염에서 이런 상황이 생길 수 있으며, 이중 흔한 원인으로 결핵, 방사선, 심장 수술 등이 있다. 협착생리(constrictive physiology)는 삼출심낭염(effusive pericarditis)에서 관찰되기도 한다.

협착(constriction)은 일반적으로 심장의 모든 심방과 심실에 영향을 주지만 특정 구역에 국한되는 경우도 있다. 어떤 경우에는 섬유화나 석회화가 심낭 안쪽의 심근까지 퍼져 심낭 협착과 함께 심근의 기능이상을 동반하기도 한다.

심낭 교착의 생리(physiology of pericardial constriction)

협착심낭염의 심초음파 소견을 이해하기 위해 그 기저 생리를 알아야 한다. 심장은 심낭 안에서 수축과 이완을 한다. 심낭 협착은 심장이 심낭에 의해 제한되어 심강이 무작정 늘어나지 못한다는 것이 문제다. 즉, 이완기의 초중기에 심실의 충만이 불완전하게 일어나 이완기말 용적이 감소한다는 것을 의미한다. 이로 인해 심박출량이 감소하고 모든 심강과 정맥의 압력이 증가한다. 심방의 압력이 높아지고 충만이 제한된다는 것은 심방에서 심실로 흐르는 혈류가 짧은시간동안 빠른 속도로 흐른다는 것을 의미한다.

심낭이 제한되는 것은 여러 다른 영향을 준다. 첫째, 심장의 최대용적이 고정되기 때문에 4개 심강의 이완기말 압력이 같아진다. 이것은 하나의 심강 압력이 증가하기 위해 다른 심강을 희생해야만 한다는 것을 의미한다(상호의존성, interdependence). 둘째, 심장은 호흡에 따른 흉강 내 압력 변화로 인한 영향으로부터 효과적으로 독립되어 있는 반면 심낭 외부에 심장과 연결된 동정맥들은 이런 변화에 민감하다. 이로 인해 호흡주기에 따른 심장 충만의 양상이 비정상적으로 나타나게 된다. 예를 들어 흡기 시에 흉강 내 압력이 감소하여 폐정맥에는 영향을 주지만 좌심방에는 미치지 않아 좌심방으로 유입되는 혈류가 형성하는 압력차가 감소한다. 이로 인해 좌측 심장의 충만이 감소된다. 반대로 우측 심장에는 호기시에 충만이 감소하게 된다. 이러한 효과는 심낭 협착의 특징적인 소견으로 나타난다(그림 17.9).

이면성과 M-모드 소견

심낭의 두께가 4 mm 이상으로 증가하는 경우가 대부분이다. 그러나, 기기의 게인(gain)이나 조직 하모닉(tissue harmonic) 설정에 따라 매우 영향을 크게 받으므로 신뢰할 만한 징후는 아니다. 또한 심낭의 비후는 협착생리 없이 나타날 수도 있고 그 반대의 경우도 있다.

비정상적인 심실의 충만이나 상호의존성은 중격 튕김(septal bounce)을 유발한다. 이것은 심실중격이 우심실쪽으로 이완기에 과장되게 이동하는 것을 의미한다. 또한 M-모드에서 좌심실의 후벽이 이완기 중후기에 평평해지는 것을 볼 수 있다(심실 충만이 방해를 받기 때문에). 심장의 압력이 상승하면 승모판이 조기에 닫히고 폐동맥판이 조기에 열리며 하대정맥이 확장되는 등의 다양한 이상이 나타나게 된다.

도플러 소견

좌심실의 이완기 충만이 대부분 협착성 양상으로 보인다. 이것은 우세한 E파(> 90 cm/s), 짧은 감속 시간(< 160 ms), E:A 비 ≥ 1.5로 나타난다. 이 소견은 제한성 양상과 유사하지만 제한성만큼 심하지는 않다. 대부분의 환자에서 심근의 기능은 정상이어서 측부 승모판륜의 조직 도플러 속도는 정상(e' 최고속도 ≥ 7 cm/s)이며 E/e' 비는 15 미만이다. 일부 환자에서는 제한성 양상을 보이기도 한다(표 17.2).

그림 17.9

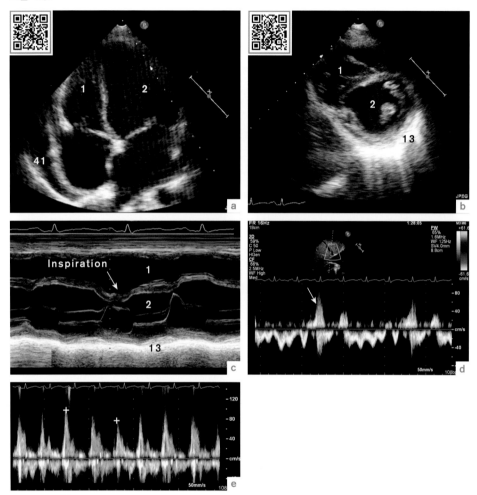

협착심낭염. (a) 심청 4방도. 특징적인 심실중격 튕김(bounce)이 보인다. 심낭 삼출액이 우심방 주변에서 관찰된다. **(b)** 흉골연 단축도. 후벽의 심낭이 눈에 띄게 두꺼워져 있다. **(c)** 흉골연 장축도의 M-모드. 흡기(inspiration) 시에 우심실의 충만이 증가되어 좌심실에 영향을 준다(화살표). **(d)** 간정맥 혈류: 호기 시에 이완기 혈류역전이 눈에 띈다(화살표). **(e)** 승모판 유입혈류의 연속파 도플러: 초기 이완기 충만이 호흡주기에 따른 변화(respiratory variation)가 심해진다. (1) 우심실; (2) 좌심실; (13) 심낭; (41) 심낭 삼출.

호흡에 따른 심실충만의 과도한 변동은 항상 관찰된다. 이로 인해 승모판의 E파 최대 속도가 흡기 시 25% 이상 감소한다. 우측 심장의 충만 형태는 호기 시 삼첨판의 E파 최대 속도가 40% 이상 감소하는 것으로 알 수 있다.

좌심방으로 들어오는 혈류가 비정상적인 것은 흡기 시 수축기 폐정맥 혈류가 상대적으로 줄어드는 것을 통해 알 수 있다(수축기:이완기 < 1). 간정맥 혈류도 비정상이어서 호기 시 수축기와 이완기 전방혈류가 감소하고 이완기말 혈류역전이 나타난다.

표 17.2 협착심낭염과 제한심근병증의 심초음파 소견 비교

특징	협착심낭염	제한심근병증
심낭	두꺼워짐	정상
심방	정상	확장
좌심실	정상	좌심실 비대, 내강 크기 감소
좌심실 기능	정상	이완기 ± 수축기 기능이상
중격의 움직임	호흡에 따라 변화(이동)	정상
승모판 충만 양상	E:A > 1.5 E파 감속 시간 < 160 ms 비정상 호흡 변화	E:A > 1.5 E파 감속 시간 < 160 ms 정상 호흡 변화
폐정맥 혈류	수축기 우세	이완기 우세
간정맥 혈류	호기 시 이완기 혈류역전	흡기 시 이완기 혈류역전
조직 도플러	정상 속도 중격 e' ≥ 7 cm/s	속도 감소 중격 e' < 7 cm/s
E/e' 비	< 15	> 15

E:A: ratio of E and A wave peak velocities.

협착심낭염의 심초음파 소견은 미미하여 쉽게 놓칠 수 있다. 따라서, 임상적으로 우심부전(경정맥압이 상승하고 말초부종이 있는 환자)이 의심되는데 우심실의 기능이 심초음파에서 정상이면 언제나 의심할 수 있어야 한다. 그러나, 하나의 진단적인 지표는 없으므로 다양한 이상 소견을 종합적으로 고려해야 한다.

삼출−협착심낭염(effusive−constrictive pericarditis)

이 용어는 심낭 삼출과 심낭 협착 모두의 증거가 있는 상황을 의미한다. 일반적으로 심낭 삼출을 배액한 후에 심장 충만이 회복되지 못하고 심낭 협착이 보이는 경우 진단한다.

심낭 협착과 제한심근병증(pericardial constriction versus restrictive cardiomyopathy)

심낭 협착과 제한심근병증은 심장의 충만이 제한되는 특징을 보이기 때문에 임상양상이 유사할 수 있다. 따라서, 이 둘을 구분하기 위해 심초음파가 유용하게 사용될 수 있다(표 17.2). 심낭 협착의 경우 심근의 기능은 영향을 받지 않기 때문에 조직 도플러 영상

이 가장 유용한 심초음파 지표가 된다. 하지만 뚜렷한 차이를 보이지 않는 경우도 있으므로 이때는 심도자술이나 자기공명영상, 컴퓨터단층촬영을 이용한다.

심낭종양(pericardial tumors)

심낭에 종양이 생기는 경우는 드물며 생기더라도 대부분 다른 곳에서 퍼진 것일 때가 많다(예, 폐, 유방, 식도). 임상양상은 심낭 질환 전반적인 것들(심낭염, 심낭 삼출, 심장 눌림증, 심지어 협착)을 포함한다(그림 17.10).

그림 17.10

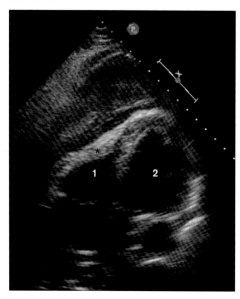

심낭종양. 늑골하부단면도. 심낭은 두꺼워져 있고, 침윤성 림프종에 의해 반향성(echogenic)을 보인다. 우심실 자유벽과 심낭이 유착(*)되어 있다. 눈에 띄는 중격 튕김이 있어 협착생리(constrictive physiology)가 존재함을 시사한다. (1) 우심실; (2) 좌심실.

결과 보고

심낭 삼출의 결과 보고
요약
- 심낭삼출의 중증도
- 심장눌림증의 증거

정성적 자료
- 눈에 보이는 삼출의 양: 미량(trace), 소량(small), 중등도(moderate), 대량(large)
- 전반적인지, 국소적인지
- 가장 깊은 곳의 위치
- 섬유소 끈이나 종괴 유무
- 이완기 심방, 우심실의 찌그러짐
- 폐정맥, 간정맥 혈류 양상

정량적 자료
- 최고 깊이
- 승모판, 대동맥판의 호흡에 따른 변화 정도

결과 보고

심낭 협착의 결과 보고
요약
- 진단

정성적 자료
- 심낭 비후의 증거
- 중격 팅김
- 폐정맥과 간정맥 혈류 양상

정량적 자료
- 심낭의 최대 두께(신뢰도가 낮은 경우가 많음)
- E파 최대 속도
- E:A 비
- 감속속도
- E:e' 비
- 승모판/삼첨판 유입혈류의 호흡에 따른 변화 정도
- 하대정맥 직경과 허탈성(collapsibility)

심장 종괴

개요

심장 내 종괴(intracardiac mass)는 드문 심초음파 소견이다. 감별진단의 범위는 매우 넓지만 위치, 크기, 모양 등의 기본적 특징에 의해 범위를 좁힐 수 있다. 주요 진단은 신생물, 혈전, 증식물, 정상 구조물 또는 허상이다.

심초음파 소견만으로 항상 확진할 수 있는 것은 아니며, 때때로 임상적 특징, 다른 영상검사법을 종합하고, 결론에 이르기 위해 생검이 필요할 수도 있다.

원발성 신생물(primary neoplasms)

양성(benign)

심방 점액종(atrial myxoma)

심방 점액종은 가장 흔한 원발성 심장 신생물이지만 매우 드물게 발견된다. 이것은 대부분 난원와 부위에 있는 심방중격으로부터 좌심방에서 자라지만 심장의 어느 방에서든 혹은 승모판이나 삼첨판에서도 생길 수 있다. 대개 단일성이지만 가족성인 경우 다발성 점액종이 생길 수 있다. 간혹 수술로 제거한 후에 재발하는 경우도 있다.

점액종이 승모판을 통과해 탈출되어 판막을 통한 혈류의 폐쇄를 유발할 수 있다(그림 18.1). 또한 종양이 떨어져 나가거나 종양에 혈전이 생겨서 색전이 발생할 수도 있다.

점액종은 큰 심방 혈전과 감별해야 한다(그림 18.6). 보통 점액종은 심방중격에 붙어있고 불균질한 성상이며 종종 공동을 형성한다(그림 18.1). 이와 대조적으로 혈전은 좌심방귀에서 더 흔히 생

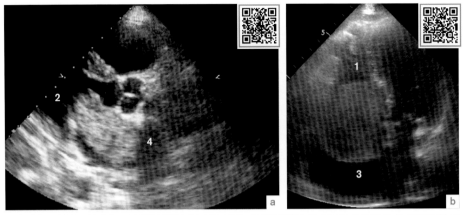

심방 점액종. (a) 흉골연 장축도. 좌심방 점액종. **(b)** 심첨 4방도. 우심방 점액종. (1) 우심실; (2) 좌심실; (3) 우심방; (4) 좌심방.

그림 18.2 ▬▬▬▬▬▬

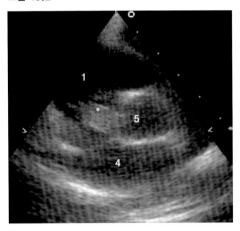

심장 횡문근종. 흉골연 단축도. 결절성 경화증이 있는 소아환자의 우심실에서 1개의 횡문근종이 관찰된다. (1) 우심실; (4) 좌심방; (5) 대동맥판.

기며 성상은 균질하다.

심장 횡문근종(cardiac rhabdomyoma)

이것은 사실상 횡문근의 성장에 의해 생기는 비종양성 질환(과오종, hamartoma)이다. 대부분 소아에서 발생하고 결절경화증(tuberous sclerosis)과 관련이 있다. 심장의 어느 곳이든 발생할 수 있으며(벽내 또는 내강내) 다발성인 경우가 흔하다. 종양이 심장기능에 미치는 영향은 크기와 위치에 좌우된다(예, 부정맥, 판막 혈류 폐쇄). 심초음파 특징은 대개 작고 균질하며 소엽성이고 반향성이 큰 종양이다(그림 18.2)

그림 18.3

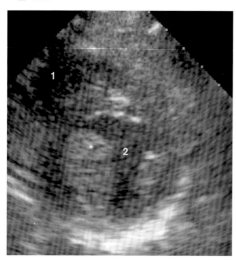

심장 전이. 흉골연 장축도. 진행된 유방암 환자의 소견이다. 주위의 심근과 구별되는 에코 양상을 보이는 종괴(*)의 성장으로 인해 심실중격이 두꺼워져 보인다. (1) 우심실; (2) 좌심실.

악성(malignant)

심장에서 가장 흔한 원발성 악성종양은 육종(sarcoma)이며 주로 우심실에서 발생한다. 육종은 전반적으로 침윤적이거나 심낭/심실 내강으로 퍼져 흩어져 있는 용종성/무경성 종괴(polypoid/sessile mass)일 수 있다. 대개 원격 전이가 있고 예후가 매우 불량하다.

이차성 신생물(secondary neoplasms)

다른 원발 부위로부터 심장으로 종양이 퍼지는 경우(전이)는 원발성 심장 신생물보다 훨씬 더 흔하다. 가장 흔한 원발 부위는 폐암, 유방암, 흑색종, 림프종이다. 전이는 혈액을 통하거나 심낭으로 직접 퍼지거나 심장의 어느 구조물로든 침범할 수 있다. 종양의 심초음파 성상은 대체로 주위의 심근과 구분된다(그림 18.3).

신세포암(renal cell carcinoma)은 심장에 전이되는 특별한 형태의 종양이다. 이것은 특징적으로 신정맥과 하대정맥을 침습하여 진행되면 종양이 하대정맥을 따라 올라가서 우심방에 도달하거나 더 나아가 폐쇄성 또는 색전성 합병증을 일으킨다(그림 18.4). 이것은 우심방 점액종과 비슷하게 보일 수 있다.

혈전(thrombus)

심장 내 혈전은 혈액 정체가 있거나 혈관내피세포 이상/손상 또는 혈액응고이상이 있으면 더 생기기 쉽다. 혈전 생성의 유발인자가 없다면 다른 진단을 고려해야 한다.

혈전의 소견은 구형(gloular), 유경성(pedunculated), 운동성(mobile)(그림 18.5a), 판상

그림 18.4

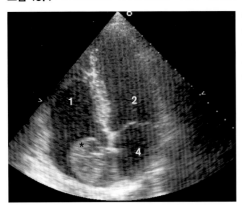

신세포암. 심첨 4방도. 비균질성 종괴(*)가 우심방에 자리 잡고 있다. 이 단면도에서는 우심방 점액종과 구별할 수 없다(그림 18.1b와 비교). 추가적인 영상과 수술적 절제로 신세포암이 확진되었다. (1) 우심실; (2) 좌심실; (4) 좌심방.

그림 18.5

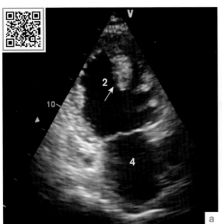

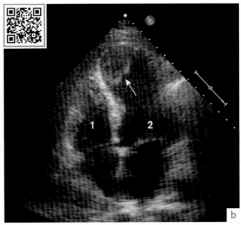

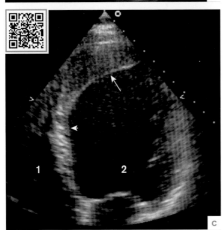

좌심실 혈전. (a) 심첨 2방도. 확장심근병증 환자로 좌심실 심첨부에 커다란 혈전(*)이 관찰된다. **(b)** 심첨 4방도. 전벽 심근경색 이후 심첨부에 발생한 벽재성 혈전. **(c)** 심첨 4방도. 오래된 심근경색증의 과거력 이후 심첨부에 발생한 판상의 만성 혈전(화살표). 주변의 심근과 두께와 에코질감이 유사하다(화살표 머리). (1) 우심실; (2) 좌심실; (4) 좌심방.

그림 18.6

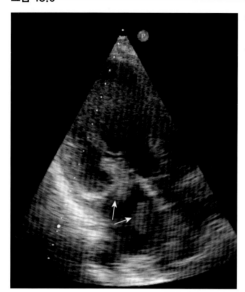

좌심방 혈전. 심첨 3방도. 좌심방 혈전 2개(화살표)가 있다. 하나는 승모판에 부착되어 있고, 다른 하나는 중격에 부착되어 있다. 환자는 심방세동과 중증 좌심실부전이 있다.

(laminated), 비운동성, 조밀한 에코(echo-dense)(그림 18.5c) 등 매우 다양하다. 확장심근병증과 최근의 전층성(transmural) 심근경색증은 무운동성 부위에 벽재성 혈전(mural thrombus)과 관련이 있을 수 있다. 이 상황에서 판상의 혈전(laminated thrombus)은 무운동성 심근으로 오인될 수 있다.

심방세동과 승모판 협착의 경우 좌심방의 어느 부위에서든 혈전이 생길 수 있지만 특징적으로는 좌심방귀에 혈전이 생긴다(그림 18.6). 좌심방 혈전을 확실히 배제하려면 경식도 심초음파 검사가 도움이 된다.

판막 종괴(valvular masses)

감염성 심내막염(infective endocarditis)

증식물의 특성과 판막 종괴의 감별진단은 제15장에서 다루었다.

유두상탄력섬유종(papillary fibroelastoma)

이것은 심장판막에 생기는 양성 종양이다. 임상양상은 전형적으로 중년 또는 노년에 뇌졸중 또는 심근경색증과 같은 색전성 합병증으로 나타난다. 대동맥판과 승모판에서 더 흔하며, 보통 판막 이후의 하류 쪽(예, 승모판의 심실 쪽)에 생긴다. 특징적인 고사리잎 모양의 머리(frond-like head)를 지닌 증식물과 비슷하다(그림 18.7).

그림 18.7

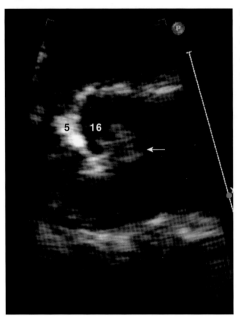

유두상탄력섬유종. 확대된 흉골연 장축도. 대동맥판 비관상동 판엽에 목(stalk)으로 붙어 있으며 끝에 고사리잎 모양(frond-like)으로 자라는 모습이 관찰된다. 수술적 절제 이후 유두상탄력섬유종으로 확진되었다. (5) 대동맥판; (16) 유두상탄력섬유종.

혈관 내 장치(intravascular devices)

영구적 심박동기/삽입형 심장전환 제세동기(permanent pacemaker/implantable cardioverter defibrillator)의 전극(lead)은 심장의 오른쪽에 반향성이 크고 얇은 선형 구조물로 보이지만 대개는 한번에 작은 부분만 보이므로 처음에는 혼동을 일으킬 수 있다(그림 18.8). 간혹 반향 허상(reverberation artefact)을 보이기도 한다. 양심실 조율 심박동기(biventricular pacemaker)를 넣은 심부전 환자의 경우 전극이 관상정맥동(coronary sinus)에서 관찰될 수 있다.

심방중격결손과 심실중격결손을 막기 위해 폐쇄 기구(closure device)가 사용된다. 이것은 구조적으로 우산과 비슷하며 장치의 중앙으로부터 방사형으로 금속 버팀목이 나와서 중격에 평평하게 걸쳐진다. 최종 모습은 대갈못(rivet)처럼 보인다(그림 18.9, 그림 20.11).

정상 변이와 허상(normal variants and artefact)

유스타키안 판(eustachian valve), 사이막모서리기둥(moderator band), 지방종성 비후(lipomatous hypertrophy), 키아리 망상기형(Chiari network)과 같은 정상 변이는 다른 심장 내 종괴와 혼동될 수 있다. 이것은 다른 장에서 다루었다.

그림 18.8

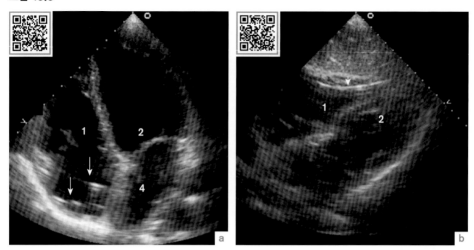

심박동기 전극. (a) 심첨 4방도: 우심방 박동기 전극(화살표). **(b)** 늑골하부단면도: 우심실 박동기 전극(화살표 머리). 전극 끝(tip)이 심첨부에 위치해 있다. (1) 우심실; (2) 좌심실; (4) 좌심방.

그림 18.9

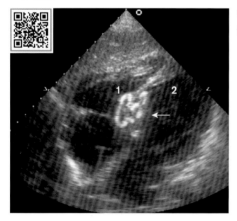

심실중격결손 폐쇄 기구. 심첨 4방도. 화살표가 심실중격결손 폐쇄 기구의 위치를 가리킨다. (1) 우심실; (2) 좌심실.

　　심초음파 허상은 반향성이 큰 구조물(예, 석회화, 금속성 구조물)이나 반향 허상 등과 같은 다양한 이유로 발생한다. 이것은 해부학적 구조나 경계와 일치하지 않고, 대개 하나의 심초음파 창에서만 보인다.

결과 보고

심장 종괴 관련 결과 보고

요약

- 진단 혹은 감별진단
- 위치
- 합병증(예, 판막폐쇄)

정성적 자료

- 종괴 위치: 공간내, 판막, 벽재성, 벽내, 심외
- 형태: 무경성, 유경성
- 움직임: 고정됨, 독립적임, 묶여있음.
- 초음파 성상: 균일, 불균일, 공동성, 석회화, 액체가 차 있음

정량적 자료

- 직경

대동맥

개요

기본 해부학

대동맥은 인체의 주요 동맥으로 횡격막에 의해 흉부 대동맥과 복부 대동맥으로 나뉜다. 흉부 대동맥은 각각 완두동맥(brachioce-phalic artery)과 좌쇄골하동맥(left subclavian artery)에 의해 상행대동맥, 대동맥궁 및 하행대동맥으로 나뉘며 여기에서 머리와 상지로 가는 주요 혈관들이 나온다(그림 19.1). 대동맥근(aortic root)에는 대동맥판륜(aortic annulus), 발살바동(sinus of Valsalva), 동관접합부(sinotubular junction)가 있다.

흉부 대동맥의 경로는 전종격동(anterior mediastinum)에서 심낭 안에서 중앙의 오른쪽으로부터 시작된다. 기관(trachea)의 앞에서 휘어져서 왼쪽으로 지나가는 대동맥궁이 되고 후종격동에 도달하여 흉추의 앞쪽과 식도의 뒤쪽으로 이어진다.

다른 모든 동맥처럼 대동맥도 조직학적으로 구별되는 3층으로 나뉘어 내막(intima), 중막(media), 외막(adeventitia)으로 구성된다. 내막은 혈관내피(endothelium)와 내피하 결합조직으로 된 안쪽의 얇은 층이다. 중막은 대부분의 힘과 탄성을 제공하는 근육층이다. 마지막으로 외막은 섬유성으로 된 보호 작용을 하는 바깥층이다.

심초음파 소견

대동맥은 밝은 에코의 얇은 관처럼 보인다. 대동맥은 약간 확장된 발살바동을 제외하고는 균일한 크기이다. 대동맥근과 근위부 상행대동맥은 주로 흉골연 장축도에서 보이며(그림 19.2), 흉부의 하행대동맥 부분도 좌심방의 뒤쪽에서 관찰된다. 우흉골연창(right parasternal view)은 상행대동맥을 보는데 사용되며 흉골상부창(suprasternal window)에서는 대동맥궁과 그 분지들이 보인다(그림 19.3). 늑골하부창(subcostal window)은 신장 위쪽의 복부 대동

그림 19.1

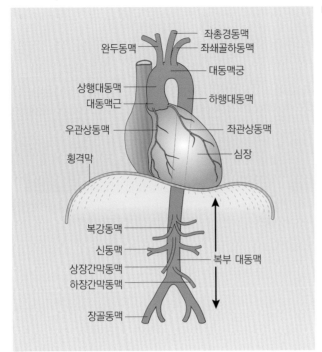

대동맥의 해부학적 구조.

그림 19.2

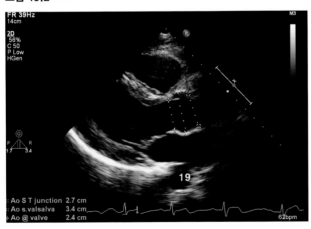

정상 대동맥근과 상행대동맥. 흉골연 장축도. 대동맥근, 발살바동, 동관접합부 및 근위부 상행대동맥이 보인다. 좌심방의 뒤쪽에서 흉부 하행대동맥의 일부가 보인다. (19) 하행대동맥.

맥을 평가하는데 사용될 수 있다.

　경흉부 심초음파에서 흉부 대동맥이 보이는 정도는 환자마다 다양하며 영상이 적절하지 않은 경우도 많다. 따라서, 심초음파만으로는 대동맥의 병리를 확진하거나 배제하기

그림 19.3

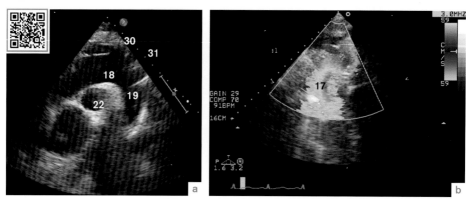

정상 대동맥궁. 흉골상부단면도. **(a)** 대동맥궁과 하행대동맥. **(b)** 상행대동맥(색도플러). (18) 대동맥궁; (19) 하행대동맥; (22) 우폐동맥; (30) 좌총경동맥; (31) 좌쇄골하동맥.

어려운 경우가 많다. 따라서, 대동맥 병리가 의심되면 대개 확진을 위해 경식도 심초음파, 컴퓨터단층촬영 또는 자기공명영상 등의 추가적인 영상검사가 필요하다.

표준 측정

대동맥근의 크기는 매 검사 때마다 측정해야 하며, 대동맥판륜(판막소엽의 경첩 지점 사이), 발살바동, 동관접합부에서 측정한다(그림 19.2). 전통적으로 흉골연 장축도에서 M-모드를 이용해 측정해 왔지만 직경을 과소평가하는 경향이 있어서 현재는 이면성 영상에서 직접 측정하는 것을 권한다. 정상치는 체격과 성별에 따라 다양하며 부록 1에 수록하였다. 단순 계산법으로 대동맥근과 근위부 대동맥은 평균 체격인 성인에서 보통 3.7 cm 미만이다. 체표면적에 따른 대동맥근 크기도 기본적으로 보고해야 한다(부록 1 참고).

대동맥 질환

대동맥 죽상경화반(aortic atheroma)

죽상경화증(atherosclerosis)은 다른 주요 동맥과 같이 대동맥에 영향을 미칠 수 있고, 종종 관상동맥의 죽상경화성 질환을 동반한다. 죽상경화반은 생기면 동맥벽이 두꺼워져 보이는데 국소성 또는 미만성일 수 있고 석회화와 관련이 있을 수 있다. 심한 죽상경화반(두께 >4 mm) 또는 돌출성/운동성 죽상경화증과 같은 복잡한 병변은 뇌졸중이나 전신 색전증의 원인이 될 수 있다. 경흉부 심초음파보다 경식도 심초음파로 훨씬 더 잘 발견된다.

흉부 대동맥류(thoracic aortic aneurysm)

대동맥류는 대동맥의 국소적이고 고정된 확장으로 최대 직경이 정상 상한치보다 50% 이상 증가된다. 대동맥류는 방추형(fusiform, 대칭적 확장) 또는 낭형(비대칭적, 주머니처럼 좁은 목이 있는)일 수 있다. 대동맥류는 대동맥벽을 약화시키는 질환이나 동맥벽의 스트레스를 증가시키는 질환에 의해 발생한다(표 19.1).

상행대동맥류는 낭성중막괴사(cystic medial necrosis)를 일으키는 질환에서 생기는 경향이 있다. 특히 Marfan 증후군과 기타 유전성 대동맥 증후군과 관련이 있고, 노화나 고혈압에서도 생길 수 있다. 하행대동맥류는 죽상경화증에 의해 더 흔하다.

표 19.1 대동맥류의 원인

혈관벽 약화
죽상경화증
대동맥염
타카야수동맥염 강직 척추염과 기타 척추관절염 거대세포동맥염
결체조직 질환(collagen disorders)
Marfan 증후군 Ehlers–Danlos 증후군
감염
매독 결핵 살모넬라
외상 후
감속 손상(deceleration injuries) 카테터 손상
벽 스트레스 증가
고혈압 대동맥판 협착 이엽성 대동맥판 대동맥 축착

그림 19.4

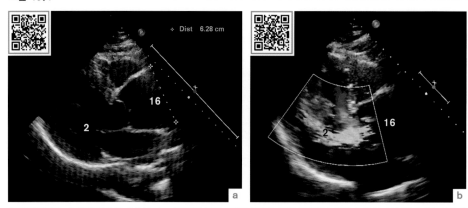

상행대동맥류. 흉골연 장축도. **(a)** Marfan 증후군 환자. 대동맥근과 상행대동맥이 심하게 확장되어 있다. **(b)** 대동맥근 확장에 의한 이차적인 대동맥판 역류. 대동맥근은 비교적 정상 크기이지만 상행대동맥은 동관접합부 이후부터 현저하게 확장되었다. 대동맥류가 좌심방을 압박하고 있다. (2) 좌심실; (16) 대동맥근.

심초음파 소견

경흉부 심초음파(흉골연 장축도)는 상행대동맥류, 특히 대동맥근과 동관접합부를 침범한 경우에 유용하지만 다른 부위의 대동맥류를 확인하는 데는 다소 어려움이 있다. 대동맥류는 확장된 부위(그림 19.4)가 수축기 동안 팽창한다. 이때 최대 내경을 측정하여 환자의 연령과 체표면적에 따라 보정해야 한다. 때때로 대동맥류의 특징적인 소견(예, Marfan 증후군에서 대동맥근 확장)이나 기타 병리의 확인(예, 이엽성 대동맥판, 대동맥축착증)을 통해 기저 원인 질환을 의심하여 찾기도 한다. 대동맥근 확장은 대동맥판엽을 손상시켜 대동맥판 역류를 일으킬 수 있다(그림 19.4).

흉부 대동맥류의 직경이 5.5 cm(Marfan 증후군에서는 4.5 cm)를 넘으면 자연 파열의 위험이 높기 때문에 상행대동맥의 수술적 치환술(surgical replacement)을 고려해야 한다.

대동맥 박리(aortic dissection)

대동맥 박리는 내막이 대동맥벽의 나머지 부분으로부터 떨어져서 조직 판(flap of tissue)과 위강(false lumen)을 형성하는 질환이다(그림 19.5). 박리는 대동맥벽을 따라 진행되어 원위부에서 진성 내강(true lumen)으로 다시 들어가거나, 아니면 대동맥과 그 분지의 혈류를 차단하기도 한다. 대동맥근에서 박리가 생기면 급성으로 중증 대동맥판 역류, 관상동맥 폐색, 심낭 삼출이 생길 수 있다. 간혹 심낭 공간으로 파열이 되기도 한다.

기저 원인은 대동맥류의 원인과 동일하고, 특히 낭성중막괴사를 일으키는 질환들과 관련이 있다.

대동맥 박리는 빠르게 치명적일 수 있으며, 응급치료가 필요하다. 치료는 박리 부위에 따라 결정된다. 상행대동맥이나 대동맥궁에서 발생한 경우(Stanford type A: 그림 19.6) 응급으로 대동맥치환술이 필요하며, 하행대동맥(Stanford type B)에만 생긴 경우 수술적

그림 19.5

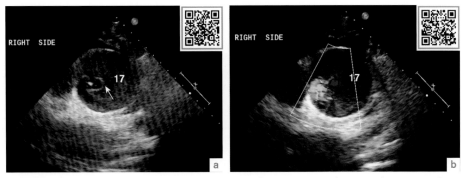

상행대동맥 박리. 우흉골연창. **(a)** 박리편(dissection flap, 화살표)이 작은 진성 내강(true lumen)과 더 큰 위강(false lumen)을 명확히 구분하고 있다. **(b)** 위강을 지나는 혈류가 색도플러에서 보인다. (17) 흉부 하행대동맥 위강.

그림 19.6

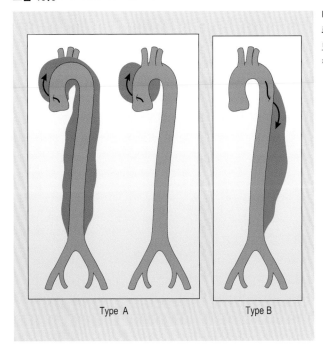

Type A   Type B

대동맥 박리/벽내 혈종의 Stanford 분류. A형: 상행대동맥의 어느 부분이라도 침범한 경우. B형: 하행대동맥에 국한된 경우.

치료보다는 적극적인 혈압강하치료를 우선으로 한다.

심초음파 소견

대동맥 박리의 명백한 심초음파 증거는 움직이는 박리편(dissection flap), 위강, 위강과

그림 19.7

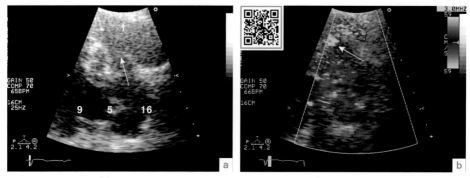

발살바동 동맥류 파열. (a) 발살바동의 우관상동이 동맥류성 변화를 보인다. (b) 색도플러에서 우관상동에서 우심실 사이의 혈류(화살표)가 있는 것을 보여주고 있다. (1) 우심실; (5) 대동맥판; (9) 좌심실 유출로; (16) 대동맥근.

진성 내강 간의 입구 또는 출구 등을 확인하는 것이다(그림 19.5). 그러나, 경흉부 심초음파 소견은 대동맥근 확장, 급성 대동맥판 역류, 대동맥판 탈출, 심낭 삼출, 흉수와 같이 비특이적인 경우가 더 많다. 또한 박리가 관상동맥을 침범하여 국소벽운동이상을 보이는 급성 심근경색증을 일으킬 수도 있다. 확진을 위해 대개 경식도 심초음파나 단층영상검사(CT, MRI)가 필요하다.

발살바동 동맥류(sinus of Valsalva aneurysm)

발살바동은 대동맥판 소엽의 레벨에서 대동맥이 밖으로 튀어나온 곳으로 여기에서 관상동맥이 나온다. 관상동맥은 대개 경흉부 심초음파에서는 잘 보이지 않는다.

발살바동의 동맥류성 확장은 심실중격결손과 연관된 선천성 질환에서 가장 흔히 발생한다. 또한 대동맥근의 병리가 있는 환자에서 혹은 심장수술 후에 발생할 수도 있다. 드문 합병증으로 동맥류 파열이 생겨 대개 우심실로 대동맥판 역류를 일으키거나(그림 19.7) 침범한 발살바동에 따라 다른 심장의 방으로 대동맥판 역류를 일으킬 수 있다.

선천성 대동맥 질환

대동맥 축착(aortic coarctation)

이것은 배아기의 비정상 발달에 의해 대동맥이 심하게 좁혀진 상태이다. 동맥인대(ligamentum arteriosum) 근처에서 좌쇄골하동맥 기시부의 원위부에 있는 흉부의 하행대동맥에 생긴다. 선천성 질환의 경우 이엽성 대동맥판이나 Turner 증후군과 관련되어 생길 수 있으며, 선천성 질환과 관계 없이 단독으로 생길 수도 있다. 대부분의 증례는 유아에서 발견되지만, 드물게 성인에서 고혈압, 대동맥 박리, 대동맥류, 감염성 심내막염, 심부전, 뇌출혈과 같은 합병증으로 나타날 수 있다.

흉골상부단면도에서 대동맥 축착은 흉부의 하행대동맥이 융기처럼 좁아져 보이고 빠

그림 19.8

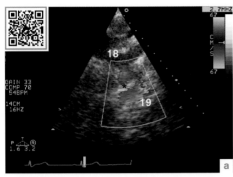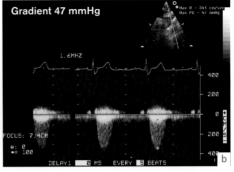

대동맥 축착. (a) 흉부 하행대동맥에서 융선과 같은(ridge-like) 좁아진 부위(*)가 있고 색도플러에서 혈류의 가속(적색 제트)이 보인다. 이 모습은 대동맥 축착을 의미한다. **(b)** 대동맥 축착을 지나는 연속파 도플러에서 압력차가 47 mmHg로 산정된다. (18) 대동맥궁; (19) 흉부 하행대동맥.

그림 19.9

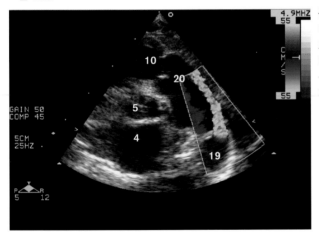

동맥관개존. 흉골연 단축도. 흉부 하행대동맥에서 폐동맥으로 가는 혈류가 보이며 동맥관이 남아있음을 의미한다. (4) 좌심방; (5) 대동맥판; (10) 우심실 유출로; (19) 흉부 하행대동맥; (20) 폐동맥.

른 속도의 와류가 관찰된다(그림 19.8). 덜 흔하지만 긴 관 모양의 수축도 발견된다. 연속파 도플러에서 베르누이 공식을 이용해 대동맥 축착을 지나는 압력차의 중증도를 평가한다. 압력차가 25 mmHg보다 크면 수술이나 경피적 풍선성형술을 시행한다. 이런 환자들은 재협착 가능성이 있으므로 심초음파 추적검사가 필요하다.

동맥관개존(patent ductus arteriosus)

동맥관(ductus arteriosus)은 태아 순환의 일부로서 자궁 내에서 기능하지 않는 폐를 우회하여 산소화된 혈액을 공급하기 위해 대동맥과 폐동맥을 연결한다. 정상적인 경우 동맥관은 출생 후 자연적으로 폐쇄되고, 섬유화되어 동맥인대(ligamentum arteriosus)를 형성한다.

동맥관개존은 여러 가지 장애로 인해 동맥관이 사라지지 않고 남아있게 되면서 높은 압력의 대동맥에서 폐동맥으로 혈액이 빠져 나가게 되는 질환이다. 심초음파로는 우심실 유출로 레벨의 흉골연 단축도에서 색도플러를 이용하여 가장 잘 관찰할 수 있으며, 하행 대동맥으로부터 폐동맥으로 가는 혈류가 비정상 제트로 나타난다(그림 19.9). 션트의 결과로 높은 압력에 의해 폐동맥이 확장되기도 한다. 다른 선천성 이상과 관련되어 발생하는 경우가 흔하며, 대부분 유아기 또는 소아기에 발견되어 치료한다.

선천성 중격 이상

심방중격결손(atrial septal defects, ASD)

발생학

심방중격은 2개의 조직이 자라고 합쳐져 형성된다. 한쪽은 심방의 위쪽에서 자라 내려오고(일차중격, septum primum), 다른 쪽은 초기의 방실 경계 부분(원시 방실 접합부, primitive atrioventricular junction. 심내막융기, endocardial cushion이라고도 함)에서부터 자라 올라온다(이차중격, septum secundum). 발생 과정 동안 다양한 시기에 중격 사이의 구멍이 형성될 수 있으며 심방중격결손은 기본적으로 이 구멍들이 닫히지 못하거나 중격의 한 부분이 제대로 자라지 못해 발생한다.

난원공개존(patent foramen ovale, PFO)과 심방중격류 (septal aneurysm)

정상적인 태아 순환계는 난원공(foramen ovale) 사이로 우심방과 좌심방이 교통되며, 이를 통해 산소가 많은 혈류가 폐를 우회하여 체순환계로 넘어갈 수 있게 된다. 난원공은 대부분 출생 후에 저절로 닫히지만 성인의 약 20%에서는 남게 된다. 난원공의 직경은 보통 5 mm 미만이다.

심방중격을 보기에 가장 적합한 창은 심방중격이 초음파 빔에 수직으로 위치시킬 수 있는 늑골하부단면도다. 난원와(fossa ovalis) 부위의 중격은 다른 중격에 비해 상대적으로 반향이 약하고 얇기 때문에 실제로 심방중격이 닫혀있더라도 심초음파에서는 끊어진 것처럼 보일 수 있다. 심방 사이에 혈류가 색도플러에서 보일 수 있지만(그림 20.1) 보이지 않는다고 해서 난원공을 배제할 수는 없다. 난원공은 조직 덮개로 덮혀 있는 경우가 많기 때문에 일반적인 상황에서는 심방 사이의 션트가 관찰되지 않다가 우심방 압

그림 20.1

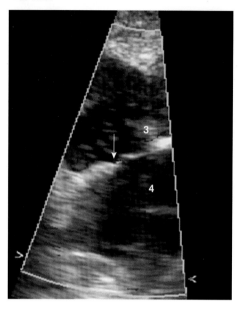

난원공개존. 늑골하부단면도의 색도플러. 색도플러에서 미세한 혈류흐름이 보이며(화살표), 이는 난원공개존을 시사한다. 동영상에서 더 잘 관찰할 수 있다. (3) 우심방; (4) 좌심방.

력이 증가되는 경우(예, 발살바 수기, Valsalva maneuver)에 덮개가 열리면서 션트가 보일 수도 있다.

심방중격류는 심방중격이 좌우로 펄럭이는 양상의 과운동성으로 나타난다. 보통 난원 공과 연관되어 나타나지만, 단독으로 발생하기도 한다. 한쪽 심방의 압력이 상승하면 심방중격이 다른쪽으로 부풀게 된다. 심방중격류의 엄밀한 정의에 의하면 적어도 1 cm의 중격 부분이 최소 1 cm이상 튀어나와 있어야 한다(그림 20.2).

기포 조영 검사(bubble contrast studies)

난원공을 진단하기 위해 가장 신뢰도가 높은 검사는 공기와 잘 혼합된 생리식염수 (agitated saline)를 조영제로 이용한 기포 조영 검사이다. 2개의 10 mL 주사기를 세 방향 꼭지에 연결한 다음에 생리식염수(9 mL)을 1 mL 이하의 공기와 섞어 주사기 2개 사이를 빠르게 왕복시켜 휘젓는다. 이것을 팔의 정맥에 빠르게 주사하고 초음파 영상을 심첨 4 방도나 늑골하부단면도에서 충분히 긴 시간 동안 기록한다(약 10초). 이 방법을 성공적으로 수행하기 위해 2명이 필요하다.

정상적인 상황에서는 우측 심장은 생리식염수 기포로 채워지게 되고 좌측 심장에는 변화가 없는데, 이는 생리식염수 기포가 폐 모세혈관에 걸려 좌측 심장으로 넘어갈 수 없기 때문이다. 좌심방과 좌심실에 기포가 보이면 우좌션트가 있음을 시사하며, 션트는 심방이나 심실, 폐순환계에 위치할 수 있다. 션트가 심장 내에 있다면 우측 심장에서 기포가 보이고 나서 4회의 심장주기가 지나기 전에 기포가 좌측 심장에서 나타나며 그 이후에 나타나는 경우에는 션트의 위치가 폐라는 것을 의미한다.

큰 난원공은 20개 이상의 생리식염수 기포가 좌측 심장에서 관찰될 때로 정의한다(그림 20.3). 평상 호흡에서 션트가 보이지 않으면 발살바 수기(Valsalva maneuver)를 시행해

그림 20.2

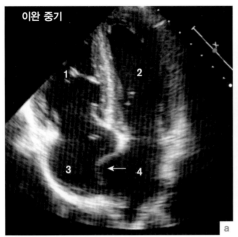
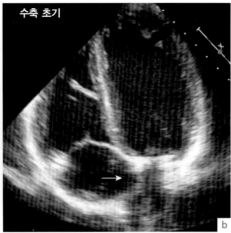

이완 중기

수축 초기

심방중격류(atrial septal aneurysm). (a와 b) 심첨 4방도. 심방중격이 덜렁거리고 비정상적인 움직임을 보이며(화살표), 이는 심방중격류를 시사한다. 우심방의 키아리 망상기형(Chiari network)도 잘 보인다.
(1) 우심실; (2) 좌심실; (3) 우심방; (4) 좌심방.

그림 20.3

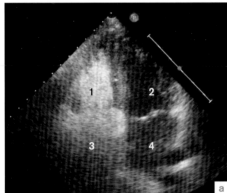
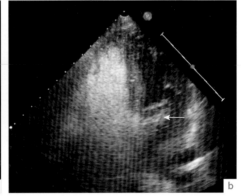
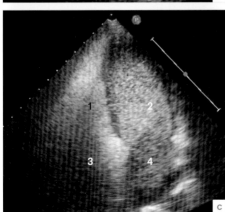

경정맥 기포 조영 검사와 발살바 수기. 심첨 4방도. (a) 발살바 수기 중 긴장 상태. 션트는 관찰되지 않는다. **(b)** 긴장을 푼 상태. 심방중격을 통해 기포 제트가 관찰된다(화살표). **(c)** 좌측 심강이 완전히 조영되었다.
(1) 우심실; (2) 좌심실; (3) 우심방;
(4) 좌심방.

야 한다. 환자가 화장실에서 배변할 때처럼 힘을 주고 있다가 신호가 있으면 정상 호흡을 하도록 한다. 이것은 초기에 흉강 내부와 심방의 압력을 올리고 정맥 환류를 감소시킨다. 환자가 힘을 풀면 정맥의 환류가 증가하여 우심방의 압력이 순간적으로 좌심방 압력보다 상승한다. 이 압력차는 난원공 덮개를 열기에 충분한 힘이 되어 기포와 혈류의 션트를 생성한다. 좋은 화질의 초음파 영상을 얻는 것은 쉬운 일이 아니기 때문에 실제로 조영제를 주사하기 전에 몇 번 연습하고 시행하는 것이 좋다.

경흉부 심초음파에서 기포 조영 검사가 음성이라 하더라도 난원공개존을 완전히 배제할 수는 없으며 필요하면 경식도 심초음파(조영제, 발살바 수기도 포함)도 시행해야 한다. 그리고 하대정맥의 혈류는 유스타키안 판을 통해 직접 난원공으로 흐르기 때문에 팔보다 대퇴정맥으로 조영제를 주사하는 것이 더 민감도가 높을 수 있다.

난원공개존과 관련된 임상 증후군

원인 불명의 뇌졸중(cryptogenic stroke)

난원공개존의 임상적 의의에 대해 논란이 있는데 정상인에서도 꽤 흔히 발견되기 때문이다. 원인 불명의 젊은 뇌졸중 환자에서 난원공개존은 연관성이 있는 것으로 알려져 있다(기이색전증[paradoxical embolism]에 의해 뇌졸중이 발생). 심방중격류와 난원공개존이 동반된 경우 난원공개존만 있는 경우보다 뇌졸중의 위험성이 더 높다고 보고 있다. 일부 환자에서는 최근의 연구가 이득을 증명하지 못하였음에도 불구하고 기구를 이용해 난원공을 막는 것을 고려하기도 한다.

편평호흡 직립성 저산소혈증(platypnea orthodeoxia)

이것은 매우 드문 증후군이며 성인에서 나타난다. 호흡곤란과 저산소증이 서 있거나 앉아있을 때 생기며 똑바로 누우면 호전된다. 이는 난원공개존이나 이차공 심방중격결손을 통해 산소포화도가 낮은 혈액이 우좌션트를 통해 이동하여 생긴다. 잘 이해되지 않는 이유로 자세에 의존적이고 간헐적으로 발생하기도 한다. 환자를 눕혀서 경흉부 심초음파를 하면 좌우션트가 있는 난원공개존으로만 보일 수 있다. 하지만 환자를 좀 더 세워서 검사하면 션트가 역전되는 것을 발견할 수 있다. 검사자가 의심하지 않으면 위험하지 않은 듯 보이는 난원공개존이 실제로 가진 의미를 간과하기 쉽다.

이차공 심방중격결손(secundum atrial septal defect)

이차공 심방중격결손은 이차중격(septum secundum)이 불완전하게 형성되었거나 일차중격(septum primum)이 재흡수되어 생긴다. 결손은 한 곳이거나 여러 곳일 수 있고 창 형태(fenestrated)로 열려 있을 수도 있으며, 다른 선천성 기형과 동반되기도 한다. 약 10%의 증례에서 폐정맥이 우심방이나 관상정맥동으로 환류된다(폐정맥 환류이상, anomalous pulmonary venous drainage).

이차공 심방중격결손은 심방중격의 중간 부분(난원와 부근)이 갑자기 끊어진 형태로 나타난다(그림 20.4). 창 형태의 심방중격결손은 격자형의 조직이 결손 부위에 있어 색도플러로 보면 여러 개의 혈류제트가 보인다. 이차공 심방중격결손은 언제나 방실판막 영

그림 20.4

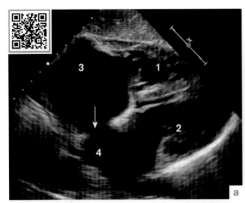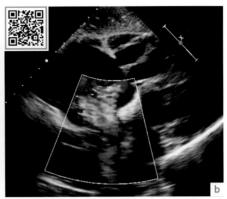

이차공 **심방중격결손**(secundum atrial septal defect). (a와 b) 늑골하부단면도. 2 cm 크기의 결손이 심방중격에 보이며, 이는 이차공 심방중격결손의 특징적이다. 색도플러를 통해 좌우션트를 볼 수 있다.

역에서 떨어진 곳에 확실히 구분되는 경계를 갖고 있어 일차공 심방중격결손과 구분할 수 있다. 난원공개존이 일반적으로 늑골하부단면도에서 가장 잘 보이는 반면에 이차공 심방중격결손은 심첨 4방도나 흉골연 단축도에서도 관찰할 수 있다.

심방중격결손을 지나는 혈류는 도플러로 확인할 수 있다. 혈류는 대체로 연속적이고 양방향으로 흐르지만 좌측에서 우측으로 흐르는 것이 우세하고 호흡에 따라 변한다.

이차공 심장중격결손의 크기가 큰 경우에는 유의미한 좌우션트를 일으켜 우측 심장의 용적 과부하로 인한 우심실 비대와 폐고혈압이 나타날 수 있다. 결손의 크기를 고려했을 때 우심실의 확장이 과하며 비정상적인 폐정맥 환류의 동반 가능성을 시사한다. 션트의 크기는 간헐파 도플러를 이용하여 체순환계와 폐순환계의 심박출량(Qs와 Qp)을 결정하여 추정한다(제11장, 그림 20.10 참고). 큰 션트는 대부분 소아에서 잘 보이며 작은 션트는 고령에서도 잘 나타나지 않을 수 있다.

체순환 혈류보다 폐순환 혈류가 2배 이상인(Qp:Qs > 2:1) 이차공 심방중격결손은 막아야 한다. 수술로 막을 수도 있지만 카테터로 기구를 삽입하여 폐쇄하는 것이 가능하여 이러한 방법을 이용하는 경우가 점점 늘고 있다.

일차공 심방중격결손(primum atrial septal defect)

일차공 심방중격결손은 방실접합부의 심내막융기(endocardial cushion)가 완전히 발달하지 못하여 생긴다. 이것은 방실판막과 심실/심방중격이 만나는 심장의 중간 부분을 포함하기 때문에 복잡한 중증의 결손이다. 심방중격결손뿐만 아니라 심실중격결손과 승모판 갈림증(cleft mitral valve), 승모판과 삼첨판이 하나의 판막으로 있는 공통 방실판막(common atrioventricular valve, 그림 20.5)을 동반하기도 한다. 이 기형은 영아에서 주로 발견되며 Down 증후군과도 관련이 있다.

기타 형태의 심방중격결손

앞에서 설명된 것 이외에 심방중격결손의 형태가 두 종류 더 알려져 있지만, 매우 드

그림 20.5

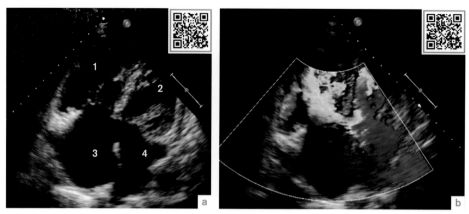

일차공 심장중격결손(primum atrial septal defect). (a와 b) 심첨 4방도. 공통 방실판막과 심실중격에 인접한 심방중격부위의 결손이 보인다. (1) 우심실; (2) 좌심실; (3) 우심방; (4) 좌심방.

물고 경흉부 심초음파로 발견하기 어렵다. 정맥동(sinus venosus) 심방중격결손은 심방중격의 윗부분(상대정맥이 우심방으로 들어오는)에 생겨 상대정맥의 혈류가 양쪽 심방으로 환류된다. 하대정맥 쪽에 결손이 있는 경우는 더욱 흔치 않다. 이것은 대부분 폐정맥 환류이상과 동반된다.

　관상정맥동(coronary sinus) 심방중격결손은 심방중격의 관상정맥동 옆에 생기며 삼첨판륜과 하대정맥, 유스타키안 능선(eustachian ridge) 사이에 위치한다.

심실중격결손(ventricular septal defect, VSD)

　심실중격결손은 소아에서 가장 흔한 선천선 심장기형이다. 심실중격은 다양한 발생학적 요소에서 유래하기 때문에 형성 과정에서 하나 또는 여러 가지 문제로 인해 다양한 형태의 심실중격결손이 만들어질 수 있다. 형태에 관한 전문용어가 복잡하기 때문에 간단히 정리하도록 한다.

유출로 심실중격결손(conoventricular VSD, outlet VSD)

　이것은 가장 흔한 형태(75%)로 대동맥판과 폐동맥판 근처의 좌심실과 우심실 유출로 부근에서 생기며 3가지 아형(subtype)이 있다.

막주위형 심실중격결손(perimembranous VSD)

　막주위형 심실중격결손은 삼첨판의 내측 유두근 부근에 생긴다. 결손을 통한 혈류 방향이 좌심실에서 우심실 유출로 쪽으로 향하는 것이 특징이며, 흉골연 단축도의 대동맥판 레벨에서 색도플러로 11시 방향의 혈류 제트를 확인할 수 있다(그림 20.6). 간혹 삼첨

그림 20.6

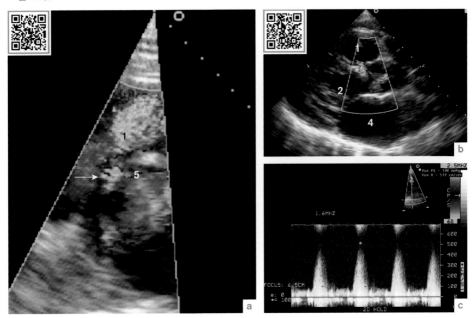

막주위형 심실중격결손. (a) 흉골연 단축도. 심실중격결손이 대동맥판의 우심실 방향에서 교통하고 있는 것이 보인다(11시 방향). 좌측에서 우측으로 흐르는 혈류가 색도플러에서 관찰된다(화살표). (b) 흉골연 장축도. 이 단면에서 심실중격결손은 대동맥판 바로 아래쪽에 위치해 있다. (c) 연속파 도플러에서 측정한 심실중격결손의 최대 압력차는 108 mmHg이다.

판 중격엽의 일부가 판막류성 막(aneurysmal membrane)을 남기며 결손이 자연폐쇄(spontaneous closure)된 흔적을 볼 수 있다(그림 20.7).

폐동맥하형 심실중격결손(subpulmonic VSD)

폐동맥하형 심실중격결손은 폐동맥판 부근에 생기며 흉골연 단축도 색도플러에서 혈류 제트가 1시 방향에 보인다(그림 20.8).

전위형 심실중격결손(misaligned VSD)

이것은 팔로 네징후(tetralogy of Fallot)에서 발생하며 소아에게 발견된다.

근육내 심실중격결손(muscular VSD)

이것은 심실중격의 중간이나 심첨부 벽 어디에나 생길 수 있다(그림 20.9). 약 60%에서 소아기에 저절로 막힌다.

그림 20.7

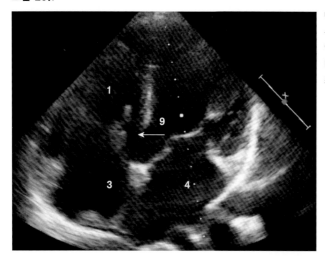

막주위형 심실중격결손의 자연폐쇄.
심첨 4방도. 막주위형 심실중격결손의 일부가 삼첨판의 중격엽으로 막혀 있다(화살표). (1) 우심실; (3) 우심방; (4) 좌심방; (9) 좌심실 유출로.

그림 20.8

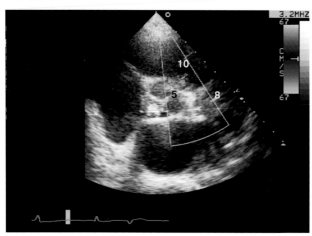

폐동맥하형 심실중격결손. 흉골연 단축도.
색도플러에서 우심실 유출로의 폐동맥판 직전에 심실중격결손이 위치하고 있는 것이 확인된다(1시 방향). (5) 대동맥판; (8) 폐동맥판; (10) 우심실 유출로.

유입로 심실중격결손(inlet VSD)

유입로 심실중격결손은 드물며, 일차공 심방중격결손과 관련이 있다. 결손은 삼첨판 옆에 위치하여 종종 방실판의 이상과 종종 동반된다(예, 승모판 갈림증, cleft mitral valve).

심실중격결손은 션트의 크기에 따라 임상적 의의가 결정된다. 션트가 작은 경우 혈역학적인 영향이 없어 보존적으로 치료한다. 그러나, 결손이 큰 경우 압력이 높은 좌심실에서 낮은 우심실로 많은 션트를 일으킨다. 션트의 크기를 추정하는 정량적인 지표는 없지

그림 20.9

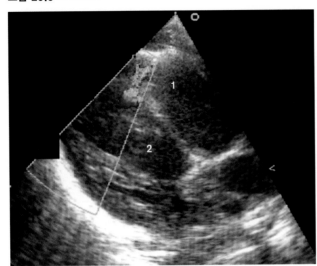

근육내 **심실중격결손.** 흉골연 장축도. 이 증례에서는 심실중격의 심첨부에 심실중격결손이 있다. 색도플러에서 좌우션트가 관찰된다.
(1) 우심실; (2) 좌심실.

만 우심실이 확장되어 있다면 션트의 양이 많음을 시사한다. 더 진행되어 폐고혈압이 생기면 결국 좌심실과 우심실의 압력이 비슷해지는데 이때는 션트의 양이 오히려 줄어들게 된다.

연속파 도플러로 심실중격결손을 통한 혈류의 최대 속도를 측정하면 우심실 수축기압(right ventricular systolic pressure, RVSP)을 추정할 수 있다(그림 20.6c). 대동맥판 협착이 없으면 수축기혈압은 좌심실 수축기압과 거의 동일하다. 이러한 특성을 이용하여 변형된 베르누이 공식으로 양심실 사이의 압력차를 알 수 있다. 따라서, '우심실 수축기압(mmHg) = [수축기혈압] − [심실중격결손 압력차]'의 공식으로 심실수축기혈압을 알 수 있다.

심장 내 션트의 정량적 평가

심장 내 션트(심방/심실중격결손, 동맥관개존 등)를 평가할 때 심장의 폐순환계의 박출량(Qp)과 체순환계의 박출량(Qs)을 비교하여 정량화하는 것이 중요하다. 이 기법은 (비)연속성 공식의 원리를 이용한다(제11장 참고). 예를 들어 심실중격결손의 혈류가 좌심실에서 우심실로 꽤 많은 양이 흐르면 우측 심장의 심박출량은 좌측 심장의 박출량보다 많다(Qp > Qs). 심실의 일회 박출량은 양심실의 유출로에서 속도−시간 적분값과 유출로의 직경을 측정하여 알 수 있다. 션트의 비가 2:1 이상이면 유의하다고 본다. 실제 증례는 그림 20.10에 있다.

그림 20.10

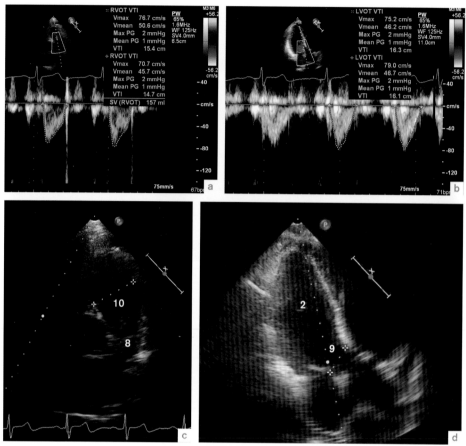

심장 내 션트의 정량적 평가. 심방중격결손 증례와 관련된 정보는 그림 20.4에 있다. **(a)** 간헐파 도플러: 우심실 유출로(RVOT)의 속도-시간 적분(velocity-time integral, VTI)은 15.1 cm. **(b)** 간헐파 도플러: 좌심실 유출로(LVOT)의 VTI는 16.2 cm. **(c)** 흉골연 단축도: 우심실 유출로 직경 3.6 cm. **(d)** 심첨 4방도: 좌심실 유출로 직경은 2.2 cm.
좌심실 일회 박출량 = 3.142 x 1.12 x 16.2 = 62 mL
우심실 일회 박출량 = 3.142 x 1.82 x 15.1 = 154 mL
따라서, Qp:Qs = 154/62 = 2.5
이는 션트의 크기가 우심실을 확장시킬 수 있을 정도로 크다는 것을 의미한다. (2) 우심실; (8) 폐동맥판; (9) 좌심실 유출로; (10) 우심실 유출로.

경피적 기구를 이용한 폐쇄

중격결손의 경피적 폐쇄는 난원공개존과 이차공 심방중격결손, 특정 심실중격결손에서 최소침습적이며 효과적인 치료법이다. 다양한 기구가 상용화되어 있으며, 2개의 우산형 구조를 결손 부위의 양쪽에 위치시킨 후 조이는 방식이다(그림 20.11). 수개월이 지나 기구가 내피세포화(endothelialization)되면 결손이 완전히 막히게 된다.

이차공 심방중격결손의 경우 크기가 4 cm 미만이고, 경계 능선이 폐동맥판과 대동맥

그림 20.11 ──────────

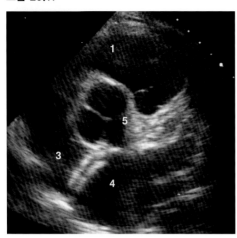

동맥관개존의 폐쇄 장치(closure device).
흉골연 단면도. 심방중격에 단추 모양의 폐쇄 장치가 보
인다(화살표).

판으로부터 적어도 0.5 cm 이상 떨어져 있어야 경피적으로 막을 수 있다. 폐정맥 환류이
상(배제하기 위해 경식도 심초음파가 필요), 중증의 폐고혈압, Eisenmenger 증후군, 동반
된 선천성 심질환이 있어 수술적 교정이 필요한 경우는 금기에 해당한다.

유사한 기구를 사용하여 근성부형 심실중격결손을 막기도 한다. 막주위형 심실중격결손
중 폐동맥판과 대동맥판 부근에 결손이 있는 경우에는 경피적 폐쇄가 상대적으로 어렵다.

결과 보고

심방중격결손(ASD)의 결과 보고
요약
- 진단
- 결손의 크기
- 션트의 특성
- 동반된 병변

정성적 자료
- 결손의 위치
- 션트의 방향
- 동반 병변(예, 폐정맥 환류이상)
- 이차적 재형성(예, 우측 심장 확장, 삼첨판 역류)

정량적 자료
- 결손의 크기
- 션트의 비(Qp:Qs)
- 폐동맥 압력
- 심방의 크기
- 우심실 직경
- 하대정맥 직경

결과 보고

심실중격결손(VSD)의 결과 보고

요약
- 진단
- 션트의 특성
- 동반 병변

정성적 자료
- 결손의 위치와 종류
- 션트의 방향
- 동반 병변(예, 심방중격결손, 판막 질환)
- 이차적 재형성(예, 우측 심장 확장, 삼첨판 역류)

정량적 자료
- 결손의 크기
- 션트의 비
- 션트의 압력차
- 심실 직경
- 폐동맥 압력

삼차원 심초음파

개요

2000년대로 넘어와 심초음파 영역에서 주요한 변화 중 하나는 삼차원 심초음파가 개발되어 실제 임상에 적용이 가능해졌다는 점이다. 경흉부와 경식도 방식 모두에서 삼차원 심초음파는 정량화의 정확도가 향상되었고, 해부학적 구조를 더 쉽게 평가할 수 있게 되었다. 또한 심초음파를 가르치고 배우는 과정에서 삼차원 데이터 세트(dataset)를 통해 일반적인 이면성 영상과 실제 해부학적 구조의 연관성을 보여주기가 용이해졌다.

삼차원 심초음파의 이론

일반적인 이면성 심초음파는 얇은 초음파 빔이 조직을 지나면서 반사된 빔으로 영상을 얻는다. 삼차원 심초음파 검사법이 개발되면서 탐촉자의 결정 배열은 보다 촘촘해졌고 다양한 주사선(scan lane)으로 초음파를 주고받는 것이 가능해져 피라미드 형태로 초음파 신호를 만들고 이것을 화면에 삼차원 영상으로 보이도록 재구성한다. 적절한 삼차원 데이터 세트를 얻기 위한 방법은 이면성 초음파 때와 다르지 않은데 다음의 요소들이 필요하다.

- 깨끗한 심전도 기록(tracing) – 한 장, 한 장의 삼차원 용적 영상을 구성하는데 필수적임
- 최적화된 창(window) – 영상의 위치를 일정하게 하기 위해 호흡을 조절함

- 최적화된 설정 – 깊이(depth), 초점(focus), 게인(gain), 섹터 너비(sector width) 등의 조정

삼차원 탐촉자는 이면성 탐촉자보다 무겁고 조금 더 큰 접촉면을 갖는데, 이는 전자회로망과 전선이 더 많이 들어있기 때문이다. 그래서 적절한 창을 찾고 허상이 적은 영상을 얻을 수 있는 지점을 찾기 위한 노력이 더 필요하다. 또한 근본적으로 초음파가 조직을 통과하는 속도 자체를 바꿀 수는 없으므로 적절한 삼차원 영상을 얻기 위한 화면율(frame rate) 확보는 쉽지 않을 수 있다. 따라서, 기기의 설정을 미리 최적화해야 한다.

삼차원 영상을 얻는 방법은 현재 4가지 방식이 있으며 표 21.1에 나열하였다(그림 21.1과 21.2).

그림 21.1

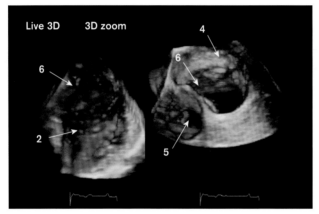

승모판의 실시간 삼차원 경식도 심초음파와 삼차원 확대(3D zoom) 경식도 심초음파 비교.
(2) 좌심실; (4) 좌심방; (5) 대동맥판; (6) 승모판.

그림 21.2

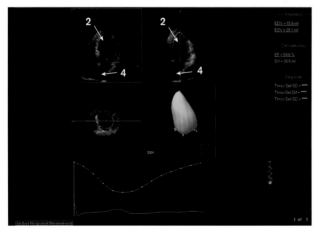

4회의 심장주기 동안 전체 용적(full volume) 영상을 수집하여 반자동으로 구출기를 분석. (2) 좌심실; (4) 좌심방.

표 21.1 삼차원 심초음파 방식

방식	설명	화면율	한계점	장점	주요 용도
실시간 삼차원	하나의 얇은 피라미드형의 용적	좋음, 주로 > 30 Hz	승모판 같은 구조물을 전반적으로 보여주기에 용적이 충분히 넓지 못함	실시간 영상이며 화면율이 높음	임상적 사용에 제한적임
삼차원 확대(3D zoom)	사용자가 지정한 용적 영역을 확대	용적에 따라 결정되며, 전형적으로 5~20 Hz	용적이 커지면 화면율이 낮아짐	실시간 영상이며 폭이 넓은 구조 전체를 모두 보여줄 수 있음	승모판 영상, 중재술의 보조
전체 용적 (full volume)	심전도 동기(ECG-gated)로 다수의 피라미드형 용적을 모아 큰 삼차원 용적을 만듦	심박수, 깊이에 따라 결정되며, 주로 > 25 Hz	바느질 허상(stitching artefact)을 피하기 위해 일정한 심장 리듬과 자세 유지가 필요하며, 실시간 영상은 아님	해상도가 높은 데이터 세트를 얻을 수 있음	좌심실의 크기와 기능을 삼차원적으로 평가
삼차원 색	실시간 삼차원, 전체 용적 모드에서 색으로 관찰	나쁨, 작은 용적 화면율으로도 종종 < 10 Hz	적절한 용적 크기를 얻기 위해 화면율을 희생해야 함	작은 color jet이 잘 관찰됨	승모판 역류 유입의 삼차원적 정량화, 판막 주변부 누출
X-plane	실시간으로 2개의 수직인 단면을 동시에 관찰	좋음, 주로 > 30 Hz	화면 양쪽에 2개의 이면성 영상을 보여주는 것이므로 삼차원 영상이 아님	화면율 확보가 쉽고, 간편하고 빠르게 해부학적 구조와 병인을 평가할 수 있음	해부학적 구조의 이해와 허상의 감별

영상 프로토콜(imaging protocol)

경흉부 삼차원 심초음파

기술적으로는 어느 창에서나 삼차원 데이터 세트를 만들 수 있지만 좌심실의 용적과 기능을 평가하는 데 있어 정확도를 향상시키기 위해 삼차원 심초음파를 주로 사용한다. 다음 단계는 심전도 동기(ECG-gated) 삼차원 전체 용적 모드로 좌심실 영상을 얻는 순서이다(그림 21.3).

1. R파 생성이 잘 되도록 깨끗한 심전도를 얻는다.
2. 일반적인 심첨 4방도에서 이면성 영상을 확인한다.
3. 이면성 영상의 깊이, 이면성 게인, 섹터 너비를 최적화한다.
4. 일반적으로 4개의 R-R 주기의 영상을 얻으므로 기록시간이 얼마나 필요한지와 해당 시간 동안 호흡의 영향을 미리 파악한다.
5. 전체 용적 모드를 선택한다.
6. 이면(biplane) 영상 모드가 활성화되었는지 확인한다.
7. 4회의 심장주기 동안 숨을 참고, 심첨 4방도와 심첨 2방도의 영상이 최적화되었는지 확인한다.

그림 21.3

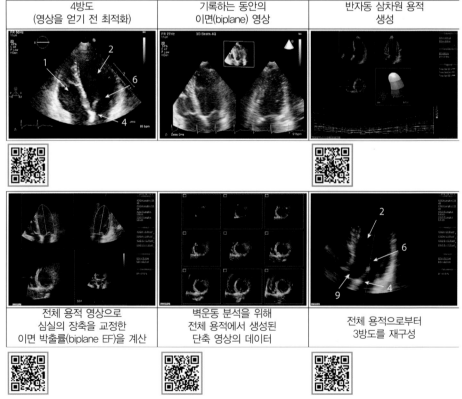

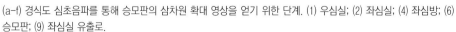

(a-f) 경식도 심초음파를 통해 승모판의 삼차원 확대 영상을 얻기 위한 단계. (1) 우심실; (2) 좌심실; (4) 좌심방; (6) 승모판; (9) 좌심실 유출로.

8. 피검사자, 탐촉자, 심전도 신호가 안정적이면 전체 용적 영상기록을 시작한다.

9. 기록이 끝나면 피검사자가 호흡을 다시 하도록 한다.

10. 기록된 영상의 심전도가 규칙적으로 R파 생성이 잘 되었는지 확인하고, 합체 시 나타날 수 있는 바느질 허상(stitching artefact)이 있는지 살펴본다.

11. 적절한 영상 분석이 되어 있으면 삼차원 용적 영상을 저장한다.

심첨 4방도에서 얻은 하나의 삼차원 데이터 세트를 이용하면 심첨 4방도, 심첨 3방도, 심첨 5방도의 이면성 영상을 잘라서(crop) 피라미드형의 용적을 재구성하여 얻을 수 있다. 승모판, 대동맥판, 삼첨판 각각을 잘라내는 것도 가능하다.

좌심실 전체의 피라미드형 용적을 얻으면 일반적인 이면성 영상에서 좌심실 첨부가 짧아져 있더라도(foreshortening), 절단면(cropping plane)에 실제 심첨부가 있도록 조정하여 교정을 할 수 있는 점이 큰 장점이다. 이는 삼차원 데이터 세트 분석을 통한 좌심실 용적 평가의 정확도가 높은 가장 중요한 이유이다.

경식도 심초음파(transesophageal echocardiography, TEE)

삼차원 경식도 심초음파는 승모판의 병소를 알아내고 평가하는 데 가장 활발하게 이용되고 있다. 특히 '외과의사의 시야(surgeon's view)'를 보여줄 수 있어 승모판 복구술(mitral

그림 21.4

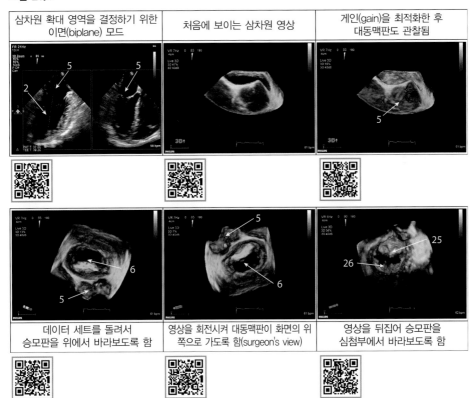

삼차원 확대 영역을 결정하기 위한 이면(biplane) 모드	처음에 보이는 삼차원 영상	게인(gain)을 최적화한 후 대동맥판도 관찰됨

데이터 세트를 돌려서 승모판을 위에서 바라보도록 함	영상을 회전시켜 대동맥판이 화면의 위쪽으로 가도록 함(surgeon's view)	영상을 뒤집어 승모판을 심첨부에서 바라보도록 함

(a–f) 경식도 심초음파를 통해 승모판의 삼차원 확대 영상을 얻기 위한 단계.

valve repair)을 계획하는데 가이드가 될 수 있고, 판막의 해부학적 구조와 병태를 기술하는
데 있어 일관성을 유지할 수 있게 해 준다. 여러 삼차원 검사법 중 삼차원 확대가 승모판
의 최적화된 영상을 얻는데 좋다(그림 21.4).

1. 승모판의 깨끗한 단면과 안정적인 이면성 창을 확보한다(일반적으로 0° 또는 90°).
2. 삼차원 확대 모드를 활성화하면 이면(biplane) 영상이 화면에 나타난다.
3. 왼쪽 화면의 상자 크기와 위치를 조정하여 승모판륜이 포함되도록 한다.
4. 오른쪽 화면의 너비를 조정하여(width control) 샘플 박스(sample box)가 승모판륜,
   판엽을 포함하도록 한다.
5. 화면율 확보를 위해 삼차원 확대 샘플 박스가 승모판을 포함하는 것 이상으로 크지
   않아야 한다.
6. 삼차원 확대 영상을 기록한다.
   이 단계까지 수행했을 때 영상은 옆에서 바라보는 단면이고 게인(gain)이 과다하여
   처음에는 만족스럽게 보이지 않을 수 있다. 여기서 승모판 용적 영상을 멈추고 다
   음 단계로 넘어간다.
7. 삼차원 용적을 내려 승모판의 위쪽에서(좌심실 쪽에서 승모판을 바라보도록) 바라
   보는 모양으로 한다.
8. 게인을 줄여서 혈액 저류에 의한 잡음(blood pool noise)을 최소화한다(너무 줄이면
   오히려 허상이 더 생긴다).
9. Z축을 돌려서 대동맥판이 12시 방향에 오도록 한다(surgeon's view의 형태가 됨).
10. 삼차원 확대 용적이나 실시간 영상기록을 계속한다.

실제 삼차원 확대 데이터 세트를 얻을 때 위의 단계 중 7번째부터는 앞의 단계에서 데
이터 세트가 저장되어 있으면 오프라인에서도 진행이 가능하다. 그러나, 중재시술을 가이
드하기 위해 검사를 하는 경우, 위의 단계들이 실시간으로 행해지게 되고 지속적으로 영상
이 업데이트된다는 점을 명심한다(탐촉자를 한번 떼면 다시 검사했을 때 영상이 다르게 보
일 수 있다).

임상적 적용

좌심실의 기능 평가

좌심실의 크기와 수축기능을 평가하는 것은 심초음파 검사를 시행하는 가장 중요한
이유가 된다. 심실의 용적과 질량을 이면성으로 평가할 때는 기하학적 구조에 대한 가정
을 전제로 한다. 이런 가정이 좌심실의 용적을 측정함에 있어서 정확도를 떨어뜨리는데,
특히 국소벽운동이상이 있거나 심근병증 환자에서 그렇다. 삼차원 심초음파는 이전의 검
사법의 한계를 극복하여 단면의 위치나 기하학적 구조에 대한 가정의 영향을 받지 않는다(
표 21.2). 이처럼 삼차원 심초음파는 좌심실의 크기, 용적, 기능을 평가하는데 훌륭한 도구
이다. 여러 연구에 따르면 삼차원 심초음파로 계산한 좌심실 용적은 용적 계산에 최적표준
(gold standard) 기법인 심장 자기공명영상으로 얻은 결과와 좋은 연관성을 보인다.

표 21.2 삼차원 심초음파로 좌심실기능을 평가하는 것의 장단점

장점	– 임상에서 중요하고 흔히 가지는 궁금증에 대한 정확한 평가가 가능
	– 기하학적 구조에 대한 가정에 의존적이지 않음
	– 좌심실이 짧아지는 것(foreshortening)을 피함
	– 검사자간, 검사자 내 평가 시 편차를 줄임
	– 심장 자기공명영상 결과와 연관성이 좋음(용적, 질량, 박출률)
단점	– 삼차원 심초음파 시행이 가능한 장비와 소프트웨어가 필요함
	– 심박동이 불규칙한 경우 여러 심장주기의 영상을 얻는 것이 어려움
	– 데이터 세트를 원하는 영상으로 구성하는데 추가적인 시간이 필요함

그림 21.5

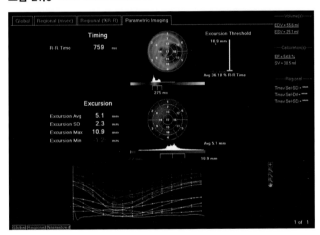

좌심실 각 분획의 기능을 4 심장주기 동안 획득한 전체 용적을 통해 분석.

좌심실의 전체 용적을 심첨 4방도와 2방도에서 기록할 때는 합체 시 나타날 수 있는 바느질 허상(stitching artefact)을 줄이기 위해 피검사자의 숨을 멈추고 해야 한다. 최근 연구에 따르면 적절한 좌심실 용적 평가를 위해 최소한 2회의 심박 동안 기록해야 한다.

반자동 소프트웨어를 통해 수축기와 이완기의 심내막 경계와 각종 주요 구조물을 구분할 수 있다. 심내막 경계가 정확한지 확인하고 싶다면 단축의 심실 영상을 스크롤할 수도 있다. 이렇게 심내막 경계가 정해지면 소프트웨어는 변형이 가능한 좌심실 모델을 만들어낸다. 이를 통해 좌심실의 수축기/이완기 용적과 박출률을 구할 수 있다(그림 21.2). 좌심실 모델은 17분획(그림 21.5)에 따른 각 좌심실 분획에 대한 추적과 분석을 할 수 있게 해 준다. 이렇게 좌심실 각 분획의 지표를 얻고 벽운동이상이 있는지 객관적으로 파악할 수 있다.

판막 질환의 평가

삼차원 심초음파(특히 경식도 심초음파)는 영상과 판막의 구조 및 기능을 이해하는 데

그림 21.6

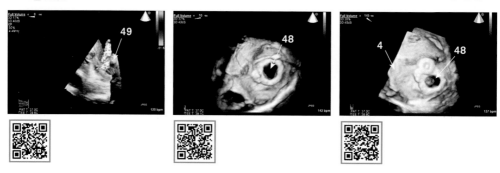

(a-c) 승모판 기계판막의 판막 주변부 누출을 폐쇄하는 중재 시술 중의 실시간 삼차원 경식도 심초음파 영상. (4) 좌심방; (48) 승모판 기계판막; (49) 판막 주변부 누출.

획기적인 변화를 가져왔다. 특히 승모판은 매우 구체적인 실제 모형화가 가능해졌다. 이를 통해 판막의 외과의사의 시야(surgeon's view)를 재구성해서 탈출한 부분을 쉽게 찾아낼 수 있게 하고, 수술 계획 수립을 위한 의사소통을 돕는다. 승모판 인공판막도 봉합한 지점의 개수를 셀 수 있을 만큼 깨끗한 영상으로 볼 수 있다. 판막 주변부 누출, 혈전, 판막 기능이상 등 병적인 상태도 삼차원 영상을 이용하면 쉽게 알아낼 수 있다.

전체 용적 데이터 세트가 있으면 초음파 창의 제약 없이 어떤 이면성 영상도 만들어낼 수 있다. 이 데이터 세트로 판구 면에 수직인 단면을 만들어낼 수 있다는 것(예, 승모판 협착)은 매우 큰 장점이다. 이면성 단면이 판막의 끝(tip)에 맞추어 정렬이 잘 되고 혈류에 수직이라는 것이 보장만 되면 판구 면적 측정의 정확도가 향상되기 때문이다.

대동맥판의 경우 삼차원에서 영상을 얻는 것이 쉽지 않은데, 이는 대부분의 경식도 심초음파 단면과 평행하고 대동맥에 의해 일부 가려지기 때문이다. 삼차원 용적과 실시간 삼차원 모드를 이용해 대동맥과 대동맥판 아래쪽에서 경위창(transgastric window)으로 모두 관찰하는 것이 대동맥판의 해부학적 구조를 깨끗하게 구성하는 데 도움이 된다.

중재시술의 보조

최근 심장수술보다 카테터를 이용한 접근으로 질환을 치료하는 사례가 늘고 있는데, 이때 이전부터 사용되던 투시조영(fluoroscopy)뿐만 아니라 심초음파를 이용해서 보조하는 방법이 많이 사용되고 있다. 삼차원 심초음파(특히 경식도)가 등장하면서 시술 중 심초음파 검사를 통한 카테터 위치 결정, 기구 배치(device deployment), 시술 후 경과 평가에 도움이 되고 있다. 카테터가 심강에 있으면 가급적(화면율이 충분하면) 삼차원 확대 모드로 관찰하는 것이 좋은데 이 모드가 실시간 영상으로 카테터의 위치를 구성해 보여줄 수 있기 때문이다.

요약

　삼차원 심초음파는 심장의 초음파 기술에 최신 플랫폼을 접목하여 빠르고 간단하게 영상을 얻을 수 있는 발전된 기법이다. 가장 큰 장점은 좌심실의 크기와 기능을 더 정확하게 정량화할 수 있는 경흉부 영상을 얻을 수 있다는 것이다. 그러나, 삼차원 심초음파가 만능은 아니며 저화질의 이면성 영상을 마법처럼 바꿔줄 수는 없다. 따라서, 검사하면서 창(window)에 유의하고 영상의 최적화에 신경을 쓰는 것이 실제 활용할 수 있는 영상을 얻는데 가장 중요하다.

한계점

　삼차원 심초음파 플랫폼을 구성하는데 드는 비용과 탐촉자의 크기/무게는 점차 부담이 줄고 있다. 영상을 얻는 기법이 발전함에 따라 삼차원 용적을 얻기 위한 과정에 시간이 덜 필요해지고 단계가 간소화되어 일부 이면성 영상을 저장할 필요가 없어졌다.

　그러나, 다음과 같은 단점들이 아직 존재한다.

- 화면율 – 용적 크기와 화면율 간에 존재하는 반비례 관계를 극복하기가 쉽지 않다.
- 심전도 동기(ECG gating) – 전체 용적 영상을 얻을 때 합체 시 나타나는 바느질 허상(stitching artefact)를 피하기 위해 심전도 동기가 잘 되어야 하는데 때때로 이것이 어려울 수 있다.
- 숙련 과정 – 삼차원 데이터 세트를 얻는 것 자체는 직관적이지만 이 영상을 어떻게 잘라서(crop) 정렬을 맞추고 영상을 보여줄지 연습하는데 시간이 필요하다.
- 작업속도(workflow) – 삼차원 용적 측정에 오프라인에서 분석하는 시간이 필요하다.

전망

　삼차원 경흉부 심초음파 탐촉자는 표준 이면성 심초음파 탐촉자와 크기와 모양이 점점 비슷해지고 있어 하나의 탐촉자로 이면성 영상과 삼차원 영상을 얻는 것이 가능하다. 지금보다 더 크기와 무게를 줄이고 결정의 밀도를 높일 수 있다면 해상도와 화면율을 높일 수 있을 것이다. 표준화된 삼차원 프로토콜, 용어, 영상 등이 좀 더 개발되면 삼차원 기술의 활용도가 높아지고, 실제 현장에서 일상적으로 검사에 이용할 수 있을 것이다.

포괄적 검사

통합 정보(integrating information)

포괄적 심초음파 검사는 기술적인 숙련도를 위한 연습보다 중요하다. 심초음파의 탐촉자를 잡기 전에 검사자는 의뢰받은 문제와 환자로부터 얻은 임상 정보를 숙지해야 한다. 기억해야 할 유용한 정보는 의심되는 진단 또는 임상적 문제, 환자의 증상, 임상 검사 소견, 과거 병력, 심전도, 흉부 X선 소견 등이다. 의뢰자 측에도 자세하고 정확한 정보를 제공해야 할 일부 책임이 있다.

이상을 숙지한 다음에 검사자는 가능한 진단을 내리거나 배제하는 것을 능동적으로 고려해야 한다. 예를 들어 말초부종이 있는 환자에서 협착심낭염을 가능한 진단으로 생각하지 않으면 협착심낭염의 증거를 놓치기 쉬울 것이다.

심초음파를 시행하면서 검사자는 완전한 진단에 도달하기 위해 검사 소견을 확실히 확인하고 세밀히 구별해야 한다. 예를 들어 유의미한 승모판 역류를 발견했다면 가능한 기전과 그 이차적 효과는 무엇인지, 심초음파 검사 동안 역류의 증거를 어떻게 찾을 것인지에 대해 더 생각할 필요가 있다.

심초음파 검사

포괄적 심초음파 검사를 어떻게 구성할 것인가에 대해 의견이 다양할 수 있다. 일부 심초음파 영상과 측정법이 다른 것보다 중요하더라도 본질적으로 검사자는 가능한 모든 심초음파 창으로부터 모든 적절한 검사법을 사용해야 한다. 시행착오를 최소화하며 최대의 정보를 수집할 수 있도록 표준 기본검사를 따르는 것이 최선이다. 검사자는 스스로 정한 기본검사를 하거나 환자의 문제, 허용된 시간, 검사자의 숙련도에 따라 선택적인 검사를 할 수도 있다.

검사를 진행하면서 검사자는 다른 영상으로부터 각 구조물을 확인하여 이미 발견한 소견에 덧붙여 해석할 필요가 있는 추가 정보를 얻어야 한다. 1가지 소견 또는 구조물에만 초점을 맞출 수도 있지만 가급적 모든 부분을 다루는 체계적인 접근을 따르고 최종적으로 모든 정보를 통합하는 것이 가장 좋다.

표 22.1에 수록한 일련의 심초음파 영상은 완전한 검사를 위한 기본이 되어야 한다.

표 22.1 완전한 검사를 위한 기본

창	평가		
	이면성 영상	크기 측정	도플러
흉골연 장축도			
	대동맥판 승모판 좌심실 우심실 좌심방 심낭	M-모드 혹은 B-모드: 대동맥근 좌심방 심실중격 두께 (이완기/수축기) 좌심실 내경 (이완기/수축기) 좌심실 후벽 두께 (이완기/수축기)	대동맥판 및 승모판: 색도플러 심실중격: 색도플러
우심실유입단면도			
	삼첨판 우심방		삼첨판: 색도플러와 연속파 도플러

표 22.1 계속

창	평가		
	이면성 영상	**크기 측정**	**도플러**
우심실유출단면도			

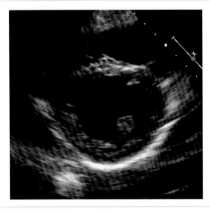

	폐동맥판 폐동맥	우심실 유출로 직경 폐동맥 직경	폐동맥판: 색도플러와 연속파 도플러 우심실 유출로: 간헐파 도플러
흉골연 단축도: 유두근 레벨			

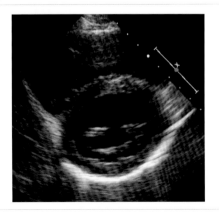

	좌심실 우심실 심낭	좌심실의 M-모드 (흉골연 장축도 에서 측정이 어려운 경우)	
흉골연 단축도: 승모판 레벨			

	승모판 구조		승모판: 색도플러

표 22.1 계속

창	평가		
	이면성 영상	크기 측정	도플러

흉골연 단축도: 대동맥판 레벨

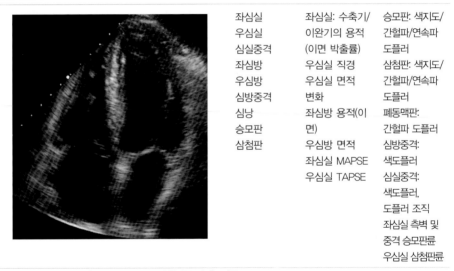

	대동맥판 삼첨판 폐동맥판	우심실 유출로 직경 폐동맥 직경	대동맥판: 색도플러 삼첨판: 색지도/연속파/간헐파 도플러 우심실 유출로: 간헐파 도플러 폐동맥판: 색지도/연속파 도플러

심첨 4방도

	좌심실 우심실 심실중격 좌심방 우심방 심방중격 심낭 승모판 삼첨판	좌심실: 수축기/이완기의 용적(이면 박출률) 우심실 직경 우심실 면적 변화 좌심방 용적(이면) 우심방 면적 좌심실 MAPSE 우심실 TAPSE	승모판: 색지도/간헐파/연속파 도플러 삼첨판: 색지도/간헐파/연속파 도플러 폐동맥판: 간헐파 도플러 심방중격: 색도플러 심실중격: 색도플러, 도플러 조직 좌심실 측벽 및 중격 승모판륜 우심실 삼첨판륜

* MAPSE, 승모판륜 수축 이동; TAPSE, 삼첨판륜 수축 이동.

표 22.1 계속

창	평가		
	이면성 영상	크기 측정	도플러
심첩 5방도			
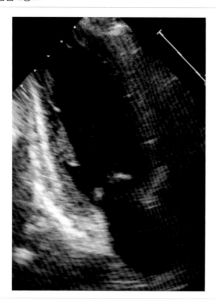	대동맥판 좌심실 유출로	좌심실 유출로 직경	대동맥판: 색도플러 삼첨판: 색지도/연속파/간헐파 도플러 우심실 유출로: 간헐파 도플러 폐동맥판: 색지도/연속파 도플러
심첩 2방도			
	좌심실 승모판 좌심방 심낭	좌심실: 수축기/이완기 용적(이면성 박출률) 좌심방 용적(이면)	승모판: 색도플러

표 22.1 계속

창	평가		
	이면성 영상	**크기 측정**	**도플러**

심첨 3방도

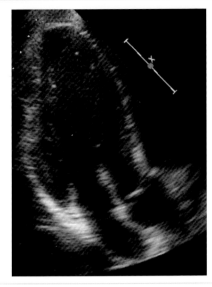

대동맥판
승모판
좌심실
좌심방
심낭

대동맥판:
색지도 ± 연속
파 도플러
승모판:
색도플러

늑골하부4방도

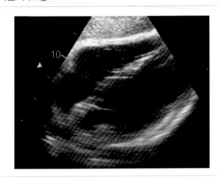

좌심실
우심실
심실중격
좌심방
우심방
심방중격
심낭
승모판
삼첨판

승모판:
색도플러
삼첨판:
색지도/연속파
도플러
심방중격: 색도
플러
심실중격: 색도
플러

표 22.1 계속

창	평가		
	이면성 영상	크기 측정	도플러

늑골하부 하대정맥 단면도

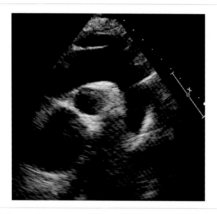

하대정맥 허탈성 / 하대정맥 직경 / 간정맥: 간헐파 도플러

	하대정맥 허탈성	하대정맥 직경	간정맥: 간헐파 도플러

흉골상부단면도

	대동맥궁	대동맥궁 직경	대동맥궁: 색도플러 하행대동맥: 간헐파/연속파 도플러

우흉골연단면도

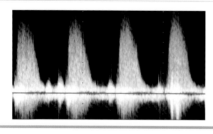

	상행대동맥 구조	상행대동맥 직경	대동맥판: 연속파 도플러 (Pedoff 탐촉자)

집중 초음파검사

개요

응급 상황에서 검사자는 완전한 심초음파 검사 시행을 원하지 않고 한두 가지 특정 의문점에 대해서만 간단히 답을 구할 필요가 있다. 이때 검사자가 무엇을 찾을 것인지 생각하고 적절한 것에 집중하는 것이 도움이 된다. 물론 예상하지 못한 것에도 눈을 뜨고 있어야 한다. 그러한 상황에서 제한된 시간, 제한된 시야 등과 같은 제약이 따르기도 한다. 심초음파를 100% 신뢰할 수 없으므로 절대적인 확신을 갖고 특정 진단을 완전히 배제할 수는 없지만 생명을 구하는 진단을 할 수는 있다. 또한 환자의 악화 원인과 직접 관련이 없을 수 있는 소견을 우연히 발견할 수 있다는 점을 명심하고 이러한 것에 지나치게 집중하지 말아야 한다.

심정지 전후 상황에서는 빠르게 검사해야 한다.

- 좌심실의 구조와 기능
- 우심실의 구조와 기능
- 심낭 삼출 ± 심장눌림증의 증거(예, 우심방/우심실의 이완기 허탈)
- 판막의 구조와 기능: 특히 이면성 영상 또는 색도플러 영상에서 특히 극심한 대동맥판 협착 또는 급성의 중증 승모판 역류의 증거
- 폐동맥 압력
- 하대정맥 직경

다음의 표에서 각 임상적 상황의 감별진단은 심초음파로 확인할 수 있는 소견들로 한정하였다. 다만 심초음파가 나열한 모든 소견들에 대한 최적의 진단적 도구가 아닐 수 있고 임상적 검사

및 진찰 소견이나 통찰력을 대신할 수도 없다. 또한 기술되지 않은 기타 원인들이 관련될 수도 있다는 것을 명심하는 것이 중요하다. 그러나, 즉시 이용 가능한 진단적 도구라는 점에서 집중 초음파검사의 즉각 시행이 급성 환자의 치명적일 수 있는 심폐질환을 진단 혹은 배제하는 데 도움이 될 수 있다.

심정지(무맥성 전기활동)

감별진단	심초음파 소견
심장눌림증	심낭 삼출
	심근 파열
폐색전증	우심실 확장/저운동증
저혈량증/아나필락시스	하대정맥 허탈(collapse)/좌심실 과역동
긴장성 기흉	심초음파 영상 획득 불가

급성 흉통

감별진단	심초음파 소견
허혈성 심질환	국소벽운동이상
폐색전증	우심실 확장/폐고혈압
급성 대동맥 증후군*	박리편, 대동맥류, 대동맥판 역류, 심낭 삼출
심낭염	정상 혹은 심낭 삼출
폐렴	늑막 삼출 ± 폐경결
유출로 폐쇄	중증 대동맥판 협착 혹은 폐쇄성 비대심근병증

*경식도 심초음파에서 가장 잘 관찰됨.

급성 호흡곤란

감별진단	심초음파 소견
좌심실부전	좌심실 기능장애
	중증 판막 질환
폐색전증	우심실 확장, 폐고혈압
폐렴	폐 기저부의 경결, 흉수

감별진단	심초음파 소견
흉수	흉수

저혈압

감별진단	심초음파 소견
심인성 쇼크	중증 좌심실 기능장애
	중증 우심실 기능장애
	중증 대동맥판 협착
	급성 중증 승모판 역류
	심근경색증 후 심실중격결손
	심장눌림증

감별진단	심초음파 소견
폐색전증	우심실 확장, 폐고혈압
저혈량증	하대정맥 허탈(collapse)/좌심실 과역동

심실성 부정맥

감별진단	심초음파 소견
특발성	정상
허혈성 심질환	좌심실 기능장애/국소벽운동이상
확장심근병증*	좌심실 기능장애

감별진단	심초음파 소견
판막 질환	중증 판막 기능이상(예, 중증 대동맥판 협착)
폐쇄성 비대심근병증	좌심실 비대, 비대칭성 중격비후, 승모판의 수축기전방운동, 좌심실 유출로 폐쇄
부정맥 유발성 우심실 이형성증	우심실 확장, 우심실 이형성증

* 좌심실 기능장애를 유발할 수 있는 모든 원인을 포함.

전신 색전증

감별진단	심초음파 소견
좌심방 혈전	좌심방 혈전* 혹은 선행요인(예, 승모판 협착)
벽재성 혈전(mural thrombus)	좌심실 혈전(대부분 국소 무운동증)
기이색전(paradoxical embolus)	난원공개존(patent foramen ovale) ± 심방중격류
심방 점액종	심방 점액종
심내막염	증식물
유두상탄력섬유종	판막 종괴
인공판막 혈전	인공판막 기능이상 ± 혈전*
대동맥 죽상경화반	대동맥 죽상경화반 > 4 mm*

* 경식도 심초음파에서 가장 잘 관찰됨.

둔상

가능한 손상	심초음파 소견
심근 타박상	좌심실 기능장애, 국소벽운동이상, 심낭 삼출
관상동맥 손상	좌심실 기능장애, 국소벽운동이상
심근 파열	심낭 삼출/심장눌림증
대동맥 박리/파열*	박리편, 대동맥류, 대동맥판 역류, 심낭 삼출
판막 기능이상*	판엽 찢어짐, 건삭 혹은 유두근 파열

* 경식도 심초음파에서 가장 잘 관찰됨.

심초음파 검사 보고

심초음파 검사를 마친 후에 검사자는 모든 영상을 검토하고 필요한 측정/계산을 시행하며, 이전의 심초음파 검사가 있으면 검토해야 한다. 그 다음에 보고서를 작성할 수 있다.

여러 중요 상황에 맞는 결과지 작성법이 나와 있지만, 환자 개개인의 소견에 맞게 수정해야 한다. 검사가 모든 측면에서 정상이라면 너무 자세한 정성적 기술은 필요하지 않으며, 각 구조물에 대해 최소한의 정량적 데이터만 포함해도 충분하다. 그러나, 유의미한 병리가 있다면 가능한 자세히 보고해야 한다.

미국심초음파학회는 표준 보고서에 포함해야 할 기술적 용어, 측정, 분석에 대해 전반적으로 요약하여 발표하였다(https://www.asecho.org/wp-content/uploads/2013/05/Standardized_Echo_Report_Rev1.pdf).

다음의 정보가 결과보고서의 기본이 되어야 한다.

1. 환자 정보
   - 환자 성명
   - 생년월일
   - 성별
   - 고유번호
   - 신장, 체중: 체표면적 계산에 사용
   - 심박동수, 리듬(예, 심방세동, 좌각차단)
   - 혈압
2. 질 기술
   - 심초음파 검사의 질에 대한 언급
   - 얻지 못한 영상/자료에 대한 언급

3. 정성적 기술
   구조, 기능, 기타 다음에 관한 관련 정보
   − 좌심실
   − 우심실
   − 심방, 심방중격
   − 대동맥판
   − 승모판
   − 삼첨판
   − 폐동맥판
   − 대동맥
   − 폐동맥
   − 하대정맥
   − 심낭
4. 정량적 자료
   − 표준 측정과 계산(가능하면 체표면적에 따라)
5. 소견의 요약
   − 중요한 양성 소견과 음성 소견. 검사가 적절했다면 '정상'으로 기술해도 된다.
6. 심초음파 검사자와 판독자

정상치

　정상치와 비정상치의 범위는 미국심초음파학회의 권고사항(2005)을 참고하였다. 대부분의 심초음파 측정치에 대해 정상치가 설정되어 있으며, 체격에 따라 보정할 때 가장 신뢰할 만한 수치가 된다. 체격과 관련하여 다양한 측정법이 제안되었지만 현재 권장 사항은 체표면적(body surface area, BSA)을 사용하는 것이다. 체표면적은 신장과 체중을 이용한 다음 공식에 의해 얻을 수 있다.

$$체표면적(m^2) = \sqrt{신장(cm) \times 체중(kg)/3,600}$$

좌심실 크기 측정

	여성				남성			
	정상	경증	중등도	중증	정상	경증	중등도	중증
LVIDd (cm)	3.9 – 5.3	5.4 – 5.7	5.8 – 6.1	≥ 6.2	4.2 – 5.9	6.0 – 6.3	6.4 – 6.8	≥ 6.9
LVIDd/체표면적 (cm/m²)	2.4 – 3.2	3.3 – 3.4	3.5 – 3.7	≥ 3.8	2.2 – 3.1	3.2 – 3.4	3.5 – 3.6	≥ 3.7
LV 이완기 용적(mL)	56 – 104	105 – 117	118 – 130	≥ 131	67 – 155	156 – 178	179 – 201	≥ 201
LV 이완기 용적/체표면적 (mL/m²)	35 – 75	76 – 86	87 – 96	≥ 97	35 – 75	76 – 86	87 – 96	≥ 97
LV 수축기 용적 (mL)	19 – 49	50 – 59	60 – 69	≥ 70	22 – 58	59 – 70	71 – 82	≥ 83
LV 수축기 용적/체표면적 (mL/m²)	12 – 30	31 – 36	37 – 42	≥ 43	12 – 30	31 – 36	37 – 42	≥ 43
SWTd (cm)	0.6 – 0.9	1.0 – 1.2	1.3 – 1.5	≥ 1.6	0.6 – 1.0	1.1 – 1.3	1.4 – 1.6	≥ 1.7
PWTd (cm)	0.6 – 0.9	1.0 – 1.2	1.3 – 1.5	≥ 1.6	0.6 – 1.0	1.1 – 1.3	1.4 – 1.6	≥ 1.7
LVOT (cm)	1.8 – 2.4				1.8 – 2.4			
좌심실 질량								
입체 공식								
LV 질량 (g)	67 – 162	163 – 186	187 – 210	≥ 211	88 – 224	225 – 258	259 – 292	≥ 293
LV 질량/체표면적 (g/m²)	43 – 95	96 – 108	109 – 121	≥ 122	49 – 115	116 – 131	132 – 148	≥ 149
면적-거리 공식								
LV 질량 (g)	66 – 150	151 – 171	172 – 182	≥183	96 – 200	201 – 227	228 – 254	≥ 255
LV 질량/체표면적 (g/m²)	44 – 88	89 – 100	101 – 112	≥ 113	50 – 102	103 – 116	117 – 130	≥ 131
좌심실기능								
분획 단축(%)	27 – 45	22 – 26	17 – 21	≤ 16	25 – 43	20 – 24	15 – 19	≤ 14
박출률(%)	≥ 55	45 – 54	30 – 44	< 30	≥ 55	45 – 54	30 – 44	< 30

LVIDd, 이완기 좌심실 내경; LV, 좌심실; SWTd, 이완기말 심실중격 두께; PWTd, 이완기말 심실후벽 두께; LVOT, 좌심실 유출로.

	여성				남성			
	정상	경종	중등도	중증	정상	경종	중등도	중증
우심실 크기 측정								
RV 기저부 직경(cm)	2.0 – 2.8	2.9 – 3.3	3.4 – 3.8	≥ 3.9	2.0 – 2.8	2.9 – 3.3	3.4 – 3.8	≥ 3.9
RV 중간부 직경(cm)	2.7 – 3.3	3.4 – 3.4	3.8 – 4.1	≥ 4.2	2.7 – 3.3	3.4 – 3.4	3.8 – 4.1	≥ 4.2
기저부–심첨부 장축 직경(cm)	7.1 – 7.9	8.0 – 8.5	8.6 – 9.1	≥ 9.2	7.1 – 7.9	8.0 – 8.5	8.6 – 9.1	≥ 9.2
우심실 유출로 직경								
폐동맥판 하부(cm)	1.7 – 2.3	2.4 – 2.7	2.8 – 3.1	≥ 3.0	1.7 – 2.3	2.4 – 2.7	2.8 – 3.1	≥ 3.0
대동맥판 상부(cm)	2.5 – 2.9	3.0 – 3.2	3.3 – 3.5	≥ 3.6	2.5 – 2.9	3.0 – 3.2	3.3 – 3.5	≥ 3.6
폐동맥 직경(cm)	1.5 – 2.1	2.2 – 2.5	2.6 – 2.9	≥ 3.0	1.5 – 2.1	2.2 – 2.5	2.6 – 2.9	≥ 3.0
RV 이완기 면적(cm²)	11 – 28	29 – 32	33 – 37	≥ 38	11 – 28	29 – 32	33 – 37	≥ 38
RV 수축기 면적(cm²)	7.5 – 16	17 – 19	20 – 22	≥ 23	7.5 – 16	17 – 19	20 – 22	≥ 23
분획 면적 변화(%)	32 – 60	25 – 31	18 – 24	≤ 17	32 – 60	25 – 31	18 – 24	≤ 17
심방 크기 측정								
LA 직경*(cm)	2.7 – 3.8	3.9 – 4.2	4.3 – 4.6	≥ 4.7	3.0 – 4.0	4.1 – 4.6	4.7 – 5.2	≥ 5.2
LA 직경/체표면적(cm/m²)	1.5 – 2.3	2.4 – 2.6	2.7 – 2.9	≥ 3.0	1.5 – 2.3	2.4 – 2.6	2.7 – 2.9	≥ 3.0
LA 용적(mL)	22 – 52	53 – 62	63 – 72	≥ 73	18 – 58	59 – 68	69 – 78	≥ 79
LA 면적(cm²)	≤ 20	20 – 30	31 – 40	> 40	≤ 20	20 – 30	31 – 40	> 40
LA 용적/체표면적(mL/m²)	16 – 28	29 – 33	34 – 39	≥ 40	16 – 28	29 – 33	34 – 39	≥ 40
RA 직경(cm)	2.9 – 4.5	4.6 – 4.9	5.0 – 5.4	≥ 5.5	2.9 – 4.5	4.6 – 4.9	5.0 – 5.4	≥ 5.5
RA 직경/체표면적(cm/m²)	1.7 – 2.5	2.6 – 2.8	2.9 – 3.1	≥ 3.2	1.7 – 2.5	2.6 – 2.8	2.9 – 3.1	≥ 3.2

* 흉골연 장축도에서 측정. RV, 우심실; LA, 좌심방; RA, 우심방.

판막 크기/면적 측정

	정상	경증	중등도	중증
대동맥판륜 (cm)	2.3 – 2.9			
승모판륜 (cm)	2.0 – 3.8			
폐동맥판륜 (cm)	1.8 – 2.2			
삼첨판륜 (cm)	1.3 – 2.8			
대동맥판 면적 (cm^2)	3.0 – 4.0	2.5 – 1.5	1.5 – 1.0	< 1.0
승모판 면적 (cm^2)	4.0 – 6.0	2.0 – 1.6	1.5 – 1.0	< 1.0
폐동맥판 면적 (cm^2)	3.0 – 5.0	2.0 – 1.0	0.5 – 1.0	< 0.5
삼첨판 면적 (cm^2)	4.0 – 6.0	2.0 – 1.6	1.5 – 1.1	≤ 1.0

대동맥 크기 측정

발살바동(cm)*	3.1 – 3.7
상행대동맥(cm)	< 3.7
상행대동맥(cm/m^2)	1.4 – 2.1
하행대동맥(cm/m^2)	1.0 – 1.6

*대동맥근의 정상 범위는 다음 공식에 따라 추정할 수 있다.

19세 미만: 대동맥근 직경 = 1.02 + (0.98 × 체표면적) (범위 ± 0.18)
20-39세: 대동맥근 직경 = 0.97 + (1.12 × 체표면적) (범위 ± 0.24)
40세 이상: 대동맥근 직경 = 1.92 + (0.74 × 체표면적) (범위 ± 0.40)
(출처: Roman MJ, Devereux RB, Kramer-Fox R et al. American Journal of Cardiology 1989;64:507-512.)

정상 도플러 수치

	정상	경증	중등도	중증
대동맥판 최대 속도(m/s)	≤ 2.5	2.6 – 2.9	3.0 – 4.0	> 4.0
폐동맥판 최대 속도(m/s)	0.6 – 0.9	1.0 – 3.0	3.0 – 4.0	> 4.0
LVOT 최대 속도(m/s)	0.7 – 1.1			
RVOT 최대 속도(m/s)	0.6 – 0.9			

LVOT, 좌심실 유출로; RVOT, 우심실 유출로.

정상		
승모판	< 50세	> 50세
E파 최대 속도(cm/s)	72 ± 14	62 ± 14
A파 최대 속도(cm/s)	40 ± 10	59 ± 14
E:A 비	1.9 ± 0.6	1.1 ± 0.3
감속 시간(ms)	179 ± 20	210 ± 36

값은 평균 ± 표준편차로 나타냈다.

정상		
삼첨판	< 50세	> 50세
E파 최대 속도(cm/s)	51 ± 17	46 ± 13
A파 최대 속도(cm/s)	27 ± 8	33 ± 8
E:A 비	2.0 ± 0.5	1.3 ± 0.4
감속 시간(ms)	188 ± 22	198 ± 23

값은 평균 ± 표준편차로 나타냈다.

유용한 공식

기본 물리학

초음파의 특성

$$v = f\lambda$$

여기서 v는 초음파의 속도, f는 초음파의 주파수이며 λ는 초음파의 파장이다.

도플러 공식

$$\Delta f = \frac{2f_0 v \cos\theta}{c}$$

여기서 Δf는 도플러 주파수 편이, f_0은 탐촉자에서 나오는 초음파의 주파수, θ는 초음파 빔과 혈류 사이의 각도, v는 혈류의 속도이며 c는 조직 내 초음파 속도 (1,540 m/s)이다.

나이퀴스트 한계(Nyquist limit)

$$\text{나이퀴스트 한계(주파수)} = \frac{\text{펄스 반복 주파수}}{2}$$

좌심실기능

분획 단축(fractional shortening)

$$\text{분획 단축(\%)} = \frac{(\text{LVIDd}-\text{LVIDs})\times 100}{\text{LVIDd}}$$

여기서 LVIDd는 이완기말 좌심실 내경이며, LVIDs는 수축기말 좌심실 내경이다.

박출률(ejection fraction)

$$박출률(\%) = \frac{일회\ 박출량}{이완기말\ 좌심실\ 용적} \times 100$$

$$= \frac{이완기말\ 좌심실\ 용적 - 수축기말\ 좌심실\ 용적}{이완기말\ 좌심실\ 용적} \times 100$$

Simpson의 이면 공식(Simpson's biplane formula)

$$좌심실\ 용적(mL) = \sum [\pi(ai \times bi)L/4n]$$

여기서 ai와 bi는 서로 수직인 2개의 면에서 본 실린더의 직경(cm)이고, L/n은 디스크의 높이(cm), n은 디스크 수다.

좌심실 비대

입체 공식(cubed formula)

$$좌심실\ 질량(g) = 0.80 \times [1.04 \times (IVSd + PWTd + LVIDd)^3 - (LVIDd)^3] + 0.6\ g$$

여기서 근육의 비중은 $1.04\ g/cm^3$, IVSd는 이완기말 심실중격 두께, LVIDd는 이완기말 좌심실 내경, PWTd는 이완기말 후벽 두께이다.

면적-거리 공식(area-length formula)

$$좌심실\ 질량(g) = 1.05[(5/6)A_1(L+T)(5/6)A_2L]$$

여기서 1.05 g/mL는 근육의 비중, A_1 및 A_2는 흉골연 단축도에서 각각 심외막 및 심내막의 영역(cm^2), L은 심첨부에서 승모판륜 중간 지점까지의 길이(cm). T는 A_1와 A_2 (cm)에서 계산된 평균 벽 두께이다.

잘린 타원형(truncated ellipsoid)

$$좌심실\ 질량(g)$$
$$= 1.05[(b+T)^2\{2/3(a+T)+d-d^3/[3(a+T)^2]\} - b^2(2/3a + dd^3/3a^2)]$$

여기서 1.05 g/mL는 근육의 비중, b는 유두근 끝 레벨(cm)에서 측정한 좌심실의 단축 반경, a는 심첨부에서 최대 단축의 교차점까지의 장축 거리(cm), d는 이 교차점에서 승모판륜 레벨의 중간점까지의 장축 거리(cm)이다. T는 심외막 및 심내막 단축 영역인 A_1 및 A_2 (cm)에서 계산된 평균 벽 두께이다.

정량적 도플러 심초음파

일회 박출량(stroke volume, SV)

좌심실 박출량(mL) = $VTI_{LVOT} \times \pi r_{LVOT}^2$

여기서 VTI_{LVOT}는 좌심실 유출로의 전방 혈류의 속도-시간 적분(cm/s)이고, r_{LVOT}는 좌심실 유출로의 직경(cm)이다.

우심실 박출량(mL) = $VTI_{RVOT} \times \pi r_{RVOT}^2$

여기서 VTI_{RVOT}는 우심실 유출로의 전방 혈류의 속도-시간 적분(cm/s)이고, r_{RVOT}는 우심실 유출로의 직경(cm)이다.

심박출량(cardiac output)

심박출량(mL/min) = 좌심실 일회 박출량(LV stroke volume)×심박수

역류량(regurgitant volume)

역류량(mL) = 전체 전방 혈류량(total forward flow) - 일회 박출량

역류 분획(regurgitant fraction)

$$역류 분획(\%) = \frac{(전체\ 전방\ 혈류량 - 일회\ 박출량) \times 100}{전체\ 전방\ 혈류량}$$

션트 비(shunt ratio)

$$션트\ 비 = \frac{우심실\ 일회\ 박출량}{좌심실\ 일회\ 박출량}$$

판막 질환

연속성 공식(continuity equation)

$$Area_{AV}(cm^2) = \frac{(\pi\ radius_{LVOT}^2) \times VTI_{LVOT}}{VTI_{AV}}$$

여기서 $Area_{AV}$는 대동맥판 면적이고, $radius_{LVOT}$는 좌심실 유출로의 반경(cm)이며, VTI_{AV} 및 VTI_{LVOT}는 각각 대동맥판과 좌심실 유출로의 속도-시간 적분(cm/s)이다.

근위부 등속면 면적법(proximal isovelocity surface area, PISA)

$$\text{EROA (cm}^2) = \frac{(2\pi r^2) \times V_a}{V_{max}}$$

여기서 EROA(effective regurgitant orifice area)는 유효 역류판구 면적이고, r은 근위부 등속면 면적법(PISA) 영역의 반경, V_a는 앨리어싱 속도(aliasing velocity), V_{max}는 역류의 최대 속도다.

PISA lite(승모판 역류에서만 사용)

$$\text{EROA} = r^2/2$$

여기서 EROA는 유효 역류판구 면적이고, r은 근위부 등속면 면적법(PISA) 영역의 반경이며, 앨리어싱 속도는 40 cm/s으로 가정하였다.

역류량(regurgitant volume)

$$\text{역류 용적} = \text{EROA} \times \text{VTI}_{max}$$

여기서 EROA는 유효 역류판구 면적이고, VTI_{max}는 최대 역류의 속도-시간 적분이다.

Index

국문 찾아보기

ㄱ

ㄴ

ㅇ

ㅈ

ㅋ

ㅌ

ㅍ

ㅎ